Gramática española moderna

Un nuevo enfoque

GRAMÁTICA ESPAÑOLA MODERNA

Un nuevo enfoque

Segunda edición

SANTIAGO REVILLA DE COS

Licenciado en Humanidades y
Profesor de Lengua y Literatura Española

McGRAW-HILL

**MÉXICO • BUENOS AIRES • CARACAS • GUATEMALA • LISBOA • MADRID • NUEVA YORK
PANAMÁ • SAN JUAN • SANTAFÉ DE BOGOTÁ • SANTIAGO • SÃO PAULO**
AUCKLAND • HAMBURGO • LONDRES • MILÁN • MONTREAL • NUEVA DELHI • PARÍS
SAN FRANCISCO • SINGAPUR • ST. LOUIS • SIDNEY • TOKIO • TORONTO

GRAMÁTICA ESPAÑOLA MODERNA
Un nuevo enfoque

Prohibida la reproducción total o parcial de esta obra,
por cualquier medio, sin autorización escrita del editor.

DERECHOS RESERVADOS © 1988, respecto a la segunda edición por
McGRAW-HILL/INTERAMERICANA DE MÉXICO, S.A. DE C.V.
 Atlacomulco No. 499-501, Fracc. Ind. San Andrés Atoto
 53500 Naucalpan de Juárez, Edo. de México
 Miembro de la Cámara Nacional de la Industria Editorial, Reg. Núm. 1890

ISBN 968-451-521-9 segunda edición
(ISBN 968-451-135-3 primera edición)

1502346789   LINSA-84   9087641235

IMPRESO EN COLOMBIA   **PRINTED IN COLOMBIA**

Se imprimieron 2.100 ejemplares en el mes de noviembre de 2000
Impreso por Editorial Nomos S. A.

PRÓLOGO

Con esta obra pretendemos ofrecer al estudiante de nivel medio un instrumento de trabajo lo más práctico posible para el estudio de la gramática. En su elaboración hemos procurado seguir los lineamientos de la lingüística moderna, específicamente de la escuela estructuralista que, en nuestro caso, corresponden a los de la denominada gramática estructural.

Comparada con la gramática tradicional, la gramática presentada aquí ofrece cambios fundamentales, tanto en su contenido como en la terminología. En uno y otro campo persisten todavía discrepancias entre los teóricos. Esto se debe a que el estructuralismo, por ser una ciencia muy joven, no se ha desarrollado suficientemente ni, por consiguiente, se ha organizado en forma definitiva. No obstante lo anterior, se ha alcanzado el consenso general respecto al siguiente hecho: la gramática tradicional ha quedado superada, tanto en lo referente a las bases científicas en que fundamentaba su teoría como en lo concerniente a su contenido y terminología.

Consecuentemente, para ceñirnos a las orientaciones de la escuela estructuralista, hemos limitado el contenido de esta obra a la Morfología y la Sintaxis, que son las partes que conforman la gramática propiamente dicha. La Prosodia y la Ortografía se consideran hoy partes de la Fonología.

En cuanto a la terminología, hemos optado por un sistema ecléctico: damos preferencia al término moderno, pero en ocasiones nos valemos de términos tradicionales (a veces, para que sirvan de referencia orientadora, se consignan ambos) por razones prácticas, ya que a este respecto no existe, aun hoy, unanimidad de criterio entre los teóricos. Tal desacuerdo se explica por la amplia diversidad y extremada complejidad de los factores lingüísticos concurrentes como son la misma capacidad creadora de la lengua, que está incorporando constantemente nuevas formas y estructuras, la pervivencia de formas vacilantes, etc., todo lo cual obliga a una constante revisión y ajuste en las nomenclaturas utilizadas. De cualquier modo, es éste un aspecto al que no conviene darle mayor importancia de la que tiene, pues, como bien advierte la Real Academia Española. . . ''En Lingüística, como en la mayor parte de las disciplinas científicas, la terminología es convencional. Por feliz que sea la palabra con que bautizamos un concepto científico nuevo, apoyándolo en el sistema significativo de la lengua (raíces, morfemas derivativos, usos metafóricos, etc.) el término no es nunca enteramente connotativo, exige una definición previa. Sólo el uso acaba uniendo estrechamente la forma de una palabra al contenido que estaba dado en la definición ''. . . las denominaciones de las categorías gramaticales siguen siendo en éste y en la mayor parte de los casos nada más que convencionales y aproximadas. . .'' ''No cabe, pues, ser muy exigente en la elección de los términos gramaticales, pues toda discusión acerca de su propiedad e impropiedad resulta en último término una discusión bizantina.''

Así pues, el contenido y la terminología usados en esta obra quedan enmarcados, aunque sólo sea en forma aproximada, dentro de las tendencias de la lingüística moderna. Dado que, por otra parte, es ésta una obra de clara intención didáctica, hemos hecho hincapié en una presentación práctica y funcional de sus contenidos, de manera que el estudiante pueda servirse de ella con suma facilidad.

El texto se ha dividido en **temas** cuya concisión y homogeneidad, así como su organización en una secuencia lógica, facilitan una rápida comprensión tanto de cada uno en sí mismo como del conjunto de todos ellos. Nuestro propósito ha sido ofrecer unidades de trabajo que puedan ser explicadas y comprendidas a cabalidad —y no en forma fragmentaria— en el corto tiempo que normalmente se dedica a una clase.

Para mayor claridad, todas las categorías gramaticales empleadas se presentan definidas y clasificadas bajo cada uno de los criterios de clasificación (morfológico, sintáctico y semántico). Naturalmente, hay que reconocer que esta separación de criterios es algo convencional y obedece únicamente a la conveniencia metódica de examinar la lengua bajo distintos puntos de vista. Es decir, la separación de criterios constituye aquí un método, no un marco rígido de verdades absolutas mutuamente excluyentes, por ejemplo, si bien es cierto que el criterio morfológico y el sintáctico con frecuencia se entrecruzan (la forma implica la función y viceversa), ello no invalida el método aludido, que permite efectuar clasificaciones perfectamente claras y ordenadas, no caóticas, como resultaban con mucha frecuencia en la gramática tradicional que aplicaba los criterios de clasificación en forma caprichosa, no sistemática.

Los **ejercicios prácticos** que siguen a cada tema complementan el desarrollo natural de éste. Recomendamos su realización inmediata después de la explicación teórica correspondiente. Se reforzará así el aprendizaje al eliminar los nocivos intervalos de días, semanas y a veces hasta de meses, que impiden a muchos estudiantes asociar la teoría gramatical con la práctica viva de la lengua.

En todo caso, desde luego, el maestro será quien diga la última palabra respecto al uso que se dé al texto. Sólo él conoce con exactitud el grado de preparación, capacidad y necesidades específicas de su grupo. Consecuentemente, para adaptarse mejor al mismo, podrá resumir o ampliar la explicación de ciertos temas, explicar uno o varios temas en cada clase o bien dedicar varias clases a un solo tema, es decir, adaptar siempre el texto a los estudiantes y no a la inversa. Igual procedimiento adaptativo puede seguirse en cuanto a los **ejemplos propuestos** en los ejercicios prácticos. A éstos podrán agregarse otros ejemplos tomados de autores clásicos y modernos, del lenguaje coloquial ordinario, de la prensa, etc., así como construcciones defectuosas para su debida corrección y comentarios pertinentes, las que ayudarán a confirmar, por contraste, la teoría que se explica en clase. Es recomendable, además, que tales ejemplos provengan preferentemente de la propia inventiva del estudiante, tanto si se proponen como ejemplos adecuados de la materia explicada como si se trata de frases dudosas o claramente incorrectas; en ambos casos deberá procederse a hacer los comentarios y correcciones pertinentes.

Es importante señalar que, para el reconocimiento y mejor comprensión de las diversas estructuras lingüísticas, tanto en las explicaciones del maestro como en los ejercicios que se exija al alumno, el maestro podrá recurrir a las técnicas empleadas o mencionadas en el texto mismo, como son: *variación flexional* (conjugar el verbo para establecer si existe concordancia entre los elementos, por ejemplo sujeto y verbo); *inversión* (cambiar el orden de las palabras de una expresión dada para distinguir un modificador de una forma declarativa); *cambio* (volver la voz activa a pasiva y viceversa para apreciar la relación de ambas estructuras); *conmutación* (por ejemplo, para distinguir los modificadores, colocar en lugar de éstos un pronombre); *supresión* (suprimir los modificadores o elementos subordinados para reconocer el núcleo).

Para terminar, no estará de más recordar aquí un principio didáctico fundamental que todo maestro conoce muy bien: el aprovechamiento del estudiante depende en forma significativa de la participación activa que él tenga en las clases. Este principio es particularmente válido tratándose de la gramática, pues ésta no es, en última instancia, más que la explicación racional de unas estructuras lingüísticas que el estudiante ya posee y usa, mal que bien, espontáneamente. Tal participación le incitará a pensar por cuenta propia, ejercicio mental del más alto valor formativo, tanto en el aprendizaje de la lengua como en el desarrollo integral de la inteligencia y de la personalidad en general, no sólo en su etapa como estudiante sino también en todos los órdenes de su vida futura.

ÍNDICE GENERAL

Tema	CONTENIDO		
1	ELEMENTOS DE LA ORACIÓN GRAMATICAL	—Clasificación general	1
1—A		—Variaciones morfológicas	
1—B		—Funciones sintácticas	
1—C		—Clasificación semántica	
2	SUSTANTIVO	—Clasificación general	12
2—A		—Variaciones morfológicas: GÉNERO	
2—B		—Variaciones morfológicas: NÚMERO	
2—C		—Clasificación morfológica	
2—D		—Funciones sintácticas	
2—E		—Funciones sintácticas: MODIFICADORES	
2—F		—Clasificación semántica	
3	ADJETIVO	—Clasificación general	30
3—A		—Variaciones morfológicas: GÉNERO	
3—B		—Variaciones morfológicas: NÚMERO	
3—C		—Concordancia	
3—D		—Clasificación morfológica	
3—E		—Funciones sintácticas	
3—F		—Clasificación semántica	
3—G		—Grados de significación	
4	ARTÍCULO	—Clasificación general	55
4—A		—Variaciones morfológicas: concordancia	
4—B		—Funciones sintácticas	
5	PRONOMBRE	—Clasificación general	61
5—A		—Variaciones morfológicas: género y número	

5—B		—Funciones sintácticas	
5—C		—LOS PERSONALES	
5—D		—LOS POSESIVOS	
5—E		—LOS DEMOSTRATIVOS. LOS INDEFINIDOS	
5—F		—LOS RELATIVOS	
6	VERBO	—Clasificación general	77
6—A		—Variaciones morfológicas	
6—B		—Clasificación morfológica	
6—C		—Concordancia	
6—D		—Verbos auxiliares: paradigma de su conjugación	
6—E		—Paradigma de la conjugación regular (1a, 2a, y 3a)	
6—F		—Verbos irregulares: de irregularidad común	
6—G		—Verbos irregulares: de irregularidad propia	
6—H		—Verbos con participio regular e irregular	
6—I		—Función sintáctica. Modificadores	
6—J		—Clasificación sintáctica	
6—K		—Perífrasis verbales	
7	VERBOIDES	—Clasificación general	122
7—A		—EL INFINITIVO	
7—B		—EL GERUNDIO	
7—C		—EL PARTICIPIO	
8	ADVERBIO	—Clasificación general	130
8—A		—Variaciones morfológicas	
8—B		—Función sintáctica	
8—C		—Clasificación semántica	
9	PREPOSICIÓN	—Clasificación general	138
9—A		—Funciones sintácticas	
9—B		—Uso y significación	
10	CONJUNCIÓN	—Clasificación general	146
10—A		—Funciones sintácticas	
11	INTERJECCIÓN	—Clasificación general	152
11—A		—Funciones sintácticas	
12	LA ORACIÓN GRAMATICAL: Unimembre—Bimembre		156
13	ORACIONES UNIMEMBRES. Clasificación		158
14	ELEMENTOS DE LA ORACION BIMEMBRE	—Clasificación general	160
14—A		— S U J E T O	
14—B		—Predicado verbal	
14—C		—PREDICATIVO	
14—D		—PREDICADOS NO VERBALES	
14—E		—Concordancia	
14—F		—El vocativo	
15	LA ORACIÓN GRAMATICAL. Estructura sintáctica: SIMPLES-COMPUESTAS		178
16	LA ORACIÓN BIMEMBRE. Clasificación general		181
17	ORACIONES SIMPLES	—Clasificación	183
17—A		—De predicado no verbal	

17—B	—De verbo copulativo	
17—C	—Transitivas	
17—D	—Intransitivas	
17—E	—Pasivas	
17—F	—Reflexivas	
17—G	—Recíprocas	
17—H	—Impersonales	

18	**ORACIONES COMPUESTAS**	—ORACIÓN-PROPOSICION	209
18—A		—COORDINACIÓN-SUBORDINACIÓN	
18—B		—Clasificación general	

19	**PROPOSICIONES COORDINADAS**	—Yuxtapuestas-Distributivas	215
19—A		—Copulativas	
19—B		—Disyuntivas	
19—C		—Adversativas	

20	**PROPOSICIONES SUBORDINADAS**	—Clasificación general	223

21	**PROPOSICIONES SUBORDINADAS**	**SUSTANTIVAS**	—De sujeto	225
21—A			—Complementarias directas	
21—B			—Complementarias de sustantivo y adjetivo	

22	**PROPOSICIONES SUBORDINADAS**	**ADJETIVAS**	—Explicativas-Especificativas . .	231

23	**PROPOSICIONES SUBORDINADAS**	**ADVERBIALES**	—De lugar	236
23—A			—TEMPORALES	
23—B			—Modales	
23—C			—Comparativas	
23—D			—Causales	
23—E			—Finales	
23—F			—Consecutivas	
23—G			—Codicionales	
23—H			—Concesivas	

	con criterio **MORFOLÓGICO** (por su forma)	con criterio **SINTÁCTICO** (por su función)	con criterio **SEMÁNTICO** (por su significado)
	Variaciones morfológicas	*Funciones sintácticas*	*Clasificación semántica*
SUSTANTIVO	Género ⎰ masculino / femenino Número ⎰ singular / plural Hay sustantivos invariables	Sujeto-Objeto directo Objeto indirecto-Circunstancial-Agente-Predicativo-Predicado nominal-Término apósito-Vocativo	Comunes-Propios Concretos-Abstractos Colectivo-Individual Partitivo-Múltiplo
ADJETIVO	Género ⎰ masculino / femenino Número ⎰ singular / plural Hay adjetivos invariables	Atributo a) de sustantivo b) de construcción sustantiva Predicativo Núcleo de predicado nominal Término de preposición	Véase la clasificación semántica en el tema correspondiente
ARTÍCULO	Género - masculino / femenino / neutro Número ⎰ singular / plural	Atributo a) de sustantivo b) de construcción sustantiva Es su única función. Sintácticamente es una forma especial del adjetivo	El artículo no tiene significado por sí solo. Es semánticamente vacío
PRONOMBRE	Género - masculino / femenino / neutro Número - singular / plural Hay pronombres invariables	Funcionan como SUSTANTIVOS. Funcionan como ADJETIVOS. Funcionan como ADVERBIOS. Los relativos tienen doble función: a) Nexo subordinante b) Sustantivo-Adjetivo-Adverbio.	Son palabras no descriptivas de escaso o nulo contenido semántico: no tienen significado por sí solas. Su significado es ocasional, debido al contexto

	con criterio **MORFOLÓGICO** (por su forma)	con criterio **SINTÁCTICO** (por su función)	con criterio **SEMÁNTICO** (por su significado)
VERBO	Persona 1a.-2a.-3a. Número ⎡ singular ⎣ plural Tiempo ⎡ pasado ⎣ presente ⎣ futuro Modo ⎡ indicativo ⎣ subjuntivo ⎣ potencial ⎣ imperativo Voz ⎡ activa ⎣ pasiva	La única función sintáctica del verbo es ser núcleo del predicado. *Clasificación sintáctica:* Copulativo (SER y ESTAR) Transitivo (con Objeto directo) Intransitivo (sin Objeto directo) Pronominal: Reflejo Cuasirreflejo Recíproco Auxiliar (HABER y SER) Impersonal Unipersonal	El significado del verbo denota diversos aspectos de una realidad atribuida al sujeto: acción, estado, cualidad, relación. . .
VERBOIDE	Infinitivo: invariable Gerundio: invariable Participio ⎡ género ⎣ número	Doble función simultánea: a) como verbo b) como sustantivo, adjetivo o adverbio	
ADVERBIO	invariable (hay excepciones)	Atributo: a) de verbo b) de adjetivo c) de otro adverbio	Expresa circunstancias diversas. Tiene tres grados de significación: Positivo-Comparativo-Superlativo
PREPOSICIÓN	invariable	Precede a su término y lo subordina.	No tiene significado propio. Es semánticamente vacía
CONJUNCIÓN	invariable	*Coordinante:* relaciona elementos del mismo valor sintáctico. *Subordinante:* introduce proposiciones incorporadas.	No tiene significado por sí sola. Es semánticamente vacía
INTERJECCIÓN	invariable	Es un elemento incidental dentro de la oración.	Expresa sentimientos, emociones. . . pero carece de contenido conceptual

ELEMENTOS
DE LA ORACIÓN GRAMATICAL

—Clasificación general
—Cuadro sinóptico

Escriba la respuesta a las siguientes preguntas:

1) ¿Qué criterio se aplica cuando se hace la distinción entre palabras variables e inva- riables? _____

2) ¿Qué criterio se aplica cuando se considera la función de una palabra en la oración? _____

3) ¿Qué criterio se aplica cuando se toma en cuenta el significado de una palabra? _____

4) ¿Qué variaciones morfológicas afectan al sustantivo? _____

5) ¿Qué elemento de la oración se ve afectado por las variaciones morfológicas de perso- na y tiempo? _____

6) ¿Cuál es el elemento de la oración que funciona como modificador directo o atributo del sustantivo? _____

7) ¿Qué criterio se aplica cuando un verbo es clasificado como transitivo? _____

8) ¿Qué criterio se aplica cuando se dice que la preposición no tiene significado por sí misma? _____

9) ¿Qué criterio se aplica cuando se dice que un adjetivo va en función de predicativo? _____

10) ¿Posee la preposición variaciones de género y número? _____

11) ¿Cuál es el elemento que funciona como atributo del verbo? _____

12) ¿Cuál es el elemento que puede funcionar como sustantivo, como adjetivo o como adverbio? _____

13) ¿Tiene el verbo variaciones de género? _____

14) ¿Tiene el adjetivo variaciones de género y número? _____

15) La conjunción, ¿es morfológicamente variable o invariable? _____

16) ¿Cuál es la única función sintáctica que desempeña el verbo dentro de la oración? _____

CLASIFICACIÓN MORFOLÓGICA

En cuanto a su forma, todos los elementos de la oración se enmarcan en dos grandes grupos: los variables y los invariables. En uno y otro se producen algunas excepciones, pero en la mayoría de los casos cada elemento se comporta como variable o como invariable.

A) VARIABLES
Sustantivo
Adjetivo
Artículo
Pronombre
Verbo
Verboide: el participio

B) INVARIABLES
Verboide
  Infinitivo
  Gerundio
Adverbio
Preposición
Conjunción
Interjección

VARIACIONES MORFOLÓGICAS

Todas las posibles variaciones morfológicas que una palabra puede experimentar se realizan mediante alguno de los siguientes procedimientos: *flexión, derivación, composición* y *parasíntesis*.

I | FLEXIÓN

La palabra sufre, en su terminación, ciertos cambios llamados *MORFEMAS FLEXIVOS* o *DESINENCIAS*. Morfemas flexivos son los que señalan los accidentes gramaticales: género, número, persona, tiempo y modo. Tienen carácter predominantemente gramatical.

GÉNERO
Accidente propio del *sustantivo* y, por reflejo, también del *adjetivo* y del *artículo*, por ser sus atributos; y del *pronombre* que, por su función, es sustantivo o adjetivo.
Masculino, el que exige el artículo *el* y la desinencia *-o* del adjetivo.
Femenino, el que exige el artículo *la* y la desinencia *-a* del adjetivo.
Neutro, el que no es ni masculino ni femenino (sólo existe en las formas pronominales: *esto, eso, aquello, ello* y *lo*).
Hay sustantivos, adjetivos y pronombres que son invariables en género.

NÚMERO
Accidente propio del *sustantivo* y por reflejo también del *adjetivo* y del *artículo*, por ser sus atributos; y del *pronombre* que, por su función, es sustantivo o adjetivo. El número afecta también al *verbo* en todas sus personas (1a., 2a. y 3a.). Hay dos variantes de número: *singular* y *plural*.
Hay sustantivos, adjetivos y pronombres que son invariables en número.

PERSONA
Accidente propio y exclusivo del *verbo*.
Hay tres personas gramaticales: *1a. persona* (la que habla); *2a. persona* (aquella a quien se habla); *3a. persona* (la que no es ni 1a. ni 2a.).

TIEMPO
Accidente propio y exclusivo del *verbo*.
La acción verbal puede expresarse en pasado, presente o futuro y en cada caso mediante formas simples o compuestas (tiempos simples y compuestos).

MODO
Accidente propio y exclusivo del *verbo* (indica la actitud del hablante). Hay tres modos: *indicativo* (expresa la significación verbal como *realidad*), *subjuntivo* (expresa la significación verbal como *no realidad*), *imperativo* (expresa mandato, ruego, orden. . .).

VOZ
Accidente propio y exclusivo del *verbo*.
Hay dos voces: *activa* y *pasiva*.

El conjunto de variaciones flexionales que afectan a una palabra forma su *paradigma*. Así, por ejemplo, el sustantivo y el adjetivo poseen paradigma de género y número: niño-niña; niños-niñas; bueno-buena; buenos-buenas.

Por su parte, el paradigma flexivo del verbo, es más extenso; está integrado por el total de formas correspondientes a todas las personas de todos los tiempos simples y compuestos de los distintos modos y voces.

II DERIVACIÓN

La palabra sufre, en su terminación, cambios o alteraciones llamados MORFEMAS DERIVATIVOS o SUFIJOS. Lo que queda de una palabra al suprimir todos los sufijos se llama *radical* o *raíz*, si se trata del verbo, y *base de derivación* en los demás casos: *dorm-it-orio* (raíz *dorm*, del verbo dormir). La palabra compuesta puede ser de la misma o distinta categoría que la base de derivación. El último morfema derivativo determina la categoría de la palabra, cualquiera que sea su base de derivación. La mayoría de los derivados son sustantivos, adjetivos y verbos. Muy pocos son adverbios, participios y gerundios (los que admiten diminutivos). Los morfemas DERIVATIVOS tienen carácter predominantemente léxico.

Según la base de derivación, los derivados pueden formarse así:
1) palabra primitiva + sufijo — *solar* (*sol* + ar)
2) raíz + sufijo — *casita* (*cas* + ita)
3) palabra derivada + sufijo — *porosidad* (*poroso*, derivado de poro + idad)
4) palabra compuesta + sufijo— *vanagloriar* (*vanagloria,* vana + gloria, + iar)

Por la naturaleza del sufijo, los derivados se clasifican en:
1) *Aumentativo*-Sufijos más comunes: -azo, -on, ote, y sus formas femeninas.
2) *Diminutivo*-Sufijos más comunes: -ito, -ico, -illo, y sus formas femeninas.
3) *Despectivo*-Sufijos más comunes: -ajo, -astro, -acho, -uza.
4) *Patronímico*-Sufijos más comunes: -az, -ez, -iz, -oz, -uz.
5) *Gentilicio*-Sufijos más comunes: -an, -ano, -es, -i, -ense, -ino, -eño.
6) *Superlativo morfológico*: El sufijo-ísimo (con variantes de género y número).

III COMPOSICIÓN

La composición es una estructura formada por dos o más palabras. Las palabras compuestas pertenecen a casi todas las categorías, excepto el verbo, que forma parte de la derivación. Por ejemplo: pasa-tiempo (sustantivo); roji-blanco (adjetivo); cual-quiera (pronombre); tam-poco (adverbio); aun-que (conjunción). Los compuestos más comunes son los sustantivos y adjetivos. La palabra compuesta puede ser de la misma categoría que sus componentes (si éstos son de la misma), de la categoría de uno de ellos o de distinta categoría.

Los compuestos pueden formarse de dos modos:
A) Compuestos formados por palabras o radicales de palabras:

1) dos sustantivos	bocacalle	10) adverbio + adjetivo	malsana
2) dos adjetivos	agridulce	11) preposición + sustantivo	sinvergüenza
3) sustantivo + adjetivo	manirroto	12) preposición + adjetivo	deformado
4) adjetivo + sustantivo	fácilmente	13) preposición + verbo	contradecir
5) dos verbos	vaivén	14) preposición + adverbio	anteayer
6) verbo + sustantivo	abrelatas	15) preposición + conjunción	porque
7) pronombre + verbo	quienquiera	16) dos conjunciones	aunque
8) adverbio + verbo	malgastar	17) conjunción + verbo	siquiera
9) adverbio + sustantivo	bienvenida	18) una oración	correveidile

B) Compuestos por un prefijo y una palabra. A este tipo pertenecen los compuestos, ya citados, formados por la preposición + sustantivo, adjetivo, verbo, etc. y también los formados por prefijos de origen latino y griego.

PREPOSICIONES que funcionan como prefijos	PREFIJOS de origen latino	PREFIJOS de origen griego
a, ante, con, contra, de, en, entre, por, sin, so, sobre, tras.	ab, bis, circun, des, equi, ex, extra, infra, post, pre, pro, re, semi.	a, archi, auto, día, hidro, meta, mono, neo, peri, polí, proto, seudo.

IV PARASÍNTESIS

Es la estructura en la que se dan de manera solidaria la derivación y la composición. Parasintética es, pues, la palabra que es a la vez derivada y compuesta.

APÓCOPE. Es la pérdida de una o más letras finales. El fenómeno afecta únicamente a algunos adjetivos (en singular y cuando preceden al sustantivo): *buen* vino. . . y a algunos adverbios cuando preceden al adjetivo o a otro adverbio (no al verbo): es *tan* bueno. Lo hizo *tan* mal. . .

Ejercicios

Tema 1-A	ELEMENTOS DE LA ORACIÓN GRAMATICAL —Variaciones morfológicas

---

Conteste las siguientes preguntas:

1) ¿Cuáles son los elementos de la oración que se ven afectados por variaciones morfológicas de *género*?

_____

2) ¿Cuáles son los elementos de la oración que resultan afectados por variaciones morfológicas de *número*?

_____

3) ¿Cuáles son los accidentes gramaticales que afectan únicamente al verbo?

_____

4) ¿Cuáles son los accidentes gramaticales que afectan al sustantivo?

_____

5) ¿Cuáles son los accidentes gramaticales que afectan al adjetivo, al sustantivo y al pronombre?

_____

6) En el recuadro correspondiente, señale con X la clasificación morfológica de cada elemento de la oración.

	Variable	invariable		Variable	invariable
SUSTANTIVO	☐	☐	PREPOSICIÓN	☐	☐
ADJETIVO	☐	☐	CONJUNCIÓN	☐	☐
ARTÍCULO	☐	☐	INTERJECCIÓN	☐	☐
PRONOMBRE	☐	☐	VERBOIDES	☐	☐
VERBO	☐	☐	Infinitivo	☐	☐
ADVERBIO	☐	☐	Gerundio	☐	☐
			Participio	☐	☐

Escriba la clase de derivado (aumentativo, diminutivo, despectivo, patronímico, gentilicio, superlativo), que es cada una de las siguientes palabras, así como la base de derivación y el sufijo en la columna respectiva.

derivado	clase de derivado	base de derivación	sufijo
1) mesita			
2) canadiense			
3) gentuza			
4) escuadrón			
5) altísimo			
6) Fernández			
7) grandote			
8) casucha			
9) carísimo			
10) zapatito			

Escriba las partes componentes, sean palabras completas, radicales de palabras o prefijos, de cada uno de los siguientes compuestos:

	primer componente	+	segundo componente
1) equidistante			
2) rompehielos			
3) hidroeléctrica			
4) carilargo			
5) sobretasa			
6) pelirrojo			
7) autodefensa			
8) anormal			
9) parasol			
10) anteojos			

| Tema 1-B | ELEMENTOS DE LA ORACIÓN GRAMATICAL | —Funciones sintácticas |

partición bimembre	funciones sintácticas	
SUJETO	NÚCLEO	Es siempre un sustantivo o elemento sustantivado: 1) Sustantivo solo 2) Frase sustantiva 3) Adjetivo solo o construcción con valor adjetivo 4) Pronombre (que es sustantivo) 5) Verbo sustantivado (verboide infinitivo) 6) Adverbio solo o construcción con valor adverbial 7) Preposición sustantivada 8) Conjunción sustantivada 9) Interjección sustantivada 10) Proposición incorporada

	MODIFICADORES	A) DIRECTOS O ATRIBUTOS
		(sin nexo) 1) Artículo (delante únicamente)
		                    2) Adjetivo (delante o detrás)
		                    3) Adjetivo predicativo
		                    4) Sustantivo predicativo
		                    5) Sustantivo en aposición
		                    6) Adverbio en función adjetiva
		                    7) Gerundio en función adjetiva (muy raro)
		B) INDIRECTOS 1) Complemento preposicional
		(con nexo) 2) Complemento comparativo
		                    3) Proposición incorporada

PREDICADO	NÚCLEO	El verbo es el núcleo o palabra esencial del predicado
		A) con el verbo expreso PREDICADO VERBAL
		B) con el verbo callado PREDICADO NOMINAL
		                    1) Sustantivo
		                    2) Adjetivo
		                    3) Complemento preposicional
		                    4) Complemento comparativo
		            PREDICADO ADVERBIAL
		                    1) Adverbio solo
		                    2) Construcción adverbial
		            PREDICADO VERBOIDAL
		                    1) Infinitivo
		                    2) Gerundio

	MODIFICADORES	A) MONOVALENTES (modifican al verbo únicamente)
		                    OBJETO DIRECTO (con nexo o sin él)
		                    OBJETO INDIRECTO (con nexo o sin él)
		                    OBJETO DE INTERÉS (sin nexo)
		                    CIRCUNSTANCIAL (con nexo o sin él)
		                    AGENTE (en la voz pasiva)
		B) BIVALENTES (modifican al verbo y al sustantivo)
		                    PREDICATIVO a) adjetiva
		                                      b) sustantivo

VOCATIVO   Es un elemento incidental, que no pertenece ni al sujeto ni al predicado de la oración en que está incluido.

Tema	
1-B	**ELEMENTOS DE LA ORACIÓN GRAMATICAL** —Funciones sintácticas

Conteste las siguientes preguntas:

1) ¿Cuáles son las dos partes en que puede dividirse cualquier enunciado bimembre?

_____

2) ¿Qué funciones se distinguen dentro del sujeto?

_____

3) ¿Qué elementos pueden funcionar como núcleo del sujeto?

_____

4) ¿Cuáles son los atributos del sustantivo?

_____

5) ¿Puede emplearse algún nexo entre el sustantivo y sus atributos, el artículo y el adjetivo?

_____

6) ¿Cuáles son los modificadores indirectos del sustantivo?

_____

7) ¿Cuál es el elemento que funciona siempre como núcleo del predicado?

_____

8) ¿Va siempre expreso el verbo en una oración?

_____

9) ¿Cómo se llama el modificador que simultáneamente modifica al verbo y al sustantivo?

_____

10) ¿A cuál de las dos partes de la oración (sujeto o predicado) pertenece el vocativo?

_____

Clasificación por su significado

COMUNES
PROPIOS
— Clasificación aplicada a sustantivos únicamente.

ABSTRACTOS
CONCRETOS
— Clasificación aplicada a sustantivos únicamente.

COLECTIVOS
INDIVIDUALES
— Clasificación aplicada a sustantivos (la de colectivos también se aplica a los adjetivos).

PARTITIVOS
MÚLTIPLOS
— Clasificación aplicada a sustantivos y adjetivos.

A | DESCRIPTIVOS
   CALIFICATIVOS
      1) grado positivo
      2) grado comparativo
      3) grado superlativo

Clasificación aplicada a adjetivos únicamente.
También algunos adverbios tienen los tres grados de significación (positivo, comparativo, superlativo) y las correspondientes formas para expresarlos.

   NUMERALES
      1) cardinales
      2) ordinales
      3) múltiplos
      4) partitivos
      5) distributivos
      6) colectivos

   GENTILICIOS

Clasificación aplicada a adjetivos y sustantivos.
Generalmente tanto los numerales como los gentilicios funcionan como adjetivos; pero con frecuencia se sustantivan, por lo que esta clasificación es aplicable también al sustantivo.

B | NO DESCRIPTIVOS
   POSESIVOS
   DEMOSTRATIVOS
   INDEFINIDOS
   RELATIVOS
   INTERROGATIVOS
   EXCLAMATIVOS

Clasificación aplicada a adjetivos y pronombres.
Todos los no descriptivos pueden funcionar como adjetivos o como pronombres (es decir, en función sustantiva), por lo que esta clasificación es aplicable tanto a adjetivos como a pronombres.

   PERSONALES ———— Clasificación aplicada a pronombres únicamente.

   DE LUGAR
   DE TIEMPO
   DE MODO
   DE CANTIDAD
   DE AFIRMACIÓN
   DE NEGACIÓN
   DE DUDA

Clasificación aplicada a adverbios únicamente.
Algunos adverbios, igual que los adjetivos calificativos, tienen los tres grados de significación (positivo, comparativo, superlativo) y las correspondientes formas para expresarlos.

ELEMENTOS
DE LA ORACIÓN GRAMATICAL —Clasificación semántica

Conteste las siguientes preguntas:

1) ¿Qué elemento de la oración expresa circunstancias de lugar, tiempo, modo, cantidad, afirmación, negación, duda?

_____

2) ¿Qué función pueden desempeñar los posesivos?

_____

3) ¿A qué elemento se le aplica la denominación de calificativo?

_____

4) ¿Qué elementos poseen los tres grados de significación: positivo, comparativo y superlativo?

_____

5) ¿Qué funciones pueden desempeñar los numerales y los gentilicios?

_____

6) ¿A qué elemento se le aplica la denominación de común, o propio, abstracto o concreto?

_____

7) ¿A qué elemento se le aplica la denominación de personales?

_____

8) Escriba la clasificación semántica y la función sintáctica que corresponde a las palabras de la siguiente lista, que van subrayadas.

	clasificación semántica	función sintáctica
a) ¿*Qué* pasa?	_____	_____
b) ¿*Qué* hora es?	_____	_____
c) ¿El *primero* ganará?	_____	_____
d) Llegó el día *primero*	_____	_____
e) ¿Llamó *alguien*?	_____	_____

con criterio **MORFOLÓGICO** (por su forma)	con criterio **SINTÁCTICO** (por su función)	con criterio **SEMÁNTICO** (por su significado)

Variaciones morfológicas

Género $\begin{cases} \text{masculino} \\ \text{femenino} \\ \text{(no hay neutro)} \end{cases}$

Número $\begin{cases} \text{singular} \\ \text{plural} \end{cases}$

Hay sustantivos que son invariables en cuanto a género, otros en cuanto a número.
El caso no es un accidente del sustantivo. Afecta únicamente a algunas formas pronominales.

Clasificación morfológica

Variable

en género
y número | niño | niños
niña | niñas

Invariable

a) en género | joven | jóvenes
b) en número | lunes | lunes

Simple ————————— *sol*
Compuesto ————————— *parasol*
Primitivo ————————— *reloj*
Derivado ————————— *relojería*
  1) Aumentativo ——— *casota*
  2) Diminutivo ——— *pajarito*
  3) Despectivo ——— *populacho*
  4) Patronímico ——— *Sánchez*
  5) Gentilicio ——— *americano*
Parasintético ————————— *embarcador*

Funciones sintácticas

Sujeto
- *El mar* está tranquilo.

Objeto directo
- Prepara *la comida*.

Objeto indirecto
- Envió ayuda *a los pobres*.

Circunstancial
- Llegaré *esta noche*.

Agente (en la voz pasiva)
- Fue avisado *por Juan*.

Predicativo
- Él es *un gran hombre*.

Predicado nominal
- *Río*, el Amazonas.

Término de preposición
- Huevos *con jamón*.

Apósito (forma declarativa)
- Roma, *ciudad eterna*.

Vocativo
- *Padre*, perdóname.

Modificadores del sustantivo.

1) *DIRECTOS* (sin nexo) o *ATRIBUTOS*
  a) *Artículo* (sólo delante)
    - *El* pan.
  b) *Adjetivo* (delante o detrás)
    - *Veloz* carrera.
    - Tela *blanca*.
  c) *Predicativo*
    - El aire está *fresco*.
  d) *Apósito* (otro sustantivo)
    - Jesús, *Luz* del mundo.
  e) *Gerundio* (en función adjetiva)
    - Hombres *trabajando*.
    (caso muy raro)
  f) *Adverbio* (pospuesto)
    - Años *atrás*.
    (el adverbio se adjetiva)

Definición semántica

El sustantivo nombra personas, animales o cosas, reales o imaginarias.
persona: Luis canta.
personaje imaginario:
    El *Quijote*.
animal: el *perro* ladra.
cosa: la *silla* roja.
acciones: la *lucha* es dura.
estados: su *salud* mejora.
relaciones: el *precio* es justo.

Clasificación semántica

Común — *Libro*
Propio — *Antonio*
  Sub-clase
  Patronímico (apellidos)
        González
Concreto — *casa*
Abstracto — *valentía*
Colectivo — *arboleda*
Individual — *árbol*
Partitivo — *mitad*
Múltiplo — *duplo*

con criterio MORFOLÓGICO (por su forma)	con criterio SINTÁCTICO (por su función)	con criterio SEMÁNTICO (por su significado)
	2) *INDIRECTOS* (con nexo) a) *Complemento preposicional* • Pan *de trigo*. b) *Complemento comparativo* • Árboles *como catedrales*. c) *Proposición incorporada* • El libro *que compré*.	

Ejercicios

Tema 2

SUSTANTIVO

—Clasificación general
—Cuadro sinóptico

Escriba, en los espacios en blanco, la respuesta que en cada caso corresponda.

cuando el sustantivo se clasifica como:	el criterio aplicado es:
	(morfológico-sintáctico-semántico)

1) variable o invariable _____

2) abstracto _____

3) objeto directo _____

4) diminutivo _____

5) concreto _____

6) sujeto _____

7) derivado _____

8) predicativo _____

9) colectivo _____

10) agente _____

Escriba la clasificación morfológica, la función sintáctica y la clasificación semántica que corresponda a cada uno de los sustantivos que están subrayados en la siguiente lista.

	clasificación morfológica	función sintáctica	clasificación semántica
1) Paseamos por la *alameda*.			
2) Los *Sánchez* se fueron.			
3) El *sol* sale a las seis.			
4) Juan no tiene *miedo*.			
5) El *parabrisas* está roto.			
6) La *verdad* te hará libre.			
7) Da comida a los *pajaritos*.			
8) Mi hermana es *maestra*.			

El sustantivo tiene dos variaciones morfológicas: GÉNERO Y NÚMERO.

GÉNERO

El género es una clasificación gramatical propia de los sustantivos. Hay dos clases: *masculino* y *femenino* (*), que sintácticamente pueden definirse así:

Masculino: Son de este género todos los sustantivos que exigen la forma *el* del artículo y la desinencia –*o* del adjetivo.

Femenino: Son de ese género todos los sustantivos que exigen la forma *la* del artículo y la desinencia–*a* del adjetivo. El género que adopta un sustantivo es con frecuencia de carácter convencional. Sin embargo, pueden señalarse las siguientes pautas:

Suelen ser MASCULINOS

a) *Por su significación:*

    1) Nombres de personas, animales o actividades propias del sexo masculino:
       • *el* niño • *el* gallo • *el* boxeador

    2) Nombres de ríos, lagos, mares, montes, cordilleras:
       • *el* Amazonas • *el* Titicaca • *el* Pacífico • *el* Aconcagua • *Los* Andes
       Los de sierra son femeninos: *Sierra* Nevada

    3) Nombres de números, días, meses, vientos, notas musicales:
       • *el* dos •*el* martes • abril *ventoso* • *el* sicoro • *el* do

b) *Por su forma:*

    1) Casi todos los nombres de cosa terminados en –*o*; lago, saco…

    2) Los diminutivos terminados en–*on*; mesón, caserón…

    3) Nombres con los sufijos: –*ete*, –*dor*, –*tor*, –*sor*; *el* membrete, *el* corredor, *el* tractor, *el* precursor. .

Suelen ser FEMENINOS

a) *Por su significación*

    1) Nombres de personas, animales o actividades propias del sexo femenino:
       • *la* niña •*la* gallina • *la* florista

b) *Por su forma*

    1) Muchos nombres de cosas terminados en–*a*: *la* tabla, *la* mesa…

    2) Nombres terminados en *triz* (actriz),–*ie* (serie),–*icie* (planicie),–*ez* (pequeñez),–*dad* (beldad),–*idad* (deidad).

    3) Nombres derivados de verbos terminados en –*ión*, –*sión*, –*ción*, –*zon:* unión, cesión, salvación, quemazón…

    4) Nombres terminados en–*tud*,–*tumbre*,–*dumbre*: altitud, costumbre, servidumbre…

Los nombres de ciudades suelen adoptar su género a la terminación: *masculino* (México *lindo*) o *femenino* (Roma *eterna)*. Algunos parecen oscilar entre uno y otro género. Se emplean unas veces en *masculino* (*El* gran Buenos Aires) y otras, en *femenino* (*La populosa* Buenos Aires).

CASOS ESPECIALES

1) Hay sustantivos que no tienen variación genérica. Para referirse al sexo hay que usar otra palabra (procedimiento léxico). Es frecuente este procedimiento en los apelativos tanto de personas como de animales:

    • macho – hembra   • toro – vaca
    • yerno – nuera   • caballo – yegua

2) Hay muchos sustantivos que tienen una sola forma para los dos géneros. El género se determina mediante el artículo o el adjetivo:

    • *el* joven – *la* joven ; *famoso* pianista — *famosa* pianista
    Es el llamado género *común*

(*) En la lengua española no existen sustantivos de género neutro.

3) Muchos apelativos de animales no hacen referencia al sexo ni existe otra palabra para diferenciarlo. El género (llamado *epiceno*) es convencional y cuando se desea especificarlo se agrega "*macho*" o "*hembra*":
    • cóndor *macho* — cóndor *hembra*.
4) Algunos sustantivos admiten indistintamente el artículo masculino o femenino sin que varíe su significación: *el* mar o *la* mar.
    En estos casos queda sin precisar el género, que por eso se llama *ambiguo*.
5) La forma masculina de algunos apelativos de persona puede implicar los dos géneros: *el hombre* es inmortal (*el hombre*, empleado aquí como término general implica *mujer* y *varón*). Este fenómeno ocurre especialmente en plural: *los padres* = el padre y la madre, *los hijos* = el hijo y la hija, etcétera.
6) Hay sustantivos que tienen distinto significado según se les emplee en masculino o femenino: *el* cura (sacerdote)—*la* cura (curación); *el* orden (ordenamiento) —*la* orden (mandato).
7) Algunos sustantivos han cambiado de género a través del tiempo: hoy decimos *el* calor, antiguamente, *la* calor (todavía se usa hoy en femenino en algunas regiones en el habla popular).

FORMACIÓN DEL FEMENINO

Muchos sustantivos tienen doble forma: *masculina* y *femenina*.
El femenino se forma a partir del masculino según este procedimiento:
    1) Si el masculino termina en —*o*, se cambia esta vocal por —*a* (gato —gat*a*)
    2) Si el masculino termina en consonante, se añade —*a* (lector—lector*a*)
Este es el procedimiento morfológico llamado *moción* de extraordinario desarrollo y uso frecuente en el idioma español.
    3) Agregando otras desinencias típicas, del femenino —*esa* (conde—cond*esa*); —*isa* (poeta—poet*isa*) —*ina* (héroe—hero*ína*); —*triz* (actor—ac*triz*).
Los nombres de cosas casi nunca admiten el cambio genérico. O son masculinos o son femeninos. El que adopten un género u otro es algo convencional, pues generalmente (aunque no siempre) se debe a su terminación: *masculino*, si termina en —*o* (*el* libro, *el* pelo...); *femenino*, si termina en —*a* (*la* casa, *la* piedra).

Ejercicios		
Tema 2-A	**SUSTANTIVO**	—Variaciones morfológicas —GÉNERO

Delante de sustantivo, escriba el artículo o artículos que corresponda y detrás escriba la clase de género de dicho sustantivo.

1) _____ turista _____   8) _____ mortalidad _____

2) _____ maldad _____   9) _____ cigüeña _____

3) _____ emoción _____   10) _____ telegrama _____

4) _____ presidente _____   11) _____ estudiante _____

5) _____ buitre _____   12) _____ artista _____

6) _____ ciudad _____   13) _____ lagarto _____

7) _____ espíritu _____   14) _____ mar _____

15) _____ capital _____

16) _____ Pedro _____

17) _____ león _____

18) _____ pianista _____

19) _____ Raquel _____

20) _____ América _____

Escriba en los espacios correspondientes sustantivos masculinos con las terminaciones que en cada columna se indican.

terminados en-o	terminados en-on	terminados en-dor	terminados en-tor
1)			
2)			
3)			
4)			

Escriba en los espacios correspondientes sustantivos femeninos con las terminaciones que en cada columna se indican.

terminados en-a	terminados en-triz	terminados en-idad	terminados en-ión
1)			
2)			
3)			
4)			

Escriba la forma femenina que corresponda a cada uno de los siguientes sustantivos. Si es la misma, escríbala nuevamente; si no existe, escriba *no tiene*.

masculino	femenino	masculino	femenino
1) poeta		7) joven	
2) lector		8) pianista	
3) gato		9) yerno	
4) conde		10) camión	
5) emperador		11) doctor	
6) patio		12) periodista	

13) papel _____

14) toro _____

15) drama _____

16) gallo _____

17) chino _____

18) teléfono _____

19) estudiante _____

20) varón _____

21) precio _____

22) cóndor (macho)_____ (hembra)

23) concertista _____

24) resumen _____

25) caballo _____

26) camino _____

27) México _____

28) cantor _____

29) volcán _____

30) panadero _____

31) sombrero _____

32) suicida _____

33) sábado _____

34) testigo _____

35) problema _____

36) patriota _____

Escriba una oración en la que aparezca el sustantivo con el significado que le corresponda, según el artículo que le precede.

1) a) el capital _____

   b) la capital _____

2) a) el orden _____

   b) la orden _____

3) a) el cura _____

   b) la cura _____

NÚMERO. Es una categoría gramatical. Hay dos: *SINGULAR Y PLURAL*.

Sintácticamente pueden definirse así:
   Singular, la forma que exige el artículo *el* o *la*.
   Plural, la forma que exige el artículo *los* o *las*.

Semánticamente pueden definirse así:
   Singular significa un solo objeto o persona.
   Plural significa más de uno (sin especificar cantidad).

FORMACIÓN DEL PLURAL

En la formación del plural, el español sigue un sistema coherente que afecta a todos los sustantivos apelativos. El procedimiento es morfológico: a la forma del singular (carente de morfemas) se agrega uno de los tres morfemas siguientes: 1) morfema—*s*; 2) morfema—*es* 3) morfema *cero*, esto es, la carencia de morfema con respecto a forma singular, que es el caso de los llamados *invariables* en cuanto al número.

1) Los terminados en vocal no acentuada (menos y) agregan —*s*.
   • alm*a*—alm*as*; calle—call*es*; tax*i*—tax*is*; carro—carro*s*
2) Los terminados en consonante o en *y* agregan —*es*.
   • orden—órden*es*; calor—calor*es*; revés—reves*es*; ley—ley*es*
   Se exceptúa *Lord;* plural: *Lores*
   Los terminados en —*z*, por razones ortográficas, la cambian por C.
   • capata*z*—capata*ces*
3) Los terminados en —*s* o —*x* no agudos no cambian en plural.
   Hay sincretismo, esto es, igual forma para el singular que para el plural.
   • *el* lunes—*los* lunes; *la* crisis—*las* crisis; *el* tórax—*los* tórax
   En cambio, pluralizan normalmente agregando —*es* los terminados en singular en *s* aguda: comp*ás*—compa*ses*. . .
4) Los terminados en —*a,* —*e* acentuadas, agregan —*s*.
   • mam*á*—mam*ás*; café —caf*és*
5) Los terminados en —*i,* —*o,* —*u* acentuada agregan —*es*.
   • manat*í*—manat*íes*; la *o*—las *oes*; ceb*ú*—ceb*úes*
   Algunos agregan sólo —*s:* domin*ó*—domin*ós*; men*ú*—men*ús*
6) Algunos sustantivos tienen dos o más formas para el plural.
   • bisturís o bisturíes; maravedís o maravedíes o maravedises
7) En la formación del plural de los compuestos se dan dos casos:
   a) Si es compuesto de verbo + sustantivo en plural, no cambia.
      • *el* lavaplatos —*los* lavaplatos
   b) Todos los demás compuestos pluralizan únicamente el último elemento.
      • entrepaño—entrepaños; salvoconducto—salvoconductos
      Hay varias excepciones, que pluralizan los dos componentes o el primero.
      • hijodalgo—hijosdalgos; cualquiera—cualesquiera
8) Hay sustantivos que sólo se usan en forma plural.
   • albricias, afueras, víveres, enseres, nupcias, creces, tijeras
9) Algunos se emplean casi exclusivamente en singular: sed, salud, cenit. . .
10) Algunos varían su significado según se usen en singular o en plural.
   • *el* bien (bondad) —*los* bienes (propiedades); *la* esposa—*las* esposas, etc.
11) Al tomar la forma del plural no cambia el lugar donde va el acento.
   Excepciones: régimen, regímenes; carácter—caracteres; espécimen—especímenes.

NÚMERO DE LOS NOMBRES PROPIOS

Los nombres propios ofrecen, en la formación del plural, varios casos especiales:

a) Los apellidos pueden formar su plural como los otros sustantivos: Los Guzmanes, Los Quevedos. . .

   Se exceptúan los graves y esdrújulos terminados en —z, que no pluralizan: *Sánchez* es bueno—Los *Sánchez* son buenos.

   En América la tendencia parece ser no pluralizar ningún apellido: Los Moreno, Los Alarcón. . . (y no Los Morenos, Los Alarcones).

b) Los nombres geográficos generalmente no admiten el plural (excepto en poesía): América, España, Arabia. . .

   Pero a veces se usan en plural para indicar algún matiz de carácter geográfico, histórico, etc. Así, puede decirse:
   • Las Américas (la del Norte, del Sur, etc.)
   • Las Españas (la antigua, la moderna, etc.)

c) Los nombres de cordilleras o archipiélagos suelen usarse sólo en plural: Los Andes, Las Canarias. . .

   Sólo como caso excepcional se usan en singular: El Ande altivo. . .

d) Algunos nombres geográficos tienen forma plural, pero su concordancia debe establecerse en singular.
   • La *populosa Buenos Aires*   • El *caudaloso Amazonas*

PLURALES ESPECIALES

Ciertos sustantivos de origen extranjero (galicismos, anglicismos, así como términos cultos griegos y latinos) que en singular terminan en consonante no están hispanizados todavía. Para formar el plural, existe hoy mucha vacilación. No se puede adoptar el plural de su lengua de origen por resultar anómalo en español. Así, resulta difícil la adaptación fonética de ''*sandwich*'':

¿cuál sería el plural? ¿sandwiches?, ¿sanduches?. . .

En otros casos, la tendencia más recomendable parece ser la de hispanizar el singular. Algunos ejemplos:

• *carné* (en vez de *carnet*), plural = *carnés* (en vez de *carnets*)

• *compló* (en vez de *complot*), plural = *complós* (en vez de *complots*)

Otras veces es recomendable usar la misma forma en singular y en plural:

* *el* memorándum —*los* memorándum. . . mientras que en otros casos parece que se están generalizando los plurales normales: club—clubes; álbum—álbumes. . .

Ejercicios		
Tema **2-B**	**SUSTANTIVO**	—Variaciones morfológicas —NÚMERO

Escriba a continuación de cada sustantivo su forma para el plural. Si es la misma, escríbala de nuevo; si carece de forma para el plural, escriba *no tiene*.

singular	plural	singular	plural
1) régimen	_____	5) rey	_____
2) bambú	_____	6) lunes	_____
3) tesis	_____	7) ardor	_____
4) tamiz	_____	8) superávit	_____

---

* memorándum: también se emplean las formas: los memoranda o los memorándumes e incluso los memorandos.

9) lavaplatos _____
10) altitud _____
11) menú _____
12) capataz _____
13) salvoconducto _____
14) rubí _____
15) ley _____
16) actriz _____
17) Amazonas _____
18) Martínez _____
19) pez _____
20) aire _____
21) árbol _____
22) tuberculosis _____
23) sed _____
24) viernes _____

25) mamá _____
26) miércoles _____
27) cebú _____
28) especie _____
29) tórax _____
30) cenit _____
31) pie _____
32) café _____
33) carácter _____
34) ataúd _____
35) nada _____
36) mástil _____
37) salud _____
38) jueves _____
39) espécimen _____
40) compás _____

Escriba a continuación de cada sustantivo su forma para el singular. Si es la misma, escríbala de nuevo; si carece de ella, escriba *no tiene*.

plural	singular	plural	singular
1) tapices		23) taxis	
2) Andes		24) nupcias	
3) reinas		25) álbumes	
4) paces		26) dosis	
5) lápices		27) albricias	
6) enseres		28) aprendices	
7) sofás		29) avestruces	
8) paredes		30) discos	
9) nupcias		31) afueras	
10) cruces		32) acideces	
11) mítines		33) éxtasis	
12) codornices		34) aludes	
13) reflejos		35) víveres	
14) folletines		36) oboes	
15) atriles		37) relojes	
16) creces		38) enseres	
17) crisis		39) plantaciones	
18) guaraníes		40) expensas	
19) tímpanos		41) tijeras	
20) Alpes		42) salones	
21) pretensiones		43) Filipinas	
22) luces		44) perdices	

SUSTANTIVO —Clasificación morfológica

Por su terminación

VARIABLE

en género y número (morfológico)

(léxico)

		singular	plural
masculino		(el) niño	(los) niños
femenino		(la) niña	(las) niñas
masculino		(el) caballo	(los) caballos
femenino		(la) yegua	(las) yeguas

INVARIABLE

en género (no en número)

en número (una sola forma para singular y plural)
(de uso sólo en singular)
(de uso sólo en plural)

		singular	plural
masculino		(el) joven	(los) jóvenes
femenino		(la) joven	(las) jóvenes
		(el) lunes	(los) lunes
		(el) oeste	— — — —
		— — — —	(los) víveres

Por su composición

SIMPLE

El que no puede dividirse en partes menores: *sol.*
Son siempre primitivos, pues no tienen origen en ninguna otra palabra.

COMPUESTO

El que está compuesto por dos o más palabras:
a) con prefijo de valor semántico: *bisabuelo* (bis + abuelo)
b) con palabras de valor independiente cada una:
  • *bocacalle* (boca + calle) —*vanagloria* (vana + gloria)
Nótese que los dos componentes pueden ser de la misma clase:
dos sustantivos (boca y calle) o de distinta clase: adjetivo (vana) + sustantivo (gloria).

Por su derivación

PRIMITIVO

El que no procede de ninguna otra palabra: *reloj*
El que se deriva de otra palabra: *relojería* (reloj + ería)
La derivación puede efectuarse de dos formas:

a) con palabra simple + sufijo —
  relojería (reloj + ería)
  facilidad (fácil + idad)
b) con radical + sufijo
  cantor (cant + or)

Nótese que derivado y primitivo pueden ser de la misma clase: *relojería y reloj* (sustantivos) o de distinta clase: *facilidad* (sustantivo) y *fácil* (adjetivo).
Los sufijos derivativos más comunes son:
—*ado* (arbolado), —*ancia* (arrogancia), —*dor* (abridor), —*ía* (maestría)
—*aje* (ropaje), —*ar* (pinar), —*edo* (robledo), —*ista* (flautista)
—*al* (arrozal), —*ario* (horario), —*encia* (querencia), —*or* (cantor)
—*amen* (velamen), —*dad* (maldad), —*ero* (zapatero), —*ura* (blancura)

DERIVADO

Aumentativo. Sufijos más comunes: —*azo*, —*on*, —*ote*.
  • muchach*azo* • hombr*ón* • animal*ote*
Diminutivo. Sufijos más comunes: —*ito*, —*illo*, —*ico* y femeninos.
  • arbol*ito* • panec*illo* • cancion*cilla*
Despectivo. Sufijos: —*ajo*, —*astro*, —*acho*, —*uza*, etc.
  • latin*ajo* • cam*astro* • popul*acho* • gent*uza*
Patronímico. Sufijos: —*az*, —*ez*, —*iz*, —*oz*, —*uz*.
  • Dí*az* • Ben*ítez* • Muñ*iz* • Muñ*oz* • Pell*uz*
Gentilicio. Sufijos: —*an*, —*ano*, —*és*, —*i*, —*ense*, —*ino*, —*eño*.
  • mexic*ano* • franc*és* • marroqu*í* • and*ino*. . .
  Pueden funcionar como sustantivos o como adjetivos.

PARASINTÉTICO

El que es derivado y compuesto a la vez: *enrejado.*
La derivación y composición se dan simultánea y solidariamente.
La palabra central "*reja*" no puede ir separadamente ni con el prefijo "*en*" ni con el sufijo "—*ado*". No existe ni "enreja" ni "rejado".

SUSTANTIVO

—Clasificación morfológica

Escriba a continuación de cada sustantivo la clasificación morfológica que le corresponde: simple—compuesto; primitivo—derivado; parasintético.

1) salvedad _____

2) contraorden _____

3) aserradero _____

4) argentino _____

5) callejón _____

6) enhorabuena _____

7) picapleitos _____

8) animalote _____

9) levantamiento _____

10) enramada _____

11) antesala _____

12) sombrilla _____

13) preaviso _____

14) populacho _____

15) endemoniado _____

16) sol _____

17) velocidad _____

18) barcaza _____

19) González _____

20) parabién _____

Escriba en cada columna la clase de sustantivos que se indica.

	simple	compuesto	primitivo	derivado	parasintético
1)					
2)					
3)					
4)					
5)					
6)					
7)					
8)					
9)					
10)					

Definición sintáctica

SUSTANTIVO es el elemento central o NÚCLEO de toda construcción sustantiva.

Basta un solo sustantivo para desempeñar cualquiera de las funciones sintácticas tanto del sujeto como del predicado: sujeto, objeto directo, objeto indirecto, circunstancia, agente, predicativo, predicado nominal, término, apósito y vocativo. Puede también ir acompañado de uno o varios modificadores bien sean éstos atributos (artículo, adjetivo) o bien construcciones de otro tipo. En cualquiera de estas funciones, el núcleo es siempre el sustantivo.

CONSTRUCCIÓN SUSTANTIVA

Toda construcción formada por un sustantivo como núcleo, y otros elementos que lo modifican. La construcción, como un todo, funciona de la misma manera que el sustantivo.

FUNCIONES DEL SUSTANTIVO

1) SUJETO
   a) Sustantivo solo ———— Brotó *agua*.
   b) construcción sustantiva ———— Me gusta *el arroz con leche*.

2) OBJETO DIRECTO
   a) sustantivo solo ———— Vende *naranjas*.
   b) construcción sustantiva ———— Compró *pan sin levadura*.

3) OBJETO INDIRECTO
   a) sustantivo solo ———— Le dio *a Luis* una sorpresa.
   b) construcción sustantiva ———— Le envió *a su gran amigo* un regalo.

4) CIRCUNSTANCIAL
   a) sustantivo solo ———— Vendré *el sábado*.
   b) construcción sustantiva ———— Naufragó *una noche sin luna*.

5) AGENTE
   a) sustantivo solo ———— Fue operado *por cirujano*.
   b) construcción sustantiva ———— Fue atacado *por hombres armados*.

6) PREDICATIVO
   a) sustantivo solo ———— Yo soy *soldado*.
   b) construcción sustantiva ———— Yo soy *soldado sin miedo*.

7) PREDICADO NOMINAL
   a) sustantivo solo ———— Pedro, *orgullo* de la familia.
   b) construcción sustantiva ———— Mi vida, *noche sin fin*.

8) TÉRMINO
   a) sustantivo solo ———— Van *a México*.
   b) construcción sustantiva ———— Caza *en noches de luna*.

9) APÓSITO
   a) sustantivo solo ———— Roma, *capital* de Italia.
   b) construcción sustantiva ———— El Sahara, *horizontes sin límite*.

10) VOCATIVO
   a) sustantivo solo ———— *Juan,* abre la puerta.
   b) construcción sustantiva ———— Así es, *mi querido amigo*.

El vocativo no lleva ni artículo ni demostrativo, pero puede llevar posesivos.

SUSTANTIVO

—Funciones sintácticas

Escriba, en el espacio en blanco, la función sintáctica que desempeña el sustantivo subrayado (junto con sus modificadores) en cada oración.

1) Beethoven, *genio inmortal.* _____

2) *La próxima semana* regresarán todos. _____

3) No *me* entregaron nada. _____

4) Y dígame, *buen hombre,* ¿cuántos años tiene? _____

5) Falta muy poco para que salga *el sol.* _____

6) Viajaré *a Europa* mañana. _____

7) Francamente este señor tiene *la razón.* _____

8) La obra será representada por *artistas profesionales.* _____

9) Él es *un renombrado escritor.* _____

10) Jerusalén, *ciudad santa.* _____

Escriba en cada línea una oración en la que entre un sustantivo con la función sintáctica que en cada caso se indica. Subraye tal sustantivo.

	Función sintáctica
1) _____	sujeto
2) _____	objeto directo
3) _____	objeto indirecto
4) _____	circunstancial
5) _____	agente
6) _____	predicativo
7) _____	predicado nominal
8) _____	término de preposición
9) _____	apósito
10) _____	vocativo

El sustantivo puede ir acompañado por una o más palabras que precisan o modifican su significado. Son los modificadores que se dividen en dos clases:

A) MODIFICADORES DIRECTOS (llamados también ATRIBUTOS)

1) *Artículo* (delante únicamente) ————— *El* pan   *Los* libros

2) *Adjetivo* (delante o detrás) ————— *Mucho* dinero   *Ropa* limpia

3) *Adjetivo predicativo* (es el adjetivo subordinado simultáneamente al sustantivo y al verbo. El sustantivo puede ser sujeto u objeto directo).

   a) adjetivo predicativo *subjetivo* ————— La *mar* sigue *agitada*
      sust.

   b) adjetivo predicativo *objetivo* ————— Veo a *Juan* *saludable*
      O.D.

4) *Sustantivo predicativo* (el sustantivo que cumple la misma función que el adjetivo predicativo).

   a) sustantivo predicativo *subjetivo* ————— El *hombre* parecía *fiera*
      sust.

   b) sustantivo predicativo *objetivo* ————— Considero a *Luis* mi *maestro*
      O. D.

5) *Sustantivo en aposición* ————— Jesús, *Luz* del mundo

6) *Construcción sustantiva en aposición* —— Don *Luis*, *hombre sin tacha*

7) *Adverbio en función adjetiva* ————— Años *atrás*
   (el adverbio se adjetiva)

8) *Gerundio en función de adjetivo* ————— Lo echó en *agua hirviendo*
   (caso muy raro)

B) MODIFICADORES INDIRECTOS (relacionados mediante algún nexo)

1) *Complemento preposicional*

   a) con otro sustantivo ————— Comió *pan* de *trigo*

   b) con infinitivo ————— Es *hora* de *cenar*

   c) con otra construcción preposicional —— Un *amigo* *de por allá*

2) *Complemento comparativo* ————— Hay *árboles* *como catedrales*

3) *Proposición incorporada* ————— Ya leí el *libro* *que me regalaste*

En cada oración, subraye los sustantivos con doble raya (══) y sus modificadores con una raya (──). Indique con una flecha el sustantivo—núcleo y escriba la clase de modificadores, tal como se indica en el primer ejemplo.

1) Hojas del árbol caídas juguete del viento son.
    sust. art. sust.   adj.   sust. pred. art. sust.

2) El problema sigue irresoluto.

3) Encontré a mi socio muy optimista.

4) No tenemos el alojamiento adecuado para tanta gente.

5) Juventud, divino tesoro.

6) Éste es el precio que debes pagar por tus locuras.

7) No hay tragedias en la vida; la vida es tragedia.

Construya en cada línea una oración en la que entre un sustantivo con la clase de modificador que se indica entre paréntesis.

1) _____ (artículo)

2) _____ (adjetivo, delante)

3) _____ (adjetivo, detrás)

4) _____ (adjetivo predicativo)

5) _____ (sustantivo predicativo)

6) _____ (sustantivo en aposición)

7) _____ (complemento preposicional)

8) _____ (complemento comparativo)

9) _____ (preposición incorporada)

Definición semántica

Sustantivo es la palabra que designa personas, animales o cosas, reales o imaginarias.

CLASIFICACIÓN SEMÁNTICA

COMÚN
Designan personas, animales o cosas de la misma especie sin nombrarlos en particular:
• niño • maestro • perro • caballo • ciudad • libro

PROPIO
Nombran personas, animales o cosas individualizándolas, es decir, distinguiéndolas de los demás de la misma especie:
• Luis • Pedro • Dogo • Babieca • México • La Biblia

Patronímicos
Pueden considerarse como una subclase de los nombres propios. Son los apellidos. Entre éstos, hay muchos cuya terminación es característica del español. Son los que se formaron agregando al nombre del padre los sufijos —az, —ez, —iz, —oz, —uz: Ferraz hijo de Ferro; Fernández —hijo de Fernando, etc.
Nombre más apellido se consideran como un solo sustantivo.

CONCRETO
Designan seres reales o que nos imaginamos como tales:
• hombre • tigre • flor • bruja

ABSTRACTO
Designan nombres de fenómenos o cualidades que no son independientes en la realidad, es decir, objetos solo comprensibles por la inteligencia.
Por su terminación son abstractos los terminados en:
—ada (llegada) —dad (piedad) —eza (dureza)
—ancia (vagancia) —encia (creencia) —ia (falacia)
—anza (holganza) —era (flojera) —icia (pericia)
—ción (operación) —ez (pesadez) —ida (salida)
—itud (solicitud) —or (clamor) —ura (dulzura)
Son también abstractas las palabras sustantivadas (adjetivos o adverbios) que van precedidos por el artículo neutro lo. Un mismo sustantivo puede ser concreto o abstracto según la referencia o el contexto donde está usado.

a) Por su referencia
Este *hombre* es listo (*hombre*, concreto)
El *hombre* es inmortal (*hombre*, abstracto)

b) Por el contexto
Se cayó en el *camino* (*camino*, concreto)
Su conducta va por mal *camino* (*camino*, abstracto)

COLECTIVO
Los que con forma singular expresan por su significado idea de pluralidad de objetos de la misma especie o género.
• alameda • trío • agrupación.

INDIVIDUAL
Por oposición, los que no son colectivos.
• árbol • cantante • individuo

PARTITIVO
Indican número con la idea de división: mitad, tercio...

MÚLTIPLO
Indican número con la idea de multiplicación: duplo, triplo...
También se usan como sustantivos dos adjetivos múltiplos de la serie —ble y —ple: el *doble, el triple,* etc.

SUSTANTIVO —Clasificación semántica

Escriba, en el espacio correspondiente, la clasificación semántica de cada uno de los siguientes sustantivos.

1) Lima _____

2) ambición _____

3) Orinoco _____

4) cuarteto _____

5) arroyo _____

6) simpatía _____

7) Fernández _____

8) astucia _____

9) Caracas _____

10) La Biblia _____

11) tulipán _____

12) aptitud _____

13) ligereza _____

14) diezmo _____

15) Calderón _____

16) creencia _____

17) doble _____

18) blancura _____

19) trío _____

20) Caribe _____

Escriba la clase de sustantivos que se indica en cada columna.

común	propio	concreto	abstracto
1)			
2)			
3)			
4)			
5)			
6)			
7)			
8)			
9)			
10)			

con criterio **MORFOLÓGICO** (por su forma)	con criterio **SINTÁCTICO** (por su función)	con criterio **SEMÁNTICO** (por su significado)

con criterio MORFOLÓGICO (por su forma)

Variaciones morfológicas

GÉNERO — masculino / femenino / (no hay neutro)

NÚMERO — singular / plural

Hay adjetivos que son invariables en cuanto al género, otros en cuanto al número

Clasificación morfológica

Variable
a) en género y número

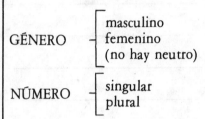

bueno	*buenos*
buena	*buenas*

Invariable
a) en género

feliz	*felices*
feliz	*felices*

b) en número

isósceles	*isósceles*

Simple	útil
Compuesto	inútil
Primitivo	azul
Derivado	azulado

1) Aumentativo	grandote
2) Diminutivo	chiquito
3) Despectivo	flacucho
4) Gentilicio	peruano
Parasintético	endiablado

con criterio SINTÁCTICO (por su función)

Definición sintáctica

El adjetivo es un modificador directo (sin nexo), es decir, atributo del sustantivo o elemento sustantivado.

Funciones sintácticas

Atributo
a) de sustantivo
  • *buena* suerte (delante).
  • noche *oscura* (detrás).
  • el libro verde y *el azul*.
    Agrupado con el artículo y el sustantivo callado
b) de construcción sustantiva
  • *feliz* fin de semana.

Predicativo

a) con verbo copulativo
  • Juan es *inteligente*.
  • Juan está *enfermo*.
b) con verbo no copulativo
  • Juan se siente *enfermo*.

Núcleo de predicado nominal

  • Qué *feliz*, ella.
Término de preposición
  • Premiado por *estudioso*.

Modificadores del adjetivo

1) DIRECTOS (sin nexo) o ATRIBUTOS
  a) adverbio
    • Tierra *muy* fría.
  b) construcción adverbial
    • Tierra fría *sin exceso*.
2) INDIRECTOS (con nexo)
  a) complemento preposicional
    • Jardín lleno *de flores*.

con criterio SEMÁNTICO (por su significado)

Definición semántica

El adjetivo expresa cualidades o precisa la significación del sustantivo.

Clasificación semántica

A) DESCRIPTIVOS
  1) *Calificativos*
    • calle *ancha*.
  2) *Numerales*
    Cardinales
    • *dos* libros.
    Ordinales
    • *tercera* parte.
    Múltiplos
    • *doble* precio.
    Partitivos
    • *onceava* parte.
    Distributivos
    • *sendos* premios.
    Colectivos
    • *mil* pesos.
  3) *Gentilicios*
    • flora *americana*.

B) NO DESCRIPTIVOS
  1) *Posesivos*
    • Murieron *sus* padres
  2) *Demostrativos*
    • Llegó *esta* semana
  3) *Indefinidos*
    • Terminará *algún* día
  4) *Relativos*
    • La tierra *que* compré

Grados de significación
1) Positivo—azul
2) Comparativo:
  a) de igualdad —*tan* azul
  b) de inferioridad —*menos* azul
  c) de superioridad—*más* azul

con criterio **MORFOLÓGICO** (por su forma)	con criterio **SINTÁCTICO** (por su función)	con criterio **SEMÁNTICO** (por su significado)
	b) complemento comparativo • . . . blanca *como la nieve*. c) proposición incorporada • . . . ansiosa *de servir*. El adjetivo puede sustantivarse. En tal caso, puede desempeñar las funciones propias del sustantivo (sujeto, etc.) y llevar sus mismos atributos (el artículo, y otro adjetivo).	3) Superlativo: a) absoluto–azul*ísimo*. b) relativo–el más azul.

Ejercicios

Tema

3   ADJETIVO

—Clasificación general
—Cuadro sinóptico

Escriba, en los espacios en blanco, la respuesta que en cada caso corresponda.

Cuando el adjetivo se clasifica como: el criterio aplicado es:
(morfológico-sintáctico-semántico).

1) variable o invariable _____
2) numeral _____
3) atributo del sustantivo _____
4) posesivo _____
5) superlativo _____
6) predicativo _____
7) término de preposición _____
8) indefinido _____
9) compuesto _____
10) comparativo _____

En los espacios en blanco, escriba adjetivos de la clase que se indican.

simples _____ _____ _____

compuestos _____ _____ _____

primitivos _____ _____ _____

derivados _____ _____ _____

aumentativos _____ _____ _____

diminutivos			
despectivos			
gentilicios			
parasintéticos			
calificativos			
cardinales			
ordinales			
múltiplos			
partitivos			
colectivos			
gentilicios			
posesivos			
demostrativos			
indefinidos			
relativos			

El adjetivo tiene dos variaciones morfológicas: GÉNERO y NÚMERO.(*)

GÉNERO
El género del adjetivo debe ajustarse al género del sustantivo. Es decir, el adjetivo concuerda con el sustantivo en género:
a) *masculino* (si el sustantivo es masculino)—niño *estudioso*
b) *femenino* (si el sustantivo es femenino) —niña *estudiosa*

FORMAS GENÉRICAS DEL ADJETIVO
Por su terminación genérica pueden clasificarse en tres grupos:
1) Los terminados en —*o* para masculino y en —*a* para femenino:
   • buen*o* — buen*a*; • blanc*o* — blanc*a*; • galan*o* — galan*a*
2) Los terminados en letra que no es *o* para masculino y en —*a* para femenino:
   • hablador — hablador*a* • llorón — llorón*a*; • platicón — platicon*a*
3) Los que son genéricamente *invariables*, es decir, los que tienen una misma forma para el masculino y el femenino. Hay un gran número de adjetivos españoles perteneciente a este grupo.
   Son genéricamente *invariables*:
   a) Todos los terminados en —*a*, —*e*, —*i*, —*u* (es decir en vocal que no sea *o*)
      • niño *azteca*   • viento *suave*   • niño *guaraní*   • niño *hindú*
      niña *azteca*   brisa *suave*   niña *guaraní*   niña *hindú*
   b) Todos los terminados en consonante (menos los gentilicios):
      • hombre *capaz* • año *feliz* • mes *anterior*
      mujer *capaz*   día *feliz*   día *anterior*
      Los gentilicios terminados en consonante son excepción. Tienen dos formas genéricas. El femenino lo forman agregando —*a* a la forma del masculino:
      • niño *francés*   • niño *español*   • niño *alemán*
      niña *francesa*   niña *española*   niña *alemana*
   c) La mayoría de los cardinales (dos, tres, cuatro, cinco, etc.) y algunos indefinidos (cada, bastante, etc.):
      • *dos* libros   • *cuatro* libros   • *cada* mes
      dos meses   *cuatro* meses   *cada* día

FORMACIÓN DEL FEMENINO
1) Si la forma masculina termina en —*o* la cambian por —*a*:
   • niño buen*o* — niña buen*a*
2) Si la forma masculina termina en —*an*, —*on*, —*or*, agregan —*a*.
   • niño *charlatán* — niña *charlatana*
   niño *juguetón* — niña *juguetona*
   niño *hablador* — niña *habladora*

Excepciones: Los comparativos terminados en —*or* (mayor, menor, superior, inferior. . .) son invariables genéricamente: número *mayor,* cantidad *mayor.*

(*) Las variaciones morfológicas de género y número pertenecen propiamente al sustantivo. Si le afectan también al adjetivo es por reflejo o atracción, por ser el adjetivo *atributo* del sustantivo. Así pues, en rigor habría que decir que el sustantivo tiene género y número y que el adjetivo (lo mismo que el artículo y pronombre) posee morfemas flexivos de género y número.

3) Si la forma masculina termina en —*ete*, —*ote* (diminutivo y aumentativo) cambian la *e* final en —*a*:
   - niño *regordete* • niño *grandote*
     niña *regordeta*   niña *grandota*

4) Con los adjetivos gentilicios, esto es, los que indican nación, país, región, pueblo, ciudad, etc. ocurren dos cosas:
   a) Si terminan en —*o* cambian esta letra por —*a* (como los del grupo 1)
      - niño *mexicano* — niña *mexicana*
      Los gentilicios terminados en —*a*, —*e*, —*i*, —*u* son invariables en cuanto al género.
   b) Si terminan en cualquiera otra letra (que no sea *o*), agregan —*a* (como los del grupo 2):
      - niño *francés*   — niña *francesa*
      - niño *español*   — niña *española*
      - niño *andaluz*   — niña *andaluza*

Naturalmente no podrá formarse de ninguna manera el femenino de los adjetivos que sean genéricamente *invariables*, ya citados anteriormente.

Una propiedad que poseen casi todos los adjetivos, cualquiera que sea su origen y sean variables o invariables genéricamente, es la de poder formar adverbios de modo agregando a la forma femenina del adjetivo el morfema —*mente*.
   - rápidamente (rápido + mente)
   - obviamente (obvia + mente)

Ejercicios

Tema 3-A | **ADJETIVO** | —Variaciones morfológicas
—GÉNERO

Escriba adjetivos con las terminaciones para las formas masculina y femenina que se indican en las respectivas columnas:

forma masculina terminada en —o	forma femenina terminada en —a	forma masculina en letra que no sea —o	forma femenina en —a
1) _____	_____	1) _____	_____
2) _____	_____	2) _____	_____
3) _____	_____	3) _____	_____
4) _____	_____	4) _____	_____
5) _____	_____	5) _____	_____
6) _____	_____	6) _____	_____
7) _____	_____	7) _____	_____
8) _____	_____	8) _____	_____
9) _____	_____	9) _____	_____
10) _____	_____	10) _____	_____

Escriba adjetivos genéricamente invariables, con las terminaciones que se indican en cada columna.

terminados en —a	terminados en —e	terminados en —i	terminados en —u	terminados en consonante
1) ___	___	___	___	___
2) ___	___	___	___	___
3) ___	___	___	___	___
4) ___	___	___	___	___
5) ___	___	___	___	___
6) ___	___	___	___	___
7) ___	___	___	___	___
8) ___	___	___	___	___

Escriba la forma que corresponda para el femenino de cada uno de los siguientes adjetivos, tanto si es diferente como si es la misma que para el masculino.

masculino	femenino	masculino	femenino
1) locuaz	___	21) galán	___
2) holgazán	___	22) cansado	___
3) persa	___	23) nepalés	___
4) simpático	___	24) alto	___
5) amable	___	25) español	___
6) preguntón	___	26) bonachón	___
7) azteca	___	27) feo	___
8) montañés	___	28) trabajador	___
9) hindú	___	29) inglés	___
10) feliz	___	30) chiquito	___
11) alemán	___	31) anterior	___
12) manejable	___	32) capaz	___
13) fácil	___	33) frágil	___
14) inteligente	___	34) guaraní	___

15) hablador   _____

16) grandote   _____

17) egipcio   _____

18) irlandés   _____

19) altote   _____

20) bonito   _____

35) importante   _____

36) sagaz   _____

37) elegante   _____

38) bajo   _____

39) honorable   _____

40) francés   _____

NÚMERO

El número del adjetivo debe ajustarse al número del sustantivo. Es decir, el adjetivo concuerda con el sustantivo en número:

a) *singular* (si el sustantivo es singular) monte *alto*

b) *plural* (si el sustantivo es plural) montes *altos*

FORMAS DEL ADJETIVO PARA INDICAR EL NÚMERO

1) Para *singular:* la forma base (morfema cero).

2) Para *plural:* la forma de singular + el morfema —*s* o —*es*.

FORMACIÓN DEL PLURAL

Para la formación del plural, el adjetivo sigue las mismas reglas que el sustantivo.

1) Los terminados en vocal no acentuada agregan —*s*.
   • pers*a* — pers*as* • libr*e* — libr*es* • álcal*i* — álcal*is* • buen*o* — buen*os*

2) Los terminados en consonante o vocal acentuada agregan —*es*.
   • cant*or* — cant*ores* • út*il* — út*iles* • bala*dí* — bala*díes*

   Los terminados en —*z* (en singular) ofrecen la particularidad de cambiar, por razones ortográficas, la *z* por *c* cuando agregan el morfema —*es* para formar el plural:

   • capa*z* — capa*ces*   • feli*z* — feli*ces*

ADJETIVOS INVARIABLES EN CUANTO AL NÚMERO

Muchos sustantivos son invariables en cuanto al número, es decir, tienen la misma forma para el singular y para el plural. Contrariamente, casi no existen adjetivos invariables (morfema cero) en cuanto al número:

triángulo *isósceles*.

triángulos *isósceles*.

Los cardinales conforman un caso especial. En cuanto al mismo, son variables únicamente las formas *un* y *una*:

• *un* libro — *unos* libros • *una* casa — *unas* casas

En cambio, todas las demás de la serie: *dos, tres, cuatro, cinco,* etc. son *invariables*. La única forma que poseen, como por su misma significación expresa pluralidad, lógicamente no puede cambiar para acompañar a un sustantivo en singular:

• *dos* casas, *tres* libros, *cuatro* días, *cinco* pesos. . .

APÓCOPE DEL ADJETIVO

Algunos adjetivos (por cierto de uso muy frecuente) suprimen una o más letras cuando van inmediatamente delante del sustantivo. Su forma queda reducida o *apocopada*. Este fenómeno ocurre sólo en singular: bueno—*buen*, malo—*mal*, grande—*gran*, primero—*primer*, tercero—*tercer*, alguno—*algún*, ninguno—*ningún* y los posesivos mío, tuyo, suyo (*mi, tu, su,*) y sus respectivos plurales (*mis, tus, sus*).

ADJETIVO

—Variaciones morfológicas
—NÚMERO

Escriba el plural de cada uno de los siguientes adjetivos:

singular	plural	singular	plural
1) libre		11) cruel	
2) azul		12) ágil	
3) grande		13) celta	
4) trabajador		14) voraz	
5) hermosa		15) común	
6) feliz		16) croata	
7) robusto		17) tubular	
8) sutil		18) maya	
9) álcali		19) audaz	
10) elemental		20) pueril	

Escriba, en el espacio en blanco, la forma correcta del adjetivo, cuyas dos formas, plena y sincopada, aparecen entre paréntesis:

1) (suyo — su)   Él defiende _____ derecho. No es asunto _____.
2) (tuyo — tu)   _____ amigo es simpático. Es un amigo _____.
3) (mío — mi)   Es problema _____. Quiero _____ dinero.
4) (ninguno — ningún) No hay arreglo _____. No hay _____ arreglo.
5) (alguno — algún)   _____ día te arrepentirás. No llegó aviso _____.
6) (tercero — tercer) El _____ día llovió. Vive en el piso _____.
7) (primero — primer) Ganó el _____ premio. Su orgullo es _____.
8) (grande — gran)   Es una _____ ocasión. Vive en casa _____.
9) (malo — mal)   Llegaste en _____ día. Ha sido un día _____.
10) (bueno — buen)   Actúa con _____ criterio. Tiene un empleo _____.

CONCORDANCIA DEL ADJETIVO CON EL SUSTANTIVO

Según una de las reglas generales de la concordancia gramatical, el adjetivo debe ajustar sus desinencias al género y número del sustantivo, es decir, el adjetivo concuerda con el sustantivo en *género* y *número*. Esta concordancia se realiza de acuerdo con las siguientes normas:

1) Si el adjetivo modifica a un solo sustantivo, concuerda con el sustantivo en *género* y *número*.
   - papel *blanco* • ropa *blanca*
   - papeles *blancos* • ropas *blancas*

2) Si el adjetivo modifica a dos o más sustantivos de igual género, el adjetivo adopta el mismo género, pero en *plural*.
   - Luis y Pedro son *atentos*.
   - María y Luisa son *atentas*.

3) Si el adjetivo modifica a dos o más sustantivos de distinto género, el adjetivo adopta la forma del masculino plural.
   - Luis y María son *atentos*.
   - María y Luis son *atentos*.

4) Si el adjetivo precede a sustantivos de distinto género, puede usarse en masculino plural o bien concertar con el primer sustantivo únicamente.
   - Lo celebraron con *fastuosas* ceremonias y festejos.
   - Su *atenta* lectura y análisis le hicieron reflexionar.
   - Recibió *muchos* premios y felicitaciones.

5) A veces la concordancia se establece por el sentido, no por la forma (masculina o femenina) del sustantivo. Es el caso de los pronombres *yo*, *tu*, *usted*, *ustedes*.
   - Yo estoy *enfermo* (diría un hombre).
   - Yo estoy *enferma* (diría una mujer).
   - Tú estás *solo* (referente a hombre).
   - Tú estas *sola* (referente a mujer).

   Lo mismo ocurre con otras palabras como *Excelencia*, *Majestad*, *Santidad*, etc.
   - *Bienvenido* sea Su *Excelencia* (si se refiere a un hombre).
   - Su *Santidad* se mostró muy *interesado*.

6) A veces el adjetivo se usa en singular o en plural, según se sienta como un todo o como conceptos separados los sustantivos a los que acompaña.
   - Geografía e Historia *americana*. (sentido unitario)
   - Geografía e Historia *americanas*.

Ejercicios	
Tema **3-C**	**ADJETIVO** —Concordancia

Escriba, en los espacios en blanco, los adjetivos en las formas masculina o femenina, singular o plural, que requiera el sentido de la oración.

1) No necesita usted _____ comida.

2) Ofrecieron _____ comidas y obsequios.

3) Niños y niñas se mostraron muy _____.
4) Su _____ cultura y talento sobresalen en toda ocasión.
5) Anda buscando un trabajo _____.
6) Su Santidad apareció _____ en el balcón de palacio.
7) Los montes y ríos de esa región son _____.
8) Su Excelencia el Gobernador no se veía muy _____.
9) La miel y el queso son _____ alimentos.
10) Aquella noble señora se sentía muy _____.

Construya oraciones en las que aparezcan, como adjetivos, las palabras que se indican entre paréntesis.

1) (demasiados) _____

2) (poco) _____

3) (bastantes) _____

4) (mucho) _____

5) (suficiente) _____

6) (unos) _____

7) (algunas) _____

8) (pocas) _____

9) (varios) _____

10) (todos) _____

El adjetivo, por ser atributo del sustantivo, es afectado prácticamente por todas las variaciones morfológicas propias del sustantivo. Así pues, en cuanto a su forma, los adjetivos se encuadran en la siguiente clasificación.

				singular	plural

Por su terminación

VARIABLE — en género y número

- masculino (niño) *bueno* — (niños) *buenos*
- femenino (niña) *buena* — (niñas) *buenas*

INVARIABLE
- a) en género (no en número)
- b) en número (muy raro)

- masculino (niño) *feliz* — (niños) *felices*
- femenino (niña) *feliz* — (niñas) *felices*
- (triángulo) isósceles — (triángulos) isósceles

Por su composición

SIMPLE —
El que no puede dividirse en partes menores: *útil*.
Son siempre primitivos, pues no tienen origen en otra palabra.

COMPUESTO —
El que está formado por dos o más palabras:
a) con prefijo de valor semántico: *inútil* (in + útil).
b) con palabras de valor independiente cada una:
agridulce (agrio + dulce), *carilargo* (cara + largo).
Nótese que los componentes pueden ser de la misma clase:
dos adjetivos (agrio y dulce) o de distinta clase, sustantivo (cara) + adjetivo (largo).
Con frecuencia, el primer componente pierde o cambia alguna letra, como en estos ejemplos.

Por su derivación

PRIMITIVO — El que no procede de otra palabra: *azul*.

DERIVADO —
El que se deriva de otra palabra: *azulado*.
La derivación puede efectuarse de dos formas: a) con palabra simple + sufijo y b) con radical + sufijo, que pueden ser:
1) adjetivo + sufijo: *azulado* (azul + ado)
2) sustantivo + sufijo: *bondadoso* (bondad + oso)
3) verbo + sufijo: *durable* (radical dur + able)
4) adverbio + sufijo: *cercano* (radical cerc + ano)
Caso especial es el superlativo en —*ísimo*: *durísimo* (duro + ísimo), llamado superlativo morfológico.
Los sufijos más comunes son: —*al*, —*esco*, —*il*, —*udo*, —*uno*, —*ado*, —*oso*, —*able*, —*ano*, —*ense*, —*es*, —*ino*, —*eño*.

Aumentativo Sufijos más comunes: —*azo*, —*ón*, —*ote*.
• buen*azo* • grand*ón* • gord*ote*

Diminutivo. Sufijos más comunes: —*ito*, —*ico*, —*illo*.
• pequeñ*ito* • barat*ico* • mentiros*illo*

Despectivo. Sufijos más comunes: —*ajo*, —*ucho*, —*uco*.
• pequeñajo • flacucho • pequeñuco

Gentilicio. Sufijos más comunes: —*an*, —*as*, —*ense*, —*ino*, —*eño*, —*ano*.
• alemán • francés • ateniense • jamaiquino • porteño • mexicano
Los gentilicios pueden funcionar como adjetivos o como sustantivos.

PARASINTÉTICO —
El que es derivado y compuesto a la vez: *descorazonado*.
La derivación y la composición se dan simultánea y solidariamente.
La palabra central (corazón) no puede ir separada ni con el prefijo *des* ni con el sufijo —*ado*: no existe ni ''descorazón'' ni ''corazonado''.

Escriba, en los espacios en blanco, adjetivos de la clase que se indica.

1) VARIABLES en género y número

_____ _____ _____ _____
_____ _____ _____ _____

2) INVARIABLES en género (no en número)

_____ _____ _____ _____
_____ _____ _____ _____

3) SIMPLES

_____ _____ _____ _____
_____ _____ _____ _____

4) COMPUESTOS

_____ _____ _____ _____
_____ _____ _____ _____

5) PRIMITIVOS

_____ _____ _____ _____
_____ _____ _____ _____

6) DERIVADOS

_____ _____ _____ _____
_____ _____ _____ _____

    aumentativos _____ _____ _____

    diminutivos _____ _____ _____

    despectivos _____ _____ _____

    gentilicios _____ _____ _____

7) PARASINTÉTICOS

_____ _____ _____ _____
_____ _____ _____ _____

Definición sintáctica

El adjetivo es un modificador directo (sin nexo), es decir, atributo del sustantivo.

CONSTRUCCIÓN ADJETIVA

Toda construcción formada por un adjetivo como núcleo y otros elementos que lo modifican:
Es ambicioso sin límites.

FUNCIONES DEL ADJETIVO

ATRIBUTO   es decir, *modificador directo* del sustantivo. Ésta es la función característica y por lo mismo definidora del adjetivo. El adjetivo puede cumplir esta función atributiva en tres posiciones diferentes:

1) *Delante* del sustantivo: Recorrió un *largo* camino.
2) *Detrás* del sustantivo: Tiene el pelo *largo*.
3) Agrupado con un artículo o pronombre, el cual remite anafóricamente al sustantivo, que va callado por sobreentenderse por el contexto:
   - el libro verde y *el azul* (. . . y *el* (libro) *azul*)

PREDICATIVO   Si modifica simultáneamente a un verbo y a un sustantivo. Queda subordinado a ambos y concuerda con el sustantivo en género y número:

a) *Predicativo subjetivo* (si el sustantivo es *sujeto*)

   - *Juan* es *bueno*.   - *Las minas* son *buenas*.
        s.   s.

b) *Predicativo objetivo* (si el sustantivo es *objeto directo*)

   - Don Juan todavía tiene *buena la vista*
                               od.

NÚCLEO   de predicado nominal: ¡Qué *agradable* la tarde!

TÉRMINO   de construcción preposicional: Sobresale *por estudioso*.

SUSTANTIVO   Una construcción característica del adjetivo es la agrupación de su forma masculina singular con el artículo neutro *lo*. El adjetivo queda sustantivado. La construcción tiene valor sustantivo con carácter abstracto: lo bueno, lo malo. . .

       - *lo* cortés no quita *lo* valiente

Mucho menos frecuente es la sustantivación neutra con el artículo *el*: Hizo *el* ridículo
Esta construcción tiene también carácter abstracto.

MODIFICADORES DEL ADJETIVO

1) **DIRECTOS**   Los adverbios, que por ello son *atributos* del adjetivo.

     a)   delante (lo más frecuente)   María es *muy guapa*.

     b)   detrás (menos frecuente)   Parece *confusa grandemente*.

2) **INDIRECTOS**   a)   complemento preposicional   Jardín *lleno de flores*.

b) complemento comparativo	Su cara *blanca como la nieve.*
c) proposición incorporada	*Feliz de ayudar a los demás.*

ADJETIVACIÓN DEL SUSTANTIVO

Un sustantivo puede usarse como atributo de otro sustantivo. Como la función atributiva es propia del adjetivo, el sustantivo que asume dicha función se convierte en verdadero adjetivo y como tal debe ser considerado.

• hombre *rana*	• estilo *Renacimiento*
adj.	adj.

CONSTRUCCIÓN DEL ADJETIVO

En general, el adjetivo puede anteponerse o posponerse al sustantivo que modifica; pero no siempre es indiferente adoptar una u otra posición. En no pocos casos, el sustantivo y el adjetivo se unen en un determinado orden para formar unidades léxicas de significación fija, que son verdaderos compuestos sintácticos: Semana Santa, Santo Padre, sentido común. . .

No podríamos decir, por ejemplo, Santa Semana, común sentido, etc. sin cambiar el sentido. A veces, hasta se juntan ortográficamente el sustantivo y el adjetivo, formando así una nueva palabra, que es sustantivo: *camposanto* (campo + santo), *altavoz* (alta + voz).

Algunos adjetivos se usan sólo *delante*, como *medio* (*medio* metro) y *mero* (el *mero* hecho).

Otros muchos pueden usarse en una u otra posición, pero adquieren diferente significado, según vayan *delante* o *detrás* del sustantivo.

• *extraña* tierra (= rara)	tierra *extraña* (= extranjera)
• *pobre* hombre (= con mala suerte)	hombre *pobre* (= no rico)

El indefinido *todo*, cuando funciona como adjetivo, tiene la propiedad específica de poder anteponerse a los pronombres personales (*todos* nosotros), a los demostrativos, sean pronombres o adjetivos (*todos* esos, *todos* esos árboles) y al artículo (*todo* el día. . . todo un hombre. . .)

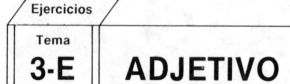

Ejercicios

Tema

3-E ADJETIVO —Funciones sintácticas

Escriba, en la columna de la derecha, la función sintáctica que desempeña el adjetivo subrayado en cada uno de los ejemplos.

	función sintáctica

1) Este carro me salió muy *bueno.* _____

2) Tiene *mala* fama. _____

3) Lo expulsaron de la clase por *revoltoso.* _____

4) Necesita un motor más *grande.* _____

5) ¡Qué *linda*, la novia! _____

Construya oraciones con adjetivos en las funciones sintácticas que en cada caso se indican.

1) En función de ATRIBUTO del sustantivo.

    a)   delante del sustantivo   _____

    b)   detrás del sustantivo   _____

2) En función de PREDICATIVO

    a)   predicativo subjetivo   _____

    b)   predicativo objetivo   _____

3) En función de NÚCLEO de predicado nominal.

    a) _____

    b) _____

4) En función de TÉRMINO de preposición.

    a) _____

    b) _____

5) En función de SUSTANTIVO (precedido del artículo neutro *lo*).

_____

_____

Construya oraciones con adjetivos que lleven modificadores de la clase que en cada caso se indica.

1) Con modificadores DIRECTOS (sin nexo):

    a)   delante del adjetivo   _____

    b)   detrás del adjetivo   _____

2) Con modificadores INDIRECTOS (con nexo):

    a)   complemento preposicional   _____

    b)   complemento comparativo   _____

    c)   preposición incorporada   _____

Con los sustantivos que aparecen entre paréntesis, construya oraciones en las que utilice tales sustantivos; pero adjetivados, es decir, en función adjetiva.

    1)   (mosca)   _____

    2)   (rana)   _____

    3)   (campana)   _____

4) (lobo)   _____

5) (mariposa)   _____

6) (vela)   _____

7) (orquesta)   _____

8) (espada)   _____

9) (Renacimiento) _____

10) (gaucho)   _____

ADJETIVO

Definición semántica

El adjetivo expresa cualidades o precisa la significación del sustantivo (o construcción sustantiva) al que acompaña como atributo.

Por su significación, los adjetivos se clasifican en:

A	DESCRIPTIVOS

Su significación es fija. Expresan ciertas características que definen a los objetos que nombra el sustantivo, pero su significación ni se relaciona con las personas del coloquio ni con el hilo del discurso.

CALIFICATIVOS Indican cualidades físicas o morales o valoraciones.
• madera *dura* —alma *buena* —precio *justo*
EPÍTETO es el calificativo que expresa una cualidad propia del sustantivo: el *frío* hielo, la *negra* noche. . .
Se usa casi exclusivamente en la lengua literaria.

NUMERALES

Cardinales Indican sólo número.
Son cardinales toda la serie: *uno, dos, tres.* . . Normalmente funciona como adjetivos (*dos* libros, *tres* días. . .); pero si se refieren a los números en sí mismos funcionan como sustantivos (el *dos*, el *tres*. . .)

Ordinales Indican número y orden.
Son ordinales toda la serie: *primero, segundo.* . . Casi siempre funcionan como adjetivos (*segundo* premio, *tercera* parte. . .); pero pueden sustantivarse: el *quinto.* . .

Múltiplos Indican número e idea de multiplicación.
Son múltiplos toda la serie terminada en —*ble*, —*ple*: *doble, triple.* . . . Hoy es de poco uso la serie en —*plo: triplo.* . . Funcionan como adjetivos (*doble*, precio, *triple* salto. . .) o como sustantivos (el *doble.* . .)

Partitivos Indican número e idea de división.
En Aritmética se forman los partitivos agregando —*avo* a los cardinales a partir de once: *onceavo, doceavo.* . .

Distributivos Es el adjetivo *sendos*.
Los tres recibieron *sendos* premios

Colectivos Indican agrupación: *decena, docena, centena, ciento, mil, millón.* . .
Generalmente funcionan como sustantivos: una *veintena* de libros

GENTILICIOS Indican lugar u origen: país, región, ciudad, villa, etc.
• Queso *francés* —Pacto *andino* —Feria *sevillana*
También pueden funcionar como sustantivos:
• El Americano —El Cordobés —La Alsaciana

B	NO DESCRIPTIVOS

Su significación es ocasional, es decir, relacionada con la persona del coloquio o con el hilo del discurso.

POSESIVOS	Son los que señalan posesión o pertenencia. Las mismas formas de los posesivos: mío, tuyo, suyo, nuestro. . . y sus respectivos femeninos y plurales pueden usarse en función de adjetivo o de sustantivo (ver los posesivos en el tema correspondiente al pronombre).
DEMOSTRATIVOS	Son los que señalan la situación de los objetos o personas en relación con la persona del coloquio. Los adjetivos demostrativos tienen las mismas formas: este, ese, aquel y sus respectivos femeninos y plurales que los pronombres demostrativos (ver éstos en el tema correspondiente al pronombre).
INDEFINIDOS	Designan personas o cosas en forma vaga. Pueden funcionar como adjetivos indefinidos muchas de las formas (no todas) de los idefinidos, pues algunas formas funcionan como sustantivos únicamente (ver los indefinidos en el tema correspondiente al pronombre).
RELATIVOS	Son los que se refieren a un sustantivo o elemento sustantivado previamente expresado, llamado antecedente. Todos los relativos concuerdan con el antecedente, excepto *cuyo*, que concuerda con el sustantivo que le sigue. Las formas de los relativos pueden funcionar como adjetivos o como sustantivos, excepto *quien*, que sólo puede ser sustantivo y *cuyo*, que siempre es adjetivo. (Ver los relativos en el tema correspondiente al pronombre.)
INTERROGATIVOS	Son las mismas formas de los relativos, que se convierten en interrogativos cuando expresan una pregunta, directa o indirecta. En este caso, ya no funcionan como relativos y por ello carecen de antecedente. La excepción es *cuyo*, que siempre funciona como relativo, nunca como interrogativo.
ADMIRATIVOS	Son las mismas formas de los relativos, que se convierten en admirativos cuando se expresan en forma admirativa. Todas las formas de los relativos que pueden funcionar como adjetivos pueden convertirse en admirativos, excepto *cuyo*.

Ejercicios

Tema

3-F ADJETIVO —Clasificación semántica

Construya oraciones en las que entren adjetivos de la clase que en cada caso se indica.

1) CALIFICATIVO _____

            EPÍTETO _____

2) NUMERALES   cardinales   _____

                        ordinales   _____

                        múltiplos   _____

                        partitivos   _____

                        distributivos _____

                        colectivos   _____

3) GENTILICIOS _____

En cada oración, subraye los adjetivos y escriba, en la columna de la derecha, la clasificación que le corresponda.

clasificación

1) Reclamó doble ración. _____

2) Sirvió en el sexto regimiento. _____

3) Le corresponde la décima parte. _____

4) Les entregaron sendos premios. _____

5) Fue recibido con gran simpatía. _____

6) Gana mil pesos al mes. _____

7) Perú es un país andino. _____

8) Tiene tres hermanos. _____

9) Apareció entonces la blanca nieve en el monte. _____

10) Se incrementó la exportación de carne argentina. _____

Construya oraciones en las que entren adjetivos de la clase que en cada caso se indica.

1) posesivos _____

2) demostrativos _____

3) indefinidos _____

4) relativos _____

5) interrogativos _____

6) exclamativos _____

En cada oración subraye los adjetivos y escriba, en la columna de la derecha, la clasificación que le corresponda.

clasificación

1) Quiero poco café. _____

2) No desprecie esa oportunidad. _____

3) Me preguntaron mi opinión al respecto. _____

4) Algún día te arrepentirás. _____

5) Aquella noche nevó copiosamente. _____

6) Aproveche cualquier oportunidad. _____

7) ¡Qué maravilla de jardín! _____

8) ¿Cuánta tela necesita? _____

9) Nunca manifiesta sus emociones. _____

10) No sé qué distancia hay hasta allá. _____

La cualidad que significa el adjetivo calificativo puede concebirse con mayor o menor intensidad. Es por ello que la significación del adjetivo se presenta en grados diferentes. Estos pueden expresarse por medios morfológicos (variando la terminación) o por medios sintácticos (agregando otras palabras). Así pues, los adjetivos *calificativos* pueden presentarse en uno de los siguientes grados de significación.

POSITIVO

Anuncia simplemente la cualidad del sustantivo.
• casa *vieja* • hombre *inteligente*

COMPARATIVO

Anuncia una cualidad estableciendo una comparación
1) *Comparativo de igualdad* (nexos: tan. . .como)
   • Esta casa es *tan vieja como* aquélla.

2) *Comparativo de inferioridad* (nexos: menos. . .que)
   • Esta casa es *menos vieja que* aquélla.

FORMAS COMPARATIVAS ESPECIALES (heredadas del latín)

de bueno	mejor	(que)	equivale a	más bueno	(que)
de malo	peor	(que)	equivale a	más malo	(que)
de grande	mayor	(que)	equivale a	más grande	(que)
de pequeño	menor	(que)	equivale a	más pequeño	(que)
de alto	superior	(a)(*)	equivale a	más alto	(que)
de bajo	inferior	(a)(*)	equivale a	más bajo	(que)

Ambas formas (el comparativo y la forma *más + positivo*) conviven en la lengua actual, aunque a veces con cambios en la significación o en algún matiz de la misma.*

SUPERLATIVO

Anuncia la cualidad del sustantivo en grado sumo.

Superlativo absoluto
a) Con la terminación —*ísimo* o —*érrimo*.
   (es el llamado superlativo morfológico o derivado)
   • de duro = *durísimo* • de célebre = *celebérrimo*
b) Con el adverbio muy + la forma del positivo.
   • positivo: verde; superlativo: *muy verde*

Superlativo relativo (con el artículo + la forma del positivo) (llamado también ''*comparativo de excelencia*'' o ''*comparativo relevante*'').
   • positivo: alegre; superlativo: *el más alegre*

FORMAS SUPERLATIVAS ESPECIALES (heredadas del latín)

de bueno	óptimo	equivale a	bonísimo o buenísimo
de malo	pésimo	equivale a	malísimo
de grande	máximo	equivale a	grandísimo
de pequeño	mínimo	equivale a	pequeñísimo

A veces coexisten dos formas (una más culta y literaria; otra más popular) del superlativo en —*ísimo* y —*érrimo* de un mismo vocablo. Por ejemplo: *paupérrimo* y *pobrísimo* (la segunda más popular).

(*)   Superior e inferior, así como *exterior, interior, ulterior, citerior, anterior* y *posterior* hoy no se sienten comparativos, a pesar de su forma comparativa. Ninguno usa la conjunción *que* y todos se refuerzan con *muy* (como

FORMAS CORRECTAS DE ALGUNOS SUPERLATIVOS MORFOLÓGICOS

El morfema —*ísimo* es de gran vitalidad y frecuente uso en español. Tanto es así que la tendencia predominante en la lengua actual es formar el superlativo morfológico en —*ísimo*, de manera regular, derivado directamente de la palabra española, aun en los casos en que existe una forma especial derivada del latín. Es por ello que en varios casos coexisten ambas formas. Esta última de carácter más literario; aquélla, más coloquial y popular.

	Superlativo	Morfológico
Grado positivo	Forma de carácter más literario	Forma de carácter más coloquial
alto	supremo y sumo	altísimo
acre	acérrimo	—
amable	amabilísimo	—
amigo	amicísimo	amiguísimo
antiguo	antiquísimo	—
ardiente	ardentísimo	—
bajo	ínfimo	bajísimo
bueno	bonísimo y óptimo	buenísimo
célebre	celebérrimo	—
cruel	crudelísimo	cruelísimo
fiel	fidelísimo	—
fuerte	fortísimo	fuertísimo
grande	máximo	grandísimo
íntegro	integérrimo	integrísimo
libre	libérrimo	—
malo	pésimo	malísimo
mísero	misérrimo	—
negro	nigérrimo	negrísimo
noble	nobilísimo	—
nuevo	novísimo	nuevísimo
pequeño	mínimo	pequeñísimo
pobre	paupérrimo	pobrísimo
pulcro	pulquérrimo	pulcrísimo
sabio	sapientísimo	—
salubre	salubérrimo	—
simple	simplicísimo	simplísimo

En los casos en que no se consigna la forma coloquial, el adjetivo correspondiente no la tiene o se usa tan poco que no merece ni tomarse en cuenta.

Algunos adjetivos no admiten la terminación —*ísimo* del superlativo por razones fonéticas. Por ejemplo, palabras como *espontáneo* y *deleznable* resultarían de ingrata pronunciación al añadir —*ísimo*. Otros no admiten el superlativo ni con el adverbio *muy*, debido a su significación absoluta, como: eterno, único. . .

---

positivos que son) y no con *mucho*, como los verdaderos comparativos. Así se dice: *muy* superior, *muy* inferior. . . frente a *mucho* mejor, *mucho* peor.

Construya oraciones en las que utilice adjetivos en los grados de significación que en cada caso se indica.

1) positivo _____

_____

2) comparativo a) de igualdad _____

b) de inferioridad _____

c) de superioridad _____

3) superlativo a) absoluto _____

b) relativo _____

En cada oración, subraye los adjetivos y escriba, en la columna de la derecha, el grado de significación del mismo.

1) Tiene la mejor intención. _____

2) El dinero es menos importante que la salud. _____

3) La tela es de óptima calidad. _____

4) El viento no es tan fuerte como ayer. _____

5) Vende tejidos finísimos. _____

6) La decoración es de pésimo gusto. _____

7) Nadie es mejor que él. _____

8) Siempre se mostró muy joven. _____

9) Juan es más alto que yo. _____

10) Vivo en casa propia.

Construya oraciones en las que utilice los adjetivos que en cada caso se indican, en grado superlativo en —*ísimo* o la forma correspondiente.

1) (sabio) _____

2) (malo) _____

3) (bajo) _____

4) (antiguo) _____

5) (pequeño) _____

6) (libre) _____

7) (simple) _____

8) (pobre) _____

9) (amigo) _____

10) (nuevo) _____

En cada oración subraye los adjetivos superlativos y escriba, en la columna de la derecha, la forma correspondiente al grado positivo.

grado positivo

1) El clima es ardentísimo. _____

2) Son enemigos acérrimos. _____

3) Se mostró amabilísimo con todos. _____

4) Siempre ha sido un servidor fidelísimo. _____

5) Está en condiciones óptimas. _____

6) Subastaron obras del celebérrimo pintor. _____

7) Es un hombre fortísimo. _____

8) Busca siempre el máximo rendimiento. _____

9) Procede de familia nobilísima. _____

10) Es la ley del mínimo esfuerzo. _____

con criterio	con criterio	con criterio
MORFOLÓGICO	**SINTÁCTICO**	**SEMÁNTICO**
(por su forma)	(por su función)	(por su significación)

Variaciones morfológicas

Género —
- masculino
- femenino
- neutro

Número —
- singular
- plural

(no existe plural neutro)

Formas

	singular	plural
masculino	el	los
femenino	la	las
neutro	lo	no hay

Formas contractas

al (a + el)
del (de + el)

Definición sintáctica

El artículo es un modificador directo (sin nexo), es decir, *atributo* del sustantivo o elemento sustantivado. Sintácticamente, el artículo es un adjetivo. De éste se distingue únicamente porque:

a) precede obligadamente al sustantivo (el adjetivo puede ir delante o detrás)
b) no puede funcionar como:
- predicativo
- predicado nominal
- término de preposición

Funciones sintácticas

ATRIBUTO
a) de sustantivo
- *el* caballo
b) de construcción sustantiva
- *el* caballo blanco
c) de elemento sustantivado
  1) adjetivo sustantivado
     - *el* oprimido.
  2) pronombre (que es sustantivado)
     - *los unos* y *los otros*.
  3) verbo sustantivado
     - *el decir* de la gente.
  4) adverbio sustantivado
     - *el sí* fue rotundo.
  5) preposición sustantivada
     - *el pro* y *la contra.*
  6) conjunción sustantivada
     - *el porqué* de esto.
  7) interjección sustantivada
     - *un* ¡ay! aterrador.
  8) proposición sustantiva
     - *el comer mucho* no es bueno.

Definición semántica

El artículo no tiene significación por sí solo. Es semánticamente vacío.

Las variaciones morfológicas son: GÉNERO Y NÚMERO.

FORMAS DEL ARTÍCULO:

	singular	plural
para masculino	el	los
para femenino	la	las
para neutro	lo (*)	no existe

GÉNERO

El artículo debe adoptar la forma correspondiente al género del sustantivo o elemento sustantivado al que modifica.

masculino — *El* para el singular —— *el* libro
Los para el plural —— *los* libros
Aunque raramente, también la forma masculina *el* puede acompañar a un adjetivo sustantivado con carácter abstracto: Hizo *el ridículo*
Formas contractas: al (a + el) y *del* (de + el).

femenino — *La* para el singular —— *la* casa
Las para el plural —— *las* casas

neutro — Significa literalmente ''ni uno ni otro'', es decir, ni masculino ni femenino. La única forma es *lo*, que acompaña a un adjetivo sustantivado en su forma masculina: *lo* bello, *lo* bueno, *lo* malo. . .
Por eso, el neutro, más que como género aparte puede considerarse como un caso especial del género masculino.

NÚMERO

El artículo debe adoptar la forma correspondiente al número del sustantivo o elemento sustantivado al que modifica.

	singular	plural
masculino	*el* fin	*los* fines
femenino	*la* idea	*las* ideas
neutro	*lo* ridículo	no existe en plural

CONCORDANCIA DEL ARTÍCULO CON EL SUSTANTIVO

Decir que el artículo debe adecuar sus formas al género y al número del sustantivo equivale a decir que el artículo concuerda con el sustantivo en GÉNERO y NÚMERO.

(*) La forma neutra *lo* concuerda con la forma masculina del adjetivo: *es* bueno, *lo* malo, etc., expresiones que así adquieren carácter abstracto.
Caso especial. La forma masculina *el* puede acompañar a un sustantivo femenino que empiece por *a* o *ha* cuando va inmediatamente delante: *el* agua, *el* habla, *el* hada. . . pero no si la palabra que sigue es de otra categoría, aunque empiece con *a* o *ha*: *la* amable señora; *la* hábil maniobra. . .

ARTÍCULO

—Clasificación general
—Cuadro sinóptico
—Variaciones morfológicas

Construya oraciones en las que utilice los artículos que se indican.

1) (el) a) _____

b) _____

c) _____

d) _____

2) (la) a) _____

b) _____

c) _____

d) _____

3) (lo) a) _____

b) _____

c) _____

d) _____

4) (los) a) _____

b) _____

c) _____

d) _____

5) (las) a) _____

b) _____

c) _____

d) _____

Definición sintáctica

El artículo es una forma especial del adjetivo. Como éste, es un modificador directo (sin nexo) del sustantivo o elemento sustantivado.

Tiene, sin embargo, algunas características distintivas:

1) Precede obligadamente al sustantivo a quien modifica. Contrariamente, el adjetivo puede ir delante o detrás del sustantivo. Sólo unos pocos adjetivos (*otro, cada, uno, sendos, medio, mero.* . .) deben preceder obligadamente al sustantivo.

2) El artículo no puede desempeñar las funciones de *predicativo, predicado nominal* y *término de preposición,* que sí puede desempeñar el adjetivo.

FUNCIÓN SINTÁCTICA DEL ARTÍCULO

La única función sintáctica del artículo es la de *atributo* del sustantivo. Señala los accidentes de género y número del sustantivo.

- *el* libro—*la* mesa
- *los* libros—*las* mesas

USO DEL ARTÍCULO

1) El artículo puede acompañar, siempre delante, a un sustantivo.
   Esta es su función única, función distributiva.

2) El artículo puede sustantivar a un adjetivo (caso frecuente), anteponiendo la forma:
   el (para el masculino)——*el* ganador
   la (para el femenino)——*la* violetera
   lo (para el neutro)——*lo* difícil

   Una propiedad sintáctica casi privativa del artículo neutro *lo,* es la de agruparse con un adjetivo en su forma masculina singular para formar una expresión sustantivada de significación abstracta: *lo* eterno, *lo* interesante. . .
   Además de las formas constituídas por el artículo neutro *lo,* más el adjetivo sustantivado, se emplean también las formas paralelas de los correspondientes sustantivos abstractos: *lo* bueno—*la* bondad; lo malo—*la* maldad...

3) El artículo sustantiva cualquier elemento de la oración.
   - Estoy esperando el *sí. Sí* es un adverbio de afirmación que funciona aquí como sustantivo. Precisamente esta función la denota el artículo que precede.

   adverbio
   sustantivado

4) El artículo puede preceder a las proposiciones sustantivas.
   - *El que seas poderoso* no te da derecho a todo.
   - *El ofender a los demás* no proporciona amigos.

EL ARTÍCULO CON NOMBRES PROPIOS

1) Los nombres propios de personas generalmente no llevan artículos, pero sí se usa el artículo en ciertos casos:
   a) Con los nombres en plural: *Los* Escipiones, *Los* Pérez. . .
   b) Con apellidos de mujeres suele usarse: *La* Mistral, *La* Pondadour. . .
   c) Con apellidos italianos famosos: *El* Dante, *El* Tiziano. . .

2) Suele usarse el artículo con nombres propios que sean títulos de libros, óperas, obras de arte, etc.
   • *El* Quijote —*La* Traviata —*El* Guernica

3) Con nombres geográficos, el uso del artículo es variable y vacilante.
   a) Llevan artículo los nombres de ríos (*El* Paraná), montañas (*Los* Andes), lagos (*El* Titicaca), mares (*El* Atlántico).
   b) Llevan también artículo algunos nombres de países y regiones:

   La Argentina, *El* Brasil, *La* India, *Los* Estados Unidos, etc.; pero no lo llevan otros como: México, Chile, Venezuela; etc., aunque estos últimos también pueden llevarlo en circunstancias donde están acompañados por otros modificadores. Así, se dice: *El* México *desconocido*; *El* México *que yo recuerdo*. . .

4) Otros nombres geográficos suelen usarse indistintamente con artículo o sin él.
   • *La* China o China; *El* Asia o Asia; *El* África o África.

Ejercicios

Tema

4-B ARTÍCULO —Funciones sintácticas

Construya oraciones en las que utilice artículos como modificadores de los elementos de la oración que en cada caso se indican.

1) de sustantivo solo _____

2) de construcción sustantiva _____

3) de pronombre _____

4) de adjetivo sustantivado _____

5) de verboide _____

6) de adverbio sustantivado _____

7) de preposición sustantivada _____

8) de conjunción sustantivada _____

9) de interjección sustantivada _____

10) de proposición sustantivada _____

Subraye todas las formas empleadas como artículos (no cuando vayan empleadas como pronombres).

1) Yo prefiero la música clásica; mi amiga, la popular.

2) Los acontecimientos lo tienen preocupado.

3) El no se da cuenta de lo ridículo que se ve.

4) Del dicho al hecho hay un gran trecho.

5) A los hombres por sus obras los conoceréis.

6) Lo meritorio no es mandar, sino servir a los demás.

7) A la vecina le rindieron un gran homenaje.

8) De los rosales, el de la esquina es el preferido.

9) Nadie les hace caso a los mentirosos.

10) Escuchamos la conocida zarzuela La del Manojo de Rosas.

con criterio	con criterio	con criterio
MORFOLÓGICO	**SINTÁCTICO**	**SEMÁNTICO**
(por su forma)	(por su función)	(por su significado)

Variaciones morfológicas

GÉNERO — $\begin{cases} \text{masculino} \\ \text{femenino} \\ \text{neutro (algunos)} \end{cases}$

NÚMERO — $\begin{cases} \text{singular} \\ \text{plural} \end{cases}$

Hay pronombres que son invariables en género y número, otros sólo en género o sólo en número y otros son variables en género y en número.

Clasificación morfológica
• variables
• invariables

Definición sintáctica

Sintácticamente los pronombres no son una categoría independiente, pues unos (los personales) funcionan exclusivamente como sustantivos; otros (los posesivos), como adjetivos y otros (los restantes), como sustantivos, adjetivos o adverbios.

Funciones sintácticas

A) como SUSTANTIVOS
   1) Sujeto
     • *Ella* tiene fe.
   2) Objeto directo
     • *Lo* necesito hoy.
   3) Objeto indirecto
     • *Le* envío saludos.
   4) Objeto de interés
     • *Me* comí el pan.
   5) Circunstancial
     • Vive *con nosotros*.
   6) Agente (en voz pasiva)
     • Fue escrito *por él*.
   7) Predicativo
     • Yo soy *aquél*.
   8) Término de preposición
     • Es cosa *de ellos*.
   9) Término de comparación
     • Joven *como tú*.
   10) Vocativo
     • ¡Eh!, *tú*, apúrate.
B) como ADJETIVOS
   1) Atributo de sustantivo
     • Ya leí *este* libro.
   2) Predicativo
     • La culpa es *mía*.
C) como ADVERBIOS
   1) Atributo de verbo
     • Corre *bastante*.
   2) Atributo de adjetivo
     • Tela *bastante* buena.

Definición semántica

Es nulo o escaso el contenido semántico del pronombre, es decir, no tiene significado por sí mismo. Esta es una propiedad común a todos los pronombres. Siempre señalan o se refieren a algo que se está viendo, se ha nombrado o se entiende por el contexto. Son palabras no descriptivas. Su significación es ocasional.

con criterio	con criterio	con criterio
MORFOLÓGICO	**SINTÁCTICO**	**SEMÁNTICO**
(por su forma)	(por su función)	(por su significado)

	3) Atributo de otro adverbio
	  • Comí *bastante* bien.
	4) Atributo de sustantivo
	  • Tierra *adentro*.
	  (el adverbio se adjetiva)
	5) Término de preposición
	  • Pasó por *aquí*.
	6) Predicado (adverbial)
	  • *Aquí*, las niñas.	

En cuanto a las variaciones morfológicas, los pronombres ofrecen un cuadro muy variado: hay formas con variaciones de género y número; otros, sólo de género o sólo de número y otras invariables, tanto en género como en número.

LOS PERSONALES

- Las formas *yo, me, mí, conmigo* (de 1a persona) y *tú, te, ti, contigo* (de 2a.persona) son invariables en género, es decir, convienen al masculino y al femenino.
- Las formas *se, si, consigo* (de 3a.persona) son invariables en género y número, es decir, convienen tanto al masculino y femenino como a singular y plural.
- La forma *lo* (de 3a.persona) es invariable en género, pues conviene al masculino (a *él*) y al femenino (a *ella*); pero es variable en número, pues tiene el plural *les*, que por su parte es invariable en género, pues conviene al masculino (a *ellos*) y al femenino (e *ellas*).
- La forma *es* conviene tanto al masculino como al neutro.
- Las formas *nos* y *os* convienen tanto al masculino como al femenino.
- Las formas restantes son variables:
  a) en cuanto a género: nosotros — nosotras
  b) en cuanto a número: el — ella — ello; ellos — ellas; lo — la; los — las.

LOS POSESIVOS.   Todos los posesivos son variables en género y número, pues tienen formas diferenciadas para masculino y femenino, singular y plural.
Conviene recordar que el posesivo distingue la categoría de persona gramatical (1a., 2a. y 3a.); pero no distingue nunca el sexo o género gramatical de la persona o cosa a la que hace referencia (*nuestro* = de *nosotros* o de *nosotras*) y a veces no distingue ni el género ni el número (*su* y *suyo* = de *él*, de *ella*, de *ello*, de *ellos*, de *ellas*), es decir, se refiere al masculino, femenino y neutro, tanto en singular como en plural; otro cambio morfológico que afecta a algunos posesivos es el apócope (véase tema 5—D).
LOS DEMOSTRATIVOS.   Todos los demostrativos tienen variaciones de género y número. Excepciones: *tal* (que casi siempre funciona como adjetivo) invariable en género: *tal* libro—*tal* cosa, aunque variable en número: plural = *tales*. Así (casi siempre es adverbio) es invariable siempre en género y número

LOS INDEFINIDOS.

INVARIABLES	VARIABLES		
en género y número	en género	en número	en género y número
alguien — nadie algo — nada más — menos cada — demás dondequiera — siempre nunca — jamás	ninguno	bastante cualquiera quienquiera	uno-otro—alguno ninguno—todo—mucho poco—demasiado cierto—varios—mismo y las formas apocopadas.

LOS RELATIVOS. Ofrecen, en cuanto a sus variaciones morfológicas, el siguiente cuadro:

QUE   Invariable en género y número
QUIEN y CUAL   Invariable en género; Variable en número: QUIENES y CUALES (en plural).
CUYO y CUANTO Variable en género y número:
                 masculino: *cuyo — cuyos*   *cuanto — cuantos*
                 femenino: *cuya — cuyas*   *cuanta — cuantas*

PRONOMBRE

Definición sintáctica

Desde el punto de vista sintáctico, los pronombres no son una categoría gramatical independiente, pues funcionan como sustantivos, como adjetivos o como adverbios.

Definición semántica

Desde el punto de vista semántico, los pronombres sí constituyen una categoría gramatical independiente. Tienen características propias; son palabras no descriptivas, de significación ocasional, relacionadas, en unos casos, con las personas gramaticales; en otros, con el hilo del habla.

1) *No son descriptivos.* No definen los objetos que nombran (como sí lo hacen los sustantivos). Los pronombres sólo señalan las personas gramaticales: primera, segunda y tercera.
2) *Tienen significación ocasional.* Designan a una u otra persona o cosa, según el contexto:
   '*Yo* no quiero, dice Juan. *Yo* tampoco, responde María.
   Donde puede apreciarse que el pronombre *yo* designa a *Juan* o a *María*, según la persona que lo use. Su significación es, pues, ocasional.

FUNCIONES SINTÁCTICAS DEL PRONOMBRE

Si el pronombre funciona como sustantivo, como adjetivo o como adverbio, lógicamente podrá desempeñar las funciones que son propias de esas categorías gramaticales. Así pues, todas las funciones sintácticas que el pronombre puede desempeñar son las siguientes:

A) como SUSTANTIVOS

1)	Sujeto	*Usted* está en lo cierto.
2)	Objeto directo	*Lo* compré en la feria.
3)	Objeto indirecto	*Le* dieron el premio merecido.
4)	Objeto de interés	*Me* tomaré unas vacaciones.
5)	Circunstancial	Nos arreglaremos sin *él*.
6)	Agente (en la voz pasiva)	Fue plantado *por mí*.
7)	Predicativo	Yo soy *aquél*.
8)	Término de preposición	Todos se preocupan *por él*.
9)	Término de comparación	Es tan joven *como tú*.
10)	Vocativo	Oiga, *usted*, hágame el favor.

B) como ADJETIVOS

1)	Atributo de sustantivo	Vive en *aquella* casa.
2)	Predicativo	La responsabilidad es *mía*.

C) como ADVERBIOS

1)	Atributo de verbo	Esta música me gusta *bastante*.
2)	Atributo de adjetivo	El agua está *bastante* fría.
3)	Atributo de otro adverbio	Luis canta *bastante* bien.
4)	Atributo de frase adverbial	Trabaja *bastante* a la ligera.
5)	Atributo de sustantivo (el adverbio se adjetiva)	Cuesta *abajo*.
6)	Término de preposición	No pasaré por *ahí*.
7)	Término de comparación	Allá es tan difícil como *aquí*.
8)	Predicado (adverbial)	*Arriba*, los ganadores.

PRONOMBRE

—Clasificación general
—Variaciones morfológicas
—Funciones sintácticas

Construya oraciones en las que utilice pronombres con las funciones sintácticas que en cada caso se indican.

A) Como SUSTANTIVOS.

   1) sujeto _____

   2) objeto directo _____

   3) objeto indirecto _____

   4) objeto de interés _____

   5) circunstancial _____

   6) agente (en voz pasiva) _____

   7) predicativo _____

   8) término de preposición _____

   9) término de comparación _____

B) Como ADJETIVOS.

   1) atributo de sustantivo _____

   2) predicativo _____

C) Como ADVERBIOS.

   1) atributo de verbo _____

   2) atributo de adjetivo _____

   3) atributo de otro adverbio _____

   4) atributo de frase adverbial _____

   5) atributo de sustantivo _____

   6) término de preposición _____

   7) término de comparación _____

   8) predicado (adverbial) _____

PRONOMBRES PERSONALES

Son los que designan las personas gramaticales: primera, segunda y tercera

Sintácticamente: Funcionan exclusivamente como sustantivos.

Semánticamente: Designan únicamente las personas gramaticales. No son descriptivos. Su significación es ocasional.

FORMAS DE LOS PRONOMBRES PERSONALES PARA LAS DIVERSAS FUNCIONES

			sujeto	complemento preposicional	objeto directo (caso acusativo)	objeto indirecto (caso dativo)
1a persona	singular	masculino femenino	yo	mi — conmigo	me	
	plural	masculino femenino		nosotros nosotras	nos	
2a persona	singular	masculino femenino	tú	ti — contigo	te	
	plural	masculino femenino		vosotros vosotras	os	
3a. persona	singular	masculino femenino neutro	él ella ello	él ella] sí - consigo ello	lo (le) la lo	le —se le —(la)—se le —se
	plural	masculino femenino	ellos ellas	ellos] sí—consigo ellas	los (les) las	les—se les—(las)—se

| Formas acentuadas (*tónicas*) | Formas inacentuadas (*átonas*) |

Observaciones

1) Las formas *se, sí, consigo* son siempre reflexivas.
2) Las formas *lo, la, los, las, le, les* nunca son reflexivas.
3) Las formas restantes pueden ser o no ser reflexivas.
4) Las formas *yo, me, mí, conmigo, tú, te, ti, contigo, se, sí, consigo* carecen de distinción genérica.
5) Las formas *se, sí, consigo* además de carecer de distinción genérica convienen tanto al singular como al plural.
6) Las formas *mí, tí, sí,* van siempre regidas por preposición. Si la preposición es *con,* adoptan las formas especiales: *conmigo, contigo, consigo.*
7) Las formas neutras *lo* y *ello* concuerdan con la forma masculina del adjetivo al que acompañan; *lo bueno — todo ello.*

Formas de régimen especial: USTED, USTEDES, NOS, VOS, LO, ELLO

1) *USTED-USTEDES.* Esta forma del pronombre de 2a. persona exige la 3a. persona del verbo debido a que se deriva del antiguo tratamiento *vuestra merced*: Sírvase *vuestra merced* = sírvase *usted.*

2) *NOS* es forma del plural, pero puede usarse para designar una sola persona (singular). En tal caso se denomina *plural mayestático: Nos*, el Rey.

3) *VOS* es una forma antigua de tratamiento de respeto, que aun referida a una sola persona exige el verbo en plural: *Vos*, señor, *sois* un gran Rey. Actualmente su uso persiste y está generalizado en Argentina, Uruguay y algunas otras regiones vecinas, así como en algunas áreas de Centro América. Este uso regional tiene un régimen especial del verbo (véase la conjugación del "*Voseo*" en tema correspondiente).

4) *LO* puede referirse, reproduciéndolo, a un sustantivo, a un adjetivo o a una construcción equivalente: ¿Es usted *Pedro*? Sí, *lo* soy. ¿Es usted *valiente*? Sí, *lo* soy. Dicen *que vendrán*. Yo no *lo* creo.

5) *ELLO* es forma del neutro, por lo que no puede referirse a sustantivos (en español no hay sustantivos neutros). Reproducen únicamente otro neutro, oraciones o proposiciones:
   • Busca siempre *lo* bueno, *lo* mejor. *Ello* te hará triunfar.
   • *Que no me escuchen. Ello* es lo que me molesta.

LOÍSMO — LAÍSMO — LEÍSMO

En el uso de los pronombres *lo, la* y *le* persisten hoy ciertas vacilaciones y abusos. De acuerdo a las recomendaciones de la Real Academia de la Lengua y a la práctica más autorizada de los escritores modernos, puede recomendarse esta norma:
   • *lo* para acusativo (objeto directo) *masculino: lo* conozco (a *él*)
   • *la* para acusativo (objeto directo) *femenino: la* conozco (a *ella*)
   • *le* para dativo (objeto indirecto) *de ambos géneros: le* envía saludos (a *él*); *le* envía saludos (a *ella*)
   También para el acusativo masculino de persona (no de cosa):
      • No *le* molestaré más.
   • *los* para acusativo (objeto directo) *masculino: los* conozco (a *ellos*)
   • *las* para acusativo (objeto directo) *femenino: las* conozco (a *ellas*)
   • *les* para dativo (objeto indirecto de ambos géneros): *les* envía saludos (a *ellos*); *les* envía saludos (a *ellas*)
   • *lo* es forma neutra cuando reproduce un predicativo:
      • María estaba *enferma*. Ciertamente *lo* estaba.
   o cuando se refiere a una oración anterior expresa o aludida por el contexto:
      • Se produjo un gran escándalo. No *lo* podía creer.
      • ¡Que usted lo pase bien!

USO DE LAS FORMAS ÁTONAS DE LOS PRONOMBRES PERSONALES

Las formas átonas, por su calidad de inacentuadas, suelen ir muy cerca del verbo. Su colocación delante o detrás del verbo ha variado según las épocas y aún varía hoy según los autores e inclusive las regiones. Hoy se siguen más o menos estas normas:

1) Con el verbo en imperativo, presente de subjuntivo, gerundio y participio, el pronombre va siempre al final y unido al verbo (*enclítico*): da*me*, váya*se*, tráiga*lo*, diciéndo*lo*, molestar*te*, etc.
   En cambio, si expresa negación, va detrás: No *te* apures, no *nos* conviene, no *lo* soporto más, etc.

2) Con las formas simples del indicativo, en la lengua hablada, el pronombre va generalmente *delante*; *Me* ofrecen, *se* rieron. . . pero en la lengua escrita a veces se usa también pospuesto: ofrécen*me*, riéron*se*. . . En estos casos conviene proceder con discreción, pues fácilmente se cae en un rebuscamiento que hoy se siente como afectación pedantesca. Por ejemplo, hoy nos suena poco naturales expresiones como: paréce*me* que sí, dijéron*lo* claramente, promulgó*se* el decreto, etc.

3) A veces concurren dos formas átonas, que se deben usar en una posición determinada:
   • SE precede a cualquier otra forma: *Se te* avisará (no *te se* avisará)
                                        Se me olvidó (no *me se* olvidó)
   • TE precede a ME y LO   No *te me* escondas, *Te lo* dije
   • ME y LE preceden a LO   *Me lo* dijeron, etc.

4) Cuando concurren dos (pueden concurrir hasta tres), todas las formas van enclíticas o todas proclíticas. No se pueden anteponer unas y posponer otras: *Pídenmelo* (enclítico) o *Me lo piden* (proclítico); pero no "*me pídenlo*". Enclíticas van unidas al verbo; proclíticas, separadas.

5) Si coinciden dos formas átonas y una es objeto directo y la otra objeto indirecto, va siempre delante el objeto indirecto:
   • *Me lo* entregó el cartero • Díse*lo* a tu papá.

6) Al juntarse el pronombre con el verbo, se producen ciertos cambios fónicos y ortográficos:
   a) El verbo pierde la *s* final delante del pronombre *NOS* enclítico: *unámonos, sentémonos*. . . (las formas completas serían: "*unámosnos*", "*sentémosnos*").
   b) Cuando el verbo termina en *s* y seguidamente va enclítico *SE* naturalmente concurren dos *eses*. En tal caso, se reduce a una sola *s*: *digámoselo* (no "*digámosselo*"; la forma verbal es *digamos*).
   c) Se suprime la *d* final del imperativo cuando lleva el enclítico *os*: *sentaos* (no "*sentados*" la forma verbal es *sentad*). Únicamente el verbo IR en imperativo ha conservado la *d*: *Idos* (aunque también nuestros clásicos escribían "*íos*").

Ejercicios

Tema

5-C PRONOMBRE

—Clasificación
—LOS PERSONALES

Construya oraciones en las que utilice los pronombres y funciones que se indican en cada caso:

1) *me*   a) objeto directo   _____

          b) objeto indirecto _____

2) *os*   a) objeto directo   _____

          b) objeto indirecto _____

3) *él*   a) sujeto   _____

          b) circunstancial   _____

4) *nos* a) objeto directo   _____

          b) objeto indirecto _____

5) *ellas* a) sujeto   _____

          b) circunstancial   _____

Subraye todas las formas pronominales y escriba la función sintáctica (sujeto, objeto directo, etc.) que en cada caso desempeñan.

	función sintáctica

1) No me encontraron.   _____

2) Por favor, usted primero.   _____

3) Perdona, pero tú no entiendes de estas cosas. _____

4) Conmigo nunca tendrá problemas.   _____

5) No pude reconocerlos a primera vista. _____

6) Os serviré la comida de inmediato. _____

7) Todos sus alumnos le envían saludos. _____

8) Nadie ha sido capaz de resolverlo aún. _____

9) Todas las pruebas están en contra de él. _____

10) Prepárense para lo peor. _____

PRONOMBRES POSESIVOS.   Señalan posesión o pertenencia.

Sintácticamente: Funcionan como adjetivos; pero también, como cualquier otro adjetivo, pueden sustantivarse:

a)   en singular, con el artículo neutro *lo*: *lo* mío, *lo* tuyo. . .

b)   en plural, con el artículo masculino: *los* tuyos (= familiares).

Semánticamente: No son descriptivos. Su significación es ocasional.

FORMAS DE LOS POSESIVOS			FORMAS PLENAS (son formas tónicas)		FORMAS APOCOPADAS (son formas átonas)
			masculino	femenino	masculino y femenino
1a persona	un poseedor	singular plural	mío míos	mía mías	mi mis
	varios poseedores	singular plural	nuestro nuestros	nuestra nuestras	no tiene
2a persona	un poseedor	singular plural	tuyo tuyos	tuya tuyas	tu tus
	varios poseedores	singular plural	suyo suyos	suya suyas	no tiene
3a persona	uno o varios poseedores	singular plural	suyo suyos	suya suyas	su sus

Observaciones

1)   Las formas *mío, tuyo, suyo* y los plurales *míos, tuyos, suyos* se apocopan y adoptan respectivamente las formas: *mi, tu, su* y *mis, tus, sus.*

2)   El posesivo, como cualquier adjetivo, puede sustantivarse: *lo* mío, *lo* tuyo. . .

FORMAS PLENAS DE LOS POSESIVOS

Deben usarse las formas plenas siempre que el posesivo vaya pospuesto al sustantivo: ésta es la casa *mía* —el error es *suyo*, etc.

En América es frecuente el uso de las formas plenas precedidas de adverbios o locuciones de lugar: detrás *mío*, delante *nuestro*. . .

FORMAS APOCOPADAS DE LOS POSESIVOS

Las formas apocopadas *mi, tu, su, mis, tus, sus* van siempre delante del sustantivo (proclíticas): *mi* tío, *tu* casa. . .
Pueden ir precedidas por demostrativos: *éste* <u>*tu*</u> hijo, *ésta* <u>*su*</u> casa. . . Tales expresiones eran más comunes en los clásicos que actualmente. Hoy son raras.

USO DE LOS POSESIVOS

Los posesivos se hallan estrechamente relacionados con los personales. Como éstos, van referidos a las tres personas gramaticales.

El posesivo de 3a persona crea frecuentemente frases ambiguas. Por ejemplo, la expresión *su libro* puede referirse al libro *de él, de ella, de ellos, de ellas, de usted, de ustedes*. Para evitar esa ambigüedad, hay dos recursos: a) añadir el nombre del poseedor (*su libro de Luis...*) b) añadir el pronombre que lo señala precedido por *de* (su libro *de él. . .*). En América casi no se usa el posesivo *vuestro* por haber caído en desuso el personal correspondiente vosotros. Por eso, suena como afectación, en esos países decir *vuestra casa*. La expresión común es *la casa de ustedes*. Los posesivos se usan mucho menos en español que en inglés, francés y alemán. Por ello, frases como: terminaré *mi* trabajo en *mi* casa, se sienten pesadas, redundante por la repetición innecesaria del posesivo. En español será preferible decir: Terminaré el trabajo en la casa.

Ejercicios

Tema

5-D | PRONOMBRE
—Clasificación
—LOS POSESIVOS

Construya oraciones en las que utilice los posesivos en las funciones que en cada caso se indican.

1) *mío*   a) como adjetivo   _____

            b) como sustantivo   _____

2) *nuestro* a) como adjetivo   _____

            b) como sustantivo   _____

3) *tuyos*   a) como adjetivo   _____

            b) como sustantivo   _____

4) *suyo*   a) como adjetivo   _____

            b) como sustantivo   _____

5) *vuestras* a) como adjetivo   _____

            b) como sustantivo   _____

Subraye todas las formas de los posesivos: con una raya (_____) los que funcionan como adjetivos y con doble raya (=====) los que funcionan como sustantivos.

1) La culpa no es mía, sino suya.

2) Lo nuestro es la música.

3) Todo está bajo mi responsabilidad.

4) Tus problemas no se resolverán así.

5) Debemos respetar a nuestros semejantes.

6) A cada quien le corresponde lo suyo.

7) Él cumplirá su obligación; nosotros, las nuestras.

8) Yo tengo mis dudas al respecto.

9) Pronto se te arreglará lo tuyo.

10) Los tuyos te recordarán siempre.

Pronombres DEMOSTRATIVOS

Señalan los objetos o personas en relación con las personas del coloquio.

Sintácticamente: Funcionan como *sustantivos* o como *adjetivos*.

Semánticamente: No son descriptivos. Su significación es ocasional.

FORMAS DE LOS PRONOMBRES DEMOSTRATIVOS

Singular	masculino	— éste	— ése	— aquél	
	femenino	— ésta	— ésa	— aquélla	
	neutro	— esto	— eso	—aquéllo	(sustantivos únicamente)

Plural	masculino	— éstos	— ésos	— aquéllos
	femenino	— éstas	— ésas	— aquéllas

Las formas *esto, eso, aquello* siempre funcionan como sustantivos: *eso* me gusta, *eso* quiero, *aquello* me encanta. . .

Las formas restantes pueden funcionar como sustantivos o como adjetivos:

- *como sustantivos*: prefiero *éste*; no, mejor *aquél*.
- *como adjetivos*: este año será • *aquel* día fue fatal.

Otras formas de DEMOSTRATIVOS

Tal, tanto y *así* son también demostrativos que pueden funcionar como sustantivos, adjetivos o adverbios. Como sustantivos o adjetivos, *tal* y *tanto* tienen variación de género y número según este esquema:

	singular	plural	singular	plural
masculino—	tal	tales	tanto	tantos
femenino—	tal	tales	tanta	tantas
neutro————	tal		tanto	

- como *sustantivos*: ¿*Tantos* vendrán?—No alcanza para *tantos*
- como *adjetivos*: Me alegran *tales* noticias —No hay para *tanta* gente
- como *adverbios*: *Así* están las cosas —No trabajes *tanto*

PRONOMBRES INDEFINIDOS

Sintácticamente: Pueden funcionar como sustantivos, adjetivos o adverbios.

Semánticamente: Designan personas o cosas en forma vaga, imprecisa.

Son correlativos de los interrogativos: ¿*Quién* se retira? — *Nadie* ¿*Qué* te duele? — *Nada*

FORMAS Y FUNCIONES DE LOS INDEFINIDOS

INVARIABLES	VARIABLES			FUNCIONES SINTÁCTICAS
	género	número	género y número	

alguien-nadie
algo-nada
más-menos
cada-demás
dondequiera
siempre-nunca
jamás
	ninguno	bastante
		cualquiera
		quienquiera
			uno-otro
			alguno-ninguno
			mucho-poco
			todo-demasiado
			cierto-mismo
			varios-tal
				1) como sustantivos únicamente
				   alguien-nadie-algo-nada-
				   quienquiera
				2) Como adjetivos únicamente cada
				3) Como sustantivos, adjetivos o ad-
				   verbios: los restantes.

Muchos de los indefinidos frecuentemente se combinan entre sí o con pronombres no indefinidos. En tales combinaciones, la misma forma unas veces aparece como término regente (o sea sustantivo) y otras, como término regido (o sea adjetivo):

muchos otros —————— otros *muchos*
cualquier otro ————— otro *cualquiera*
alguien más ————— *alguno* menos, etc.

Ejercicios

Tema 5-E | **PRONOMBRE** | —Clasificación
—LOS DEMOSTRATIVOS
—LOS INDEFINIDOS

Construya oraciones en las que utilice los demostrativos e indefinidos en las funciones sintácticas que se indican.

1) *aquellos*   a) como sustantivo _____

               b) como adjetivo _____

2) *esos*   a) como sustantivo _____

               b) como adjetivo _____

3) *este*   a) como sustantivo _____

               b) como adjetivo _____

4) *aquella*   a) como sustantivo _____

               b) como adjetivo _____

5) *esto*   a) como sustantivo _____

6) *eso*   a) como sustantivo _____

7) *tal* a) como sustantivo _____

        b) como adjetivo _____

8) *tanto* a) como sustantivo _____

        b) como adjetivo _____

Subraye todos los indefinidos y escriba la función sintáctica (sustantivo, adjetivo o adverbio) que en cada caso desempeñan.

	función sintáctica

1) Alguien tendrá que responder por los daños. _____

2) Las perspectivas no son nada halagüeñas. _____

3) Ninguno de los presentes protestó. _____

4) Tiene demasiado trabajo. _____

5) Hay cierto temor entre la población. _____

6) Ya ha descansado usted bastante. _____

7) Es una cantidad bastante modesta. _____

8) Todos quieren participar. _____

9) Recibe varias visitas al día. _____

10) Las construcciones forman un todo armonioso. _____

PRONOMBRE

—Clasificación
—LOS RELATIVOS

Pronombres RELATIVOS

Se relacionan no con las personas del coloquio, sino con el hilo del habla. Tienen un antecedente con el cual concuerdan las formas que son variables (la excepción es *cuyo*, que concuerda con el sustantivo que le sigue).

Sintácticamente: Pueden funcionar como sustantivos, como adjetivos o como adverbios. Reproducen un antecedente y funcionan además como nexo subordinante encabezando la proposición incorporada, de la que forman parte.

Semánticamente: No son descriptivos. Su significación es ocasional (la de su antecedente)

Los relativos pueden ser correlativos de los demostrativos, a los que reproducen: *aquel que* te dije —ayuda *tanto cuanto* puede.

FORMAS Y FUNCIONES SINTÁCTICAS DE LOS RELATIVOS

FORMAS			FUNCIONES	
	singular masc. fem.	plural masc. fem.		
(1) QUE	QUE (INVARIABLE)		como *sustantivo*	— No sé *qué* hacer.
			como *adjetivo*	— Desconozco *qué* intención tiene.
			como *adverbio*	— ¡*Qué* buena suerte!
QUIEN	QUIEN	QUIENES	como *sustantivo* (únicamente)	— No hay *quien* se atreva.
(2) CUAL	CUAL	CUALES	como *sustantivo*	— Dime *cuál* prefieres.
			como *adjetivo*	— Dime *cuáles* libros prefieres.
CUYO	CUYO CUYA	CUYOS CUYAS	como *adjetivo* (únicamente)	— Éste es el libro *cuya lectura te recomiendo*
(3) CUANTO	cuanto cuanta	cuantos cuantas	como *sustantivo*	— Podrán entrar *cuantos* lo deseen.
			como *adjetivo*	— No se *cuánta* energía se necesita.
			como *adverbio*	— Corrió *cuanto* pudo.

Nótese cómo unas formas tienen variaciones morfológicas de género, otras de número y otras son invariables. Todas las formas de los relativos son inacentuadas.

1) Puede ir precedido de artículo: *el que, la que, lo que, los que, las que.*
2) Puede ir precedido de artículo: *el cual, la cual, lo cual, los cuales, las cuales.*
3) Esta forma puede apocoparse en *CUAN*: Quedó tendido *cuan* largo era.

PRONOMBRES INTERROGATIVOS Y EXCLAMATIVOS

Todas las formas de los relativos (excepto *cuyo*, que siempre es relativo) se convierten en INTERROGATIVOS o EXCLAMATIVOS cuando se acentúan. Tienen las mismas funciones sintácticas (sustantivo, adjetivo o adverbio) que los relativos; pero carecen de antecedente, puesto que no funcionan como relativos.

- ¿*Quién* llamó?
  sustantivo
- ¡*Qué* desengaño!
  adjetivo
- ¿*Cuánto* cuesta?
  adverbio

PRONOMBRE

—Clasificación
—LOS RELATIVOS

Construya oraciones en las que utilice los relativos en las funciones que en cada caso se indican.

1) *cuales*   a) como sustantivo   _____

             b) como adjetivo   _____

2) *cuanta*   a) como sustantivo   _____

             b) como adjetivo   _____

3) *que*   a) como sustantivo   _____

           b) como adjetivo   _____

           c) como adverbio   _____

4) *quien*   a) como sustantivo   _____

5) *cuya*   a) como adjetivo   _____

Subraye todos los relativos, interrogativos o indefinidos, y escriba la función que en cada caso desempeñan.

función sintáctica

1) Me preguntaron cuánto tiempo faltaba.   _____

2) ¿Qué te hace pensar eso?   _____

3) Este es el joven cuyos padres conociste ayer.   _____

4) ¡Qué ilusión más grande!   _____

5) No sé cuánto ganas ahora.   _____

6) ¡Qué sabrosa estaba la comida!   _____

7) Hay quienes creen todo lo contrario.   _____

8) Quien bien te quiere te hará llorar.   _____

9) ¡Cuánta oportunidad perdida!   _____

10) Quisiera saber cuántos van a venir.   _____

con criterio	con criterio	con criterio
MORFOLÓGICO	**SINTÁCTICO**	**SEMÁNTICO**
(por su forma)	(por su función)	(por su significado)

Variaciones morfológicas

Persona ⎰ 1a. (la que habla)
⎱ 2a. (a quien se habla)
3a. (la que no es ni
1a. ni 2a).

Número ⎰ singular
⎱ plural

Tiempo ⎰ simples   compuestos
(*)   presente   pret. perf.
pret. imp.   pret. plusc.
pret. perf. pret. ant.
futuro   fut. perf.
condic.   cond. perf.

Modo ⎰ Indicativo
subjuntivo
Potencial
Imperativo

Voz ⎰ Activa
⎱ Pasiva

Clasificación morfológica
A) Por su flexión
  1) *Regulares*
  2) *Irregulares*
  3) *Defectivos o incompletos*
  4) *Unipersonales*
B) Por su composición
  1) *Simples*
  2) *Compuestos*

(*) La relación completa de los tiempos con la denominación de La Real Academia y la de Andrés Bello aparece en el tema correspondiente a las conjugaciones regulares.

Definición sintáctica
El verbo es el elemento central o núcleo del predicado.

Funciones sintácticas
Su única función sintáctica es ser núcleo del predicado.

Modificadores del verbo
A) *Monovalentes* (sólo del verbo)

  1) *Objeto Directo*, con preposición o sin ella:
    • Adoro *a mis padres.*
    • *Los* quiero mucho.
  2) *Objeto Indirecto*, con preposición o sin ella:
    • Dio las gracias *a todos.*
    • *Le* envían saludos.
  3) *Objeto de Interés* (sin nexo) (no es ni O.D. ni O.I.)
    • Ya *me* tomé el café.
  4) *Circunstancial,* con preposición o sin ella:
    • Pasea *a las cinco.*
    • Trabaja *todo el día.*
  5) *Agente* (en la voz pasiva)
    • Fue visto *por todos.*
B) *Bivalentes* (del verbo y del sujeto)

  1) *Predicativo*
    a) con adjetivo-Él es *feliz*
    b) con sustantivo-Él es *hombre*

Clasificación sintáctica
Copulativo (SER Y ESTAR)
Transitivo (con O.D.)
Intransitivo (sin O.D.)
Pronominal: a) Reflejo
    b) Cuasirreflejo
    c) Recíproco

Definición semántica
El significado del verbo puede denotar diversos aspectos de una realidad atribuida al sujeto, como:

Acción —El Cid *cabalga.*
Estado —El niño *duerme.*
Cualidad—El campo *florece.*
Relación —La muerte *iguala* todo.

con criterio MORFOLÓGICO (por su forma)	con criterio SINTÁCTICO (por su función)	con criterio SEMÁNTICO (por su significado)

C) Por su derivación
  1) *Primitivo*
  2) *Derivado*
  3) *Parasintético*
	Auxiliar (HABER Y SER)
	Impersonal
	Unipersonal
	
	El verbo puede sustantivarse (el verboide infinitivo). Como sustantivo, puede desempeñar sus funciones (sujeto, etc.) y llevar sus mismos atributos (artículo y adjetivo).	

Ejercicios

Tema

6 VERBO
—Clasificación general
—Cuadro sinóptico

Conteste las siguientes preguntas:

¿Qué criterio se aplica cuando el verbo se clasifica como:

criterio aplicado

1) transitivo _____

2) irregular _____

3) primitivo _____

4) impersonal _____

5) compuesto _____

6) auxiliar _____

7) parasintético _____

8) unipersonal _____

9) cuasirreflejo _____

10) regular _____

11) defectivo _____

12) simple _____

13) intransitivo _____

14) copulativo _____

15) derivado _____

16) reflejo _____

17) recíproco _____

Subraye los modificadores del verbo e indique su clase.

clase de modificador

1) Las flores se secaron por falta de agua. _____

2) El piloto realizó la maniobra adecuada. _____

3) Fue colocada una corona por sus simpatizantes. _____

4) Todos estamos muy contentos. _____

5) Acamparemos aquí. _____

El verbo indica la *persona* y el *número* del sujeto y el *tiempo* y *modo* de la oración mediante variaciones morfológicas que se denominan *accidentes*. Así pues, los accidentes que afectan al verbo son: PERSONA, NÚMERO, TIEMPO y MODO.

La VOZ, más que un accidente, es una construcción sintáctica propia del verbo, pues no hay formas simples de la voz pasiva, la que debe construirse mediante frases verbales (verbo auxiliar + participio o partícula *se* + forma activa).

Tiempo y *Modo* son accidentes exclusivos del verbo.

El conjunto de variaciones morfológicas del verbo constituyen su *paradigma*.

PERSONA
- *Primera persona* (la que habla).
- *Segunda persona* (a quien se habla).
- *Tercera persona* (la que no es ni primera ni segunda).

NÚMERO
- **Singular**
  - 1a. persona
  - 2a. persona
  - 3a. persona
- **Plural**
  - 1a. persona
  - 2a. persona
  - 3a. persona

		Tiempos simples	Tiempos compuestos
TIEMPO (*)	R.A.E A.Bello	Presente Presente	Pretérito perfecto compuesto Antepresente
	R.A.E. A. Bello	Pretérito imperfecto Copretérito	Pretérito pluscuamperfecto Antecopretérito
	R.A.E. A. Bello	Pretérito perfecto-simple Pretérito	Pretérito anterior Antepretérito
	R.A.E. A. Bello	Futuro Futuro	Futuro perfecto Antefuturo
	R.A.E. A. Bello	Condicional Pospretérito	Condicional perfecto Antepospretérito

MODO
- (Indica la actitud del hablante)
- *Indicativo.* Expresa la significación del verbo como *realidad*.
- *Subjuntivo.* Expresa la significación del verbo como *no realidad*.
- *Imperativo.* Expresa mandato, ruego, orden. . .

VOZ
- Activa
- Pasiva
  - a) con verbo auxiliar + participio
  - b) con *se* + forma activa (pasiva cuasirrefleja)

(*) Nomenclatura de la Real Academia Española (R.A.E.) y de Andrés Bello (A. Bello) respectivamente.

VERBO

—Variaciones morfológicas

Escriba las formas verbales correspondientes a la persona, número, tiempo, modo y voz del verbo que en cada caso se indica.

	verbo	persona	número	tiempo	modo	voz	forma correspondiente
1)	cantar	3a.	pl.	pret. perf. simple	ind.	act.	_____
2)	llover	3a.	sing.	pret. perf. simple	ind.	act.	_____
3)	volver	3a.	pl.	futuro	ind.	act.	_____
4)	subir	3a.	sing.	pret. perf. simple	ind.	act.	_____
5)	sellar	3a.	pl.	pret. perf. simple	ind.	pas.	_____
6)	salir	2a.	sing.	pret. plusc.	subj.	act.	_____
7)	atender	3a.	sing.	futuro	ind.	pas.	_____
8)	terminar	2a.	sing.	futuro	ind.	act.	_____
9)	escribir	3a.	sing.	pret. perf. simple	ind.	pas.	_____
10)	recibir	2a.	pl.	futuro	ind.	act.	_____
11)	trabajar	3a.	sing.	pret. perf. simple	ind.	act.	_____
12)	comer	3a.	pl.	pret. perf. simple	ind.	act.	_____
13)	atender	3a.	sing.	futuro	ind.	pas.	_____
14)	partir	3a.	pl.	pret. perf. simple	ind.	act.	_____
15)	correr	2a.	sing.	pret. perf. simple	ind.	act.	_____
16)	callar	3a.	sing.	pret. perf. simple	ind.	act.	_____
17)	andar	3a.	pl.	pret. imperf.	ind.	act.	_____
18)	permitir	2a.	pl.	pret. imperf.	imp.	act.	_____
19)	romper	participio (verboide)					_____
20)	perder	gerundio simple (verboide)					_____

A) POR SU FLEXIÓN

REGULARES. Los que mantienen su radical invariable y adoptan las desinencias del modelo correspondiente (de 1a., 2a., o 3a. conjugación).

Se considera regular el radical que mantiene su sonido, aunque en la escritura sufra ciertas modificaciones por razones ortográficas. Estas modificaciones son:

1) Cambio de Z por C	—de alcanzar	—alcanc-é	(no alcanz-é)
2) Cambio de C por QU	—de buscar	—busqu-é	(no busc-é)
3) Cambio de G por J	—de afligir	—aflijo	(no aflig-o)
4) Cambio de I por Y	—de leer	—ley-ó	(no le-ió)
5) Agregan U	—de llegar	—llegu-é	(no lleg-é)
6) Suprimen U	—de extinguir	—exting-a	(·no extingu-a)

IRREGULARES. Los que alteran su radical o desinencia (o ambas a la vez) con respecto al modelo de la conjugación respectiva. Se distinguen dos grupos:

a) los de *irregularidad común,* que son las que sufren un tipo de irregularidad que es común a varios verbos y

b) los de *irregularidad propia,* que son los que sufren alteraciones exclusivas de cada uno de ellos.

DEFECTIVOS o INCOMPLETOS. Los que no se conjugan en algunos tiempos y personas, es decir, no usan la conjugación completa. Esta particularidad pueden tenerla, tanto verbos regulares como irregulares. La carencia de formas se produce:

1) porque la significación del verbo no se aplica a algunos sujetos, como en: *acontecer, concernir, atañer, pacer,* etc. Por ejemplo, no se usa: yo *acontezco,* tú *conciernes,* etc. Generalmente estos verbos se usan únicamente en 3a. persona: no sé qué *aconteció;* esto no nos *concierne...*

2) porque ciertas formas resultan de difícil o ingrata pronunciación. Por ejemplo, del verbo *abolir* no usamos yo *abolo* o *abuelo,* etc. En cambio, sí se usan las formas cuyas desinencias empiezan con i: La ley quedó *abolida;* la Asamblea *abolió* la esclavitud, etc.

UNIPERSONALES. Son los defectivos que tienen la particularidad de conjugarse, cuando se usan en su significación propia, sólo en una persona: la 3a. persona del singular. Son verbos que expresan fenómenos naturales como: amanecer, anochecer, llover, nevar, etc. Cuando se emplean en sentido figurado, se conjugan, como cualquier otro verbo, en todas las personas: *amanecí* contento; *amanecimos* en el campo; le *llovieron* las ofertas, etc.

B) POR SU COMPOSICIÓN

SIMPLES. Los que no pueden dividirse en partes menores: *decir.*

COMPUESTOS. Los que están formados con dos o más palabras : *maldecir* (mal + decir)

C) POR SU DERIVACIÓN

PRIMITIVOS. Los que no proceden de ninguna otra palabra: *ir.*

DERIVADOS. Los que se derivan de otra palabra: *sangrar* (de sangre)

PARASINTÉTICO. Los que son a la vez compuestos y derivados:

Envenenar; compuesto de *en* + *venenar,* que a su vez es derivado de *veneno.*

Tema
6-B VERBO
—Clasificación morfológica

Subraye todas las formas verbales y escriba la clasificación morfológica que le corresponda.

	Clasificación morfológica por:		
	su flexión	su composición	su derivación
1) Vive contento.			
2) Ha hecho mucho bien.			
3) Han reformado la casa.			
4) Trabaja muy despacio.			
5) Se contradijo mucho.			
6) Siempre atiende a todos.			
7) La herida ya no sangra.			
8) Pienso lo mismo que él.			
9) Este árbol florece en mayo.			
10) Siempre pospone las cosas.			
11) Ese hecho enlutó la ciudad.			
12) Aquella tarde toreó muy bien.			
13) Cada día amanece más tarde.			
14) Maneja muy despacio.			
15) Fue abolida la Constitución.			
16) La mentira envilece.			
17) Di la verdad.			
18) Pronto tendremos de todo.			
19) Todos vieron los hechos.			
20) Esa acción lo ennoblece.			

CONCORDANCIA DEL VERBO CON EL SUJETO

> **El verbo concuerda con el sujeto en NÚMERO Y PERSONA**

Es decir, el verbo varía sus desinencias para indicar la persona y el número del sujeto. Esta es una de las reglas generales de la concordancia gramatical.

Para su aplicación, hay que distinguir dos casos: si el sujeto es *SIMPLE* o si es *COMPUESTO*.

1) Sujeto *SIMPLE*. Si el sujeto es simple, el verbo adoptará la forma que corresponda a la persona y número de ese sujeto único.

    Sujeto SIMPLE en 1a. persona singular — *Yo*   *—canto*
    Sujeto SIMPLE en 2a. persona singular —*Tú*   *—cantas*
    Sujeto SIMPLE en 3a. persona singular —*Él*   *—canta*
    Sujeto SIMPLE en 1a. persona plural   *—Nosotros—cantamos*
    Sujeto SIMPLE en 2a. persona plural   *—Vosotros —cantáis*
    Sujeto SIMPLE en 3a. persona plural   *—Ellos*   *—cantan*

2) Sujeto *COMPUESTO*. Si el sujeto es compuesto, como regla general, el verbo sigue la siguiente concordancia.
    A) En cuanto al *NÚMERO:* va siempre en *plural*.
    B) En cuanto a la *PERSONA* hay que distinguir tres casos:

    1) Si la 1a. persona entra en el sujeto, el verbo va siempre en *1a. persona plural*.
        Sujeto 1a. sing. + 2a. sing. *Tú y yo nos entendemos*   (verbo 1a. pers. plural)
        Sujeto 1a. sing. + 3a. sing. *Él y yo nos entendemos*   (verbo 1a. pers. plural)
        Sujeto 1a. sing. + 2a. plural *Vosotros y yo nos entendemos*   (verbo 1a. pers. plural)
        Sujeto 1a. sing. + 3a. plural *Ellos y yo nos entendemos*   (verbo 1a. pers. plural)
        Sujeto 1a. plural + 2a. sing. *Tú y nosotros nos entendemos*   (verbo 1a. pers. plural)
        Sujeto 1a. plural + 3a. sing. *Él y nosotros nos entendemos*   (verbo 1a. pers. plural)
        Sujeto 1a. plural + 2a. plural *Vosotros y nosotros nos entendemos*   (verbo 1a. pers. plural)
        Sujeto 1a. plural + 3a. plural *Ellos y nosotros nos entendemos*   (verbo 1a. pers. plural)

    2) Si concurren sólo 1a., 2a. y 3a. persona el verbo va siempre en *2a. persona plural.*
        Sujeto 2a. sing. + 2a. sing. *Tú y tú iréis*   (verbo 2a. pers. plural)
        Sujeto 2a. sing + 3a. sing. *Tú y él iréis*   (verbo 2a. pers. plural)
        Sujeto 2a. sing. + 2a. plural *Tú y vosotros iréis*   (verbo 2a. pers. plural)
        Sujeto 2a. sing. + 3a. plural *Tu y ellos iréis*   (verbo 2a. pers. plural)
        Sujeto 2a. plural + 3a. sing. *Vosotros y él iréis*   (verbo 2a. pers. plural)
        Sujeto 2a. plural + 3a. plural *Vosotros y ellos iréis*   (verbo 2a. pers. plural)

    3) Si no hay ni 1a. ni 2a. persona, el verbo irá siempre en *3a. persona plural.*
        Sujeto 3a. sing. + 3a. sing. *Él y ella estudian*   (verbo 3a. pers. plural)
        Sujeto 3a. sing. + 3a. plural *Él y ellos estudian*   (verbo 3a. pers. plural)
        Sujeto 3a. plural + 3a. plural *Ellos y ellas estudian*   (verbo 3a. pers. plural)

CASOS ESPECIALES DE CONCORDANCIA

1) Con los pronombres de 2a. persona *usted, ustedes*, el verbo concuerda en *3a. persona.*
    • *Usted es* el responsable.
    • *Ustedes podrán* entrar luego.

2) Con el pronombre de 2a. persona *vos* se ha generalizado en algunos países el uso del verbo con desinencias especiales, que conforman la llamada conjugación del "*Voseo*".
  - Vos *tenés* razón. *Terminá* vos este trabajo.
3) Cuando el sujeto es un sustantivo colectivo, se distinguen dos casos:
  a) Si el sustantivo va solo, el verbo irá en singular
  - Un grupo *llegó* rápidamente.
  b) Si el sustantivo colectivo en singular lleva complemento proposicional en plural, el verbo puede concordar en singular o en plural, es decir, con el sustantivo-núcleo o con el modificador.
  - Un grupo de estudiantes *llegó* rápidamente.
  - Un grupo de estudiantes *llegaron* rápidamente.
4) Con el sujeto compuesto de varios sustantivos o construcciones sustantivas yuxtapuestos, en singular o en plural, si el último de ellos es resumen de los anteriores, el verbo puede concordar con este último en singular.
  - Su gran cultura, su modestia, sus modales, todo *reflejaba* su personalidad.
  - Su gran cultura, su modestia, sus modales *resaltaban* sobremanera.
5) Cuando los elementos componentes del sujeto compuesto se sienten muy asociados, el verbo puede ir en singular, aunque también en plural.
  - La *compra* y *venta* de divisas *será regulada* (. . . o *serán reguladas*).
  - La *entrada* y *salida* de trenes *fue suspendida* (. . . o *fueron suspendidas*).
6) El verbo puede concordar con el predicativo y no con el sujeto. Es una concordancia rara en la actualidad, aunque frecuente en el habla coloquial.
  - Todos los invitados *era gente importante*.
  - Mi sueldo *son* (o es) *mil pesos*.
7) Si el sujeto es un sustantivo en plural que denota personas, el verbo puede ir en 3a. persona o bien en 1a. o 2a. persona, según si el hablante se incluye o no a sí mismo o al oyente en el grupo designado por el sustantivo.
  - Los romanos *son* así.
  - Los romanos *somos* así.
  - Los romanos *sois* así.
8) *Discordancia deliberada.*   Se produce cuando se usa la 1a. persona del plural para referirse a la 2a. persona del singular con fines expresivos.
  - ¿Cómo *estamos*? (= ¿Cómo estás tú? o ¿Cómo está usted?)
  - Así que ésas tenemos, ¡eh! (dirigido a una sola persona).
También existe discordancia deliberada en el llamado "Plural de modestia" y "plural mayestático", que es el empleo de la 1a. persona del plural en vez del singular.
  - "Plural de modestia": *Creemos* que esto es así. (en vez de: *creo* que esto es así).
  - "Plural mayestático": *Nos os bendecimos* (en vez de Yo os bendigo).
Los relativos *el que, la que, quien, quienes*, ofrecen un caso especial de concordancia. (Véase tema 22.)

Ejercicios

Tema		
6-C	**VERBO**	—Concordancia

En los espacios en blanco, escriba la forma verbal (del verbo que va entre paréntesis) en la persona y número que requiera el sentido de la oración. Puede usar cualquier tiempo y modo que sea posible.

1) (esperar) ¿Qué _____ tú?
2) (podar) El jardinero _____ los árboles.
3) (confiar) Todos _____ en él.

4) (contener) No sé lo que _____ esta caja.
5) (pedir) Él _____ su oportunidad.
6) (desesperar) No te _____, amigo mío.
7) (encender) Tú y ellos _____ el fuego.
8) (avanzar) Ellos y nosotros _____ lentamente.
9) (alcanzar) Vosotros y él _____ la meta.
10) (sufrir) Tú y él _____ las consecuencias.
11) (llorar) Ellas _____ amargamente.
12) (aplaudir) Todos _____ entusiasmados.
13) (empezar) Él y nosotros _____ primero.
14) (saber) Nadie _____ nada.
15) (corregir) Hermano, _____ tus defectos.
16) (correr) Él y ella _____ hasta la playa.
17) (reprimir) La manifestación _____ con energía.
18) (entender) Él y yo nos _____ bien.
19) (suprimir) Las autoridades _____ todos los permisos.
20) (seguir) Tú y yo _____ aquí.
21) La compra y venta del café (estar) _____ paralizada.
22) Usted (ser) _____ muy exigente.
23) Oye, Luis, ¿cómo (estar) _____?
24) Todos sus antepasados (ser) _____ gente respetable.
25) Los Rodríguez (ser) _____ así.
26) Su remuneración (ser) _____ cien pesos.
27) Espero que ustedes (estar) _____ de acuerdo.
28) Jovencito, así que ésas (tener) _____, ¡eh!
29) Un grupo de jóvenes (alegrar) _____ la reunión.
30) Un gran número de aviones (sobrevolar) _____ la ciudad.
31) Su paciencia y dedicación (ser) _____ proverbiales.
32) Mi salario (ser) _____ dos mil pesos.
33) Aquellos hombres (ser) _____ una raza de gigantes.
34) La entrada y salida (ser) _____ vigiladas cuidadosamente.
35) No (creer) _____ ustedes esos chismes.
36) Padre e hijo (permanecer) _____ unidos.
37) Su talento, su gusto, su refinamiento, todo en él (ser) _____ superior.
38) El Papa dijo: Nos (pedir) _____ a Dios por la paz.
39) Todos los amigos (ser) _____ gente de categoría.
40) Su belleza, simpatía y don de gentes (cautivar) _____ a todos.

VERBOS AUXILIARES

Son los verbos empleados para formar los tiempos compuestos de la voz activa y todos los tiempos de la voz pasiva. Por su función, son auxiliares; por su conjugación, son irregulares.

Paradigma del verbo HABER

El verbo HABER es el que se emplea para formar los tiempos compuestos de la voz activa y de la pasiva.

Tiempos simples   MODO INDICATIVO   Tiempos compuestos

R. A. E.	Presente
A. Bello	Presente

Yo	he
Tú	has
Él	ha (forma unipersonal *hay*)
Nosotros	hemos
Vosotros	habéis
Ellos	han

R. A. E.	Pretérito perfecto compuesto
A. Bello	Antepresente

Yo	he	habido
Tú	has	habido
Él	ha	habido
Nosotros	hemos	habido
Vosotros	habéis	habido
Ellos	han	habido

R. A. E.	Pretérito imperfecto
A. Bello	Copretérito

Yo	había
Tú	habías
Él	había
Nosotros	habíamos
Vosotros	habíais
Ellos	habían

R. A. E.	Pretérito pluscuamperfecto
A. Bello	Antecopretérito

Yo	había	habido
Tú	habías	habido
Él	había	habido
Nosotros	habíamos	habido
Vosotros	habiais	hubisteis
Ellos	habían	habido

R. A. E.	Pretérito perfecto simple
A. Bello	Pretérito

Yo	hube
Tú	hubiste
Él	hubo
Nosotros	hubimos
Vosotros	hubisteis
Ellos	hubieron

R. A. E.	Pretérito anterior
A. Bello	Antepretérito

Yo	hube	habido
Tú	hubiste	habido
Él	hubo	habido
Nosotros	hubimos	habido
Vosotros	hubisteis	habido
Ellos	hubieron	habido

R. A. E.	Futuro
A. Bello	Futuro

Yo	habré
Tú	habrás
Él	habrá
Nosotros	habremos
Vosotros	habréis
Ellos	habrán

R. A. E.	Futuro perfecto
A. Bello	Antefuturo

Yo	habré	habido
Tú	habrás	habido
Él	habrá	habido
Nosotros	habremos	habido
Vosotros	habréis	habido
Ellos	habrán	habido

R. A. E.	Condicional	R. A. E.	Condicional perfecto	
A. Bello	Pospretérito	A. Bello	Antepospretérito	

Yo	habría	Yo	habría	habido
Tú	habrías	Tú	habrías	habido
Él	habría	Él	habría	habido
Nosotros	habríamos	Nosotros	habríamos	habido
Vosotros	habríais	Vosotros	habríais	habido
Ellos	habrían	Ellos	habían	habido

Tiempos simples   MODO SUBJUNTIVO   Tiempos compuestos

R. A. E.	Presente	R. A. E.	Pretérito perfecto	
A. Bello	Presente	A. Bello	Antepresente	

Yo	haya	Yo	haya	habido
Tú	hayas	Tú	hayas	habido
Él	haya	Él	haya	habido
Nosotros	hayamos	Nosotros	hayamos	habido
Vosotros	hayáis	Vosotros	hayáis	habido
Ellos	hayan	Ellos	hayan	habido

R. A. E.	Pretérito imperfecto	R. A. E.	Pretérito pluscuamperfecto	
A. Bello	Pretérito	A. Bello	Antepretérito	

Yo	hubiera	o hubiese	Yo	hubiera	o hubiese	habido
Tú	hubieras	o hubieses	Tú	hubieras	o hubieses	habido
Él	hubiera	o hubiese	Él	hubiera	o hubiese	habido
Nosotros	hubiéramos	o hubiésemos	Nosotros	hubiéramos	o hubiésemos	habido
Vosotros	hubierais	o hubieseis	Vosotros	hubierais	o hubieseis	habido
Ellos	hubieran	o hubiesen	Ellos	hubieran	o hubiesen	habido

R. A. E.	Futuro	R. A. E.	Futuro perfecto	
A. Bello	Futuro	A. Bello	Antefuturo	

Yo	hubiere	Yo	hubiere	habido
Tú	hubieres	Tú	hubieres	habido
Él	hubiere	Él	hubiere	habido
Nosotros	hubiéremos	Nosotros	hubiéremos	habido
Vosotros	hubiereis	Vosotros	hubiereis	habido
Ellos	hubieren	Ellos	hubieren	habido

MODO IMPERATIVO

he   (tú)
habed (vosotros)

VERBOIDES

INFINITIVO	simple —————— Haber
	compuesto ————— Haber habido
GERUNDIO	simple —————— Habiendo
	compuesto ————— Habiendo habido
PARTICIPIO	—————————— Habido

El verbo auxiliar pierde total o parcialmente su significado propio al integrar la perífrasis verbal de la que forma parte.

Aparte de su empleo como auxiliares, pueden usarse solos en forma independiente:

a) como verbo *activo*: Quien valor *ha* no teme el peligro (= quien valor *tiene*. . .)
b) como verbo *unipesonal*: Diez años *ha* que murió (= diez años *hace* que. . .)
c) como verbo *copulativo*: Hoy *es* martes. Todos *son* buenos.

Paradigma del verbo SER

El verbo SER es el que se emplea para formar todos los tiempos de la voz pasiva.

Tiempos simples   **MODO INDICATIVO**   Tiempos compuestos

R. A. E.	Presente
A. Bello	Presente

Yo	soy
Tú	eres
Él	es
Nosotros	somos
Vosotros	sois
Ellos	son

R. A. E.	Pretérito perfecto compuesto	
A. Bello	Antepresente	

Yo	he	sido
Tú	has	sido
Él	ha	sido
Nosotros	hemos	sido
Vosotros	habéis	sido
Ellos	han	sido

R. A. E.	Pretérito imperfecto
A. Bello	Copretérito

Yo	era
Tú	eras
Él	era
Nosotros	éramos
Vosotros	erais
Ellos	eran

R. A. E.	Pretérito pluscuamperfecto	
A. Bello	Antecopretérito	

Yo	había	sido
Tú	habías	sido
Él	había	sido
Nosotros	habíamos	sido
Vosotros	habíais	sido
Ellos	habían	sido

R. A. E.	Pretérito perfecto simple
A. Bello	Pretérito

Yo	fui
Tú	fuiste
Él	fue
Nosotros	fuimos
Vosotros	fuisteis
Ellos	fueron

R. A. E.	Pretérito anterior	
A. Bello	Antepretérito	

Yo	hube	sido
Tú	hubiste	sido
Él	hubo	sido
Nosotros	hubimos	sido
Vosotros	hubisteis	sido
Ellos	hubieron	sido

R. A. E.	Futuro
A. Bello	Futuro

Yo	seré
Tú	serás
Él	será
Nosotros	seremos
Vosotros	seréis
Ellos	serán

R. A. E.	Futuro perfecto	
A. Bello	Antefuturo	

Yo	habré	sido
Tú	habrás	sido
Él	habrá	sido
Nosotros	habremos	sido
Vosotros	habréis	sido
Ellos	habrán	sido

R. A. E.	Condicional		R. A. E.	Condicional perfecto	
A. Bello	Pospretérito		A. Bello	Antepospretérito	
Yo	sería		Yo	habría	sido
Tú	serías		Tú	habrías	sido
Él	sería		Él	habría	sido
Nosotros	seríamos		Nosotros	habríamos	sido
Vosotros	seríais		Vosotros	habríais	sido
Ellos	serían		Ellos	habrían	sido

Tiempos simples   MODO SUBJUNTIVO   Tiempos compuestos

R. A. E.	Presente		R. A. E.	Pretérito perfecto	
A. Bello	Presente		A. Bello	Antepresente	
Yo	sea		Yo	haya	sido
Tú	seas		Tú	hayas	sido
Él	sea		Él	haya	sido
Nosotros	seamos		Nosotros	hayamos	sido
Vosotros	seáis		Vosotros	hayáis	sido
Ellos	sean		Ellos	hayan	sido

R. A. E.	Pretérito imperfecto			R. A. E.	Pretérito pluscuamperfecto		
A. Bello	Pretérito			A. Bello	Antepretérito		
Yo	fuera	o fuese		Yo	hubiera	o hubiese	sido
Tú	fueras	o fueses		Tú	hubieras	o hubieses	sido
Él	fuera	o fuese		Él	hubiera	o hubiese	sido
Nosotros	fuéramos	o fuésemos		Nosotros	hubiéramos	o hubiésemos	sido
Vosotros	fuerais	o fuéseis		Vosotros	hubierais	o hubieseis	sido
Ellos	fueran	o fuesen		Ellos	hubieran	o hubiesen	sido

R. A. E.	Futuro		R. A. E.	Futuro perfecto	
A. Bello	Futuro		A. Bello	Antefuturo	
Yo	fuere		Yo	hubiere	sido
Tú	fueres		Tú	hubieres	sido
Él	fuere		Él	hubiere	sido
Nosotros	fuéremos		Nosotros	hubiéremos	sido
Vosotros	fuereis		Vosotros	hubiereis	sido
Ellos	fueren		Ellos	hubieren	sido

MODO IMPERATIVO

sé (tú)
sed (vosotros)

VERBOIDES

INFINITIVO ⎰ simple _____ ser
            ⎱ compuesto _____ haber sido

GERUNDIO ⎰ simple _____ siendo
          ⎱ compuesto _____ habiendo sido

PARTICIPIO _____ sido

Tiempos simples   MODO INDICATIVO   Tiempos compuestos

R. A. E.	Presente
A. Bello	Presente

Yo	am-o
Tú	am-as
Él	am-a
Nosotros	am-amos
Vosotros	am-áis
Ellos	am-an

R.A.E.	Pretérito perfecto compuesto
A. Bello	Antepresente

Yo	he	amado
Tú	has	amado
Él	ha	amado
Nosotros	hemos	amado
Vosotros	habéis	amado
Ellos	han	amado

R. A. E.	Pretérito imperfecto
A. Bello	Copretérito

Yo	am-aba
Tú	am-abas
Él	am-aba
Nosotros	am-ábamos
Vosotros	am-abais
Ellos	am-aban

R. A. E.	Pretérito pluscuamperfecto
A. Bello	Antecopretérito

Yo	había	amado
Tú	habías	amado
Él	había	amado
Nosotros	habíamos	amado
Vosotros	habíais	amado
Ellos	habían	amado

R. A. E.	Pretérito perfecto simple
A. Bello	Pretérito

Yo	am-é
Tú	am-aste
Él	am-ó
Nosotros	am-amos
Vosotros	am-asteis
Ellos	am-aron

R. A. E.	Pretérito anterior
A. Bello	Antepretérito

Yo	hube	amado
Tú	hubiste	amado
Él	hubo	amado
Nosotros	hubimos	amado
Vosotros	hubisteis	amado
Ellos	hubieron	amado

R. A. E.	Futuro
A. Bello	Futuro

Yo	am-aré
Tú	am-arás
Él	am-ará
Nosotros	am-aremos
Vosotros	am-aréis
Ellos	am-arán

R. A. E.	Futuro perfecto
A. Bello	Antefuturo

Yo	habré	amado
Tú	habrás	amado
Él	habrá	amado
Nosotros	habremos	amado
Vosotros	habréis	amado
Ellos	habrán	amado

R. A. E.	Condicional
A. Bello	Pospretérito

Yo	am-aría
Tú	am-arías
Él	am-aría
Nosotros	am-aríamos
Vosotros	am-aríais
Ellos	am-arían

R. A. E.	Condicional perfecto
A. Bello	Antepospretérito

Yo	habría	amado
Tú	habrías	amado
Él	habría	amado
Nosotros	habríamos	amado
Vosotros	habríais	amado
Ellos	habrían	amado

Tiempos simples   MODO SUBJUNTIVO   Tiempos compuestos

R. A. E.	Presente
A. Bello	Presente

Yo	am-e
Tú	am-es
Él	am-e
Nosotros	am-emos
Vosotros	am-éis
Ellos	am-en

R. A. E.	Pretérito perfecto
A. Bello	Antepresente

Yo	haya	amado
Tú	hayas	amado
Él	haya	amado
Nosotros	hayamos	amado
Vosotros	hayáis	amado
Ellos	hayan	amado

R. A. E.	Pretérito	Imperfecto
A. Bello	Pretérito	

Yo	am-ara	o am-ase
Tú	am-aras	o am-ases
Él	am-ara	o am-ase
Nosotros	am-áramos	o am-ásemos
Vosotros	am-arais	o am-aseis
Ellos	am-aran	o am-asen

R. A. E.	Pretérito pluscuamperfecto
A. Bello	Antepretérito

Yo	hubiera	o hubiese	amado
Tú	hubieras	o hubieses	amado
Él	hubiera	o hubiese	amado
Nosotros	hubiéramos	o hubiésemos	amado
Vosotros	hubierais	o hubieseis	amado
Ellos	hubieran	o hubiesen	amado

R. A. E.	Futuro
A. Bello	Futuro

Yo	am-are
Tú	am-ares
Él	am-are
Nosotros	am-áremos
Vosotros	am-areis
Ellos	am-aren

R. A. E.	Futuro perfecto
A. Bello	Antefuturo

Yo	hubiere	amado
Tú	hubieres	amado
Él	hubiere	amado
Nosotros	hubiéremos	amado
Vosotros	hubieren	amado
Ellos	hubieren	amado

MODO IMPERATIVO

am-a (tú)
am-ad (vosotros)

VERBOIDES

INFINITIVO	simple	am-ar
	compuesto	haber amado

GERUNDIO	simple	am-ando
	compuesto	habiendo amado

PARTICIPIO	am-ado

Tiempos simples   MODO INDICATIVO   Tiempos compuestos

R. A. E.	Presente
A. Bello	Presente

Yo	tem-o
Tú	tem-es
Él	tem-e
Nosotros	tem-emos
Vosotros	tem-éis
Ellos	tem-en

R. A. E.	Pretérito perfecto compuesto
A. Bello	Antepresente

Yo	he	temido
Tú	has	temido
Él	he	temido
Nosotros	hemos	temido
Vosotros	habéis	temido
Ellos	han	temido

R. A. E.	Pretérito imperfecto
A. Bello	Copretérito

Yo	tem-ía
Tú	tem-ías
Él	tem-ía
Nosotros	tem-íamos
Vosotros	tem-íais
Ellos	tem-ían

R. A. E.	Pretérito pluscuamperfecto
A. Bello	Antecopretérito

Yo	había	temido
Tú	habías	temido
Él	había	temido
Nosotros	habíamos	temido
Vosotros	habíais	temido
Ellos	habían	temido

R. A. E.	Pretérito perfecto simple
A. Bello	Pretérito

Yo	tem-í
Tú	tem-iste
Él	tem-ió
Nosotros	tem-imos
Vosotros	tem-isteis
Ellos	tem-ieron

R. A. E.	Pretérito anterior
A. Bello	Antepretérito

Yo	hube	temido
Tú	hubiste	temido
Él	hubo	temido
Nosotros	hubimos	temido
Vosotros	hubisteis	temido
Ellos	hubieron	temido

R. A. E.	Futuro
A. Bello	Futuro

Yo	tem-eré
Tú	tem-erás
Él	tem-erá
Nosotros	tem-eremos
Vosotros	tem-eréis
Ellos	tem-erán

R. A. E.	Futuro perfecto
A. Bello	Antefuturo

Yo	habré	temido
Tú	habrás	temido
Él	habrá	temido
Nosotros	habremos	temido
Vosotros	habréis	temido
Ellos	habrán	temido

R. A. E.	Condicional
A. Bello	Pospretérito

Yo	tem-ería
Tú	tem-erías
Él	tem-ería
Nosotros	tem-eríamos
Vosotros	tem-eríais
Ellos	tem-erían

R. A. E.	Condicional perfecto
A. Bello	Antepospretérito

Yo	habría	temido
Tú	habrías	temido
Él	habría	temido
Nosotros	habríamos	temido
Vosotros	habríais	temido
Ellos	habrían	temido

Tiempos simples　　　　　| MODO SUBJUNTIVO |　　　　Tiempos compuestos

R. A. E.	Presente
A. Bello	Presente

R. A. E.	Pretérito perfecto
A. Bello	Antepresente

Yo	tem-a	Yo	haya	temido
Tú	tem-as	Tú	hayas	temido
Él	tem-a	Él	haya	temido
Nosotros	tem-amos	Nosotros	hayamos	temido
Vosotros	tem-áis	Vosotros	hayáis	temido
Ellos	tem-an	Ellos	hayan	temido

R. A. E.	Pretérito imperfecto
A. Bello	Pretérito

R.A. E.	Pretérito pluscuamperfecto
A. Bello	Antepretérito

Yo	tem-iera	o tem-iese	Yo	hubiera	o hubiese	temido
Tú	tem-ieras	o tem-ieses	Tú	hubieras	o hubieses	temido
Él	tem-iera	o tem-iese	Él	hubiera	o hubiese	temido
Nosotros	tem-iéramos	o tem-iésemos	Nosotros	hubiéramos	o hubiésemos	temido
Vosotros	tem-ierais	o tem-ieseis	Vosotros	hubierais	o hubieseis	temido
Ellos	tem-ieran	o tem-iesen	Ellos	hubieran	o hubiesen	temido

R. A. E.	Futuro
A. Bello	Futuro

R. A. E.	Futuro perfecto
A. Bello	Antefuturo

Yo	tem-iere	Yo	hubiere	temido
Tú	tem-ieres	Tú	hubieres	temido
Él	tem-iere	Él	hubiere	temido
Nosotros	tem-iéremos	Nosotros	hubiéremos	temido
Vosotros	tem-iereis	Vosotros	hubiereis	temido
Ellos	tem-ieren	Ellos	hubieren	temido

| MODO IMPERATIVO |

tem-e (tú)
tem-ed (vosotros)

| VERBOIDES |

INFINITIVO　┌ simple_____ tem-er
　　　　　　　└ compuesto_____ haber temido

GERUNDIO　┌ simple _____ tem-iendo
　　　　　　　└ compuesto_____ habiendo temido
PARTICIPIO_____ tem-ido

Tiempos simples   MODO INDICATIVO   Tiempos compuestos

R. A. E.	Presente
A. Bello	Presente

Yo	part-o
Tú	part-es
Él	part-e
Nosotros	part-imos
Vosotros	part-ís
Ellos	part-en

R. A. E.	Pretérito perfecto compuesto
A. Bello	Antepresente

Yo	he	partido
Tú	has	partido
Él	ha	partido
Nosotros	hemos	partido
Vosotros	habéis	partido
Ellos	han	partido

R. A. E.	Pretérito imperfecto
A. Bello	Copretérito

Yo	part-ía
Tú	part-ías
Él	part-ía
Nosotros	part-íamos
Vosotros	part-íais
Ellos	part-ían

R. A. E.	Pretérito pluscuamperfecto
A. Bello	Antecopretérito

Yo	había	partido
Tú	habías	partido
Él	había	partido
Nosotros	habíamos	partido
Vosotros	habíais	partido
Ellos	habían	partido

R. A. E.	Pretérito perfecto simple
A. Bello	Pretérito

Yo	part-í
Tú	part-iste
Él	part-ió
Nosotros	part-imos
Vosotros	part-isteis
Ellos	part-ieron

R. A. E.	Pretérito anterior
A. Bello	Antepretérito

Yo	hube	partido
Tú	hubiste	partido
Él	hubo	partido
Nosotros	hubimos	partido
Vosotros	hubisteis	partido
Ellos	hubieron	partido

R. A. E.	Futuro
A. Bello	Futuro

Yo	part-iré
Tú	part-irás
Él	part-irá
Nosotros	part-iremos
Vosotros	part-iréis
Ellos	part-irán

R. A. E.	Futuro perfecto
A. Bello	Antefuturo

Yo	habré	partido
Tú	habrás	partido
Él	habrá	partido
Nosotros	habremos	partido
Vosotros	habréis	partido
Ellos	habrán	partido

R. A. E.	Condicional
A. Bello	Pospretérito

Yo	part-iría
Tú	part-irías
Él	part-iría
Nosotros	part-iríamos
Vosotros	part-iríais
Ellos	part-irían

R. A. E.	Condicional perfecto
A. Bello	Antepospretérito

Yo	habría	partido
Tú	habrías	partido
Él	habría	partido
Nosotros	habríamos	partido
Vosotros	habríais	partido
Ellos	habrían	partido

Tiempos simples Tiempos compuestos

R. A. E.	Presente
A. Bello	Presente

Yo	part-a
Tú	part-as
Él	part-a
Nosotros	part-amos
Vosotros	part-áis
Ellos	part-an

R. A. E.	Pretérito perfecto
A. Bello	Antepresente

Yo	haya	partido
Tú	hayas	partido
Él	haya	partido
Nosotros	hayamos	partido
Vosotros	hayáis	partido
Ellos	hayan	partido

R. A. E.	Pretérito imperfecto
A. Bello	Pretérito

Yo	part-iera	o part-iese
Tú	part-ieras	o part-ieses
Él	part-iera	o part-iese
Nosotros	part-iéramos	o part-iésemos
Vosotros	part-ierais	o part-ieseis
Ellos	part-ieran	o part-iesen

R. A. E.	Pretérito pluscuamperfecto
A. Bello	Antepretérito

Yo	hubiera	o hubiese	partido
Tú	hubieras	o hubieses	partido
Él	hubiera	o hubiese	partido
Nosotros	hubiéramos	o hubiésemos	partido
Vosotros	hubierais	o hubieseis	partido
Ellos	hubieran	o hubiesen	partido

R. A. E.	Futuro
A. Bello	Futuro

Yo	part-iere
Tú	part-ieres
Él	part-iere
Nosotros	part-iéremos
Vosotros	part-iereis
Ellos	part-ieren

R. A. E.	Futuro perfecto
A. Bello	Antefuturo

Yo	hubiere	partido
Tú	hubieres	partido
Él	hubiere	partido
Nosotros	hubiéremos	partido
Vosotros	hubiereis	partido
Ellos	hubieren	partido

MODO IMPERATIVO

part-e (tú)
part-id (vosotros)

VERBOIDES

INFINITIVO
- simple —————— part-ir
- compuesto —————— haber partido

GERUNDIO
- simple —————— part-iendo
- compuesto —————— habiendo partido

PARTICIPIO —————————— partido

CONJUGACIÓN DEL VOSEO

	Presente de indicativo			Imperativo		
	1a.	2a.	3a.	1a.	2a.	3a.
Tú———————	amas	temes	partes			
Vos———————	amás	temés	partís	amá	temé	partí
Usted —————	ama	teme	parte			
Ustedes————	aman	temen	parten			

VERBO

—Paradigma de los verbos auxiliares
—Paradigma de la conjugación regular

Escriba la persona, número, tiempo, modo y voz de las siguientes formas verbales:

	persona	número	tiempo	modo	voz
1) esperemos					
2) respetad					
3) fue resuelto					
4) espero					
5) hubieres ido					
6) hayan venido					
7) fuimos heridos					
8) cantes					
9) respondan					
10) será operado					
11) terminaron					
12) recibiréis					
13) será enterrado					
14) habrías llegado					
15) fuiste avisado					
16) esperábamos					
17) serán revisados					
18) tendrías					
19) habían salido					
20) hubieran dicho					

Construya oraciones en las que utilice los siguientes verbos con el carácter que en cada caso se indica.

1) El verbo HABER.
   a) como verbo auxiliar _____

b) como verbo transitivo _____

c) como verbo unipersonal _____

2) El verbo SER.
   a) como verbo auxiliar _____

   b) como verbo copulativo _____

Subraye las formas de los verbos *haber* y *ser* en cada oración y escriba la clasificación que le corresponda: auxiliar, transitivo, unipersonal o copulativo.

| | clasificación |

1) No había más dinero en aquel momento. _____

2) De saber esto, habría esperado más tiempo. _____

3) A esa hora no había llegado aún. _____

4) Así fue la cosa. _____

5) No ha mucho que murió. _____

6) Hay mucha preocupación entre la gente. _____

7) Nunca ha faltado al trabajo. _____

8) No son atendidos adecuadamente. _____

9) Realmente no hubo muchos asistentes al acto. _____

10) No son muy trabajadores. _____

11) Creo que no habrá problemas. _____

12) La prohibición será levantada pronto. _____

13) La tarea no será fácil. _____

VERBOS IRREGULARES

Son los que alteran su radical o desinencia, o ambas a la vez, con respecto a los modelos de la conjugación regular. No se consideran irregulares las formas verbales que experimentan variaciones que son simplemente ortográficas. Tales variaciones son las siguientes:

1) Variación Z o QU por C. Ejemplo: de alcanz-ar = *alcanc-é*
   (no *alcanz-é*)
2) Variación G por GU o J. Ejemplo: de lleg-ar = *llegu-é*
   (no *lleg-é*)
   de eleg-ir = *elij-o*
   (no *elig-o*)
3) Variación i por Y. Ejemplo: de le-er = *le-yó*
   (no *le-ió*)
4) Supresión de U delante de A y O. Ejemplo: de segu-ir = *sig-a* y *sig-o*
   (no sigu-a y sigu-o)

VERBOS DE IRREGULARIDAD COMÚN

Son los que sufren irregularidades o variaciones que afectan a grupos más o menos numerosos de verbos. Entre este tipo de variaciones, las más comunes son las siguientes. A continuación se relacionan únicamente las personas y tiempos que son irregulares.

VARIACIÓN E/I. La *e* tónica del radical se convierte en *i*.
Verbos: servir, concebir, medir, despedir, elegir. . .

Presente indicativo:	pido, pides, pide, piden
Pret. Perfecto simple:	pidió, pidieron
Presente subjuntivo:	pida, pidas, pida, pidamos, pidáis, pidan
Pret. imp. subjuntivo:	pidiera o pidiese, pidieras o pidieses, pidiera o pidiese, pidiéramos o pidiésemos, pidierais o pidieseis, pidieran o pidiesen
Imperativo:	pide
Gerundio:	pidiendo

VARIACIÓN E/IE. La *e* tónica del radical diptonga en *ie*.
Verbos: acertar, atravesar, comenzar, despertar, empezar, manifestar, negar, regar, sembrar, serrar, cerrar, tentar, aventar, confesar, alentar. . .

Presente indicativo:	pienso, piensas, piensa, piensan
Presente subjuntivo:	piensa, pienses, piense, piensen
Imperativo:	piensa.

VARIACIÓN E/IE y E/I. Concurren ambas variantes en un mismo verbo, en sílaba acentuada e inacentuada respectivamente.
Verbos: sentir, herir, divertir, hervir, convertir. . .

Presente indicativo:	siento, sientes, siente, sienten
Pret. perf. simple:	sintió, sintieron
Presente subjuntivo:	sienta, sientas, sienta, sintamos, sintáis, sientan
Pret. imp. subjuntivo:	sintiera o sintiese, sintieras o sintieses, sintiera o sintiese, sintiéramos o sintiésemos, sintierais o sintieseis, sintieran o sintiesen
Futuro subjuntivo:	sintiere, sintieres, sintiere, sintiéremos, sintiereis, sintieren.

| Imperativo: | siente |
| Gerundio: | sintiendo. |

VARIACIÓN E o I/D. Cambian la E o I del radical por D.
Verbos: tener, valer, salir. . .

| Futuro indicativo: | tendré, tendrás, tendrá, tendremos, tendréis, tendrán |
| Condicional: | tendría, tendrías, tendría, tendríamos, tendríais, tendrían. |

VARIACIÓN O/UE. La o tónica radical diptonga en *ue*.
Verbos: aportar, consolar, contar, constar, engrosar, mostrar, poblar, probar, recordar, renovar, rogar, soltar, sonar, soñar, tostar, volar, mover. . .

Presente indicativo:	muevo, mueves, mueve, mueven
Presente subjuntivo:	mueva, muevas, mueva, muevan
Imperativo:	mueve.

VARIACIÓN O/UE y O/U. Concurren ambas en un mismo verbo en sílaba acentuada e inacentuada respectivamente.
Verbos: acordar, almorzar, avergonzar, colgar, consolar, contar, encontrar, forzar, mostrar, mover, probar, recordar, rogar, volar, dormir. . .

Presente indicativo:	duermo, duermes, duerme, duermen
Pret. perf. simple ind:	durmió, durmieron
Presente subjuntivo:	duerma, duermas, duerma, durmamos, durmáis, duerman
Pret. imperf. subj:	durmiera o durmiese, durmieras o durmieses, durmiera o durmiese, durmiéramos o durmiésemos, durmierais o durmieseis, durmieran o durmiesen
Futuro subjuntivo:	durmiere, durmieres, durmiere, durmiéremos, durmiereis, durmieren
Imperativo :	duerme
Gerundio :	durmiendo.

VARIACIÓN I/IE. Poseen esta variación sólo ADQUIRIR e INQUIRIR.

Presente indicativo :	adquiero, adquieres, adquiere, adquieren
Presente subjuntivo:	adquiera, adquieras, adquiera, adquieran
Imperativo:	adquiere.

VARIACIÓN U/UE. Esta variación la tiene sólo el verbo JUGAR.

Presente indicativo:	juego, juegas, juega, juegan
Presente subjuntivo:	juegue, juegues, juegue, jueguen
Imperativo:	juega.

VARIACIÓN C/G. La C del radical se convierte en G.
Verbos: HACER y sus compuestos *deshacer, rehacer y satisfacer.*

| Presente indicativo: | hago |
| Presente subjuntivo: | haga, hagas, haga, hagamos, hagáis, hagan. |

VARIACIÓN C/ZC. Agregan C (sonido K) al radical delante de —a y —o en la desinencia.
Verbos: crecer, agradecer, padecer. . . y sus componentes.

| Presente indicativo: | crezco |
| Presente subjuntivo: | crezca, crezcas, crezca, crezcamos, crezcáis, crezcan. |

VARIACIÓN C/ZC y C/J. Concurrentes ambas en un mismo verbo.
Verbos: reducir, conducir, deducir. . .

Presente indicativo:	reduzco
Pret. perf. simple ind:	reduje, redujiste, redujo, redujimos, redujisteis, redujeron
Presente subjuntivo:	reduzca, reduzcas, reduzca, reduzcamos, reduzcáis, reduzcan
Pret. imp. subjuntivo:	redujera o redujese, redujeras o redujeses, redujera o redujese, redujéramos o redujésemos, redujerais o redujeseis, redujeran/—esen.
Futuro subjuntivo:	redujere, redujeras, redujere, redujéremos, redujereis, redujeren.

AGREGAN G. (en la radical)

Verbos: *poner* y sus compuestos; *tener* y sus compuestos.

Presente indicativo: pongo

Presente subjuntivo: ponga, pongas, ponga, pongamos, pongáis, pongan.

AGREGAN G o IG. Agregan una u otra al radical delante de —*a* y —*o* en la desinencia

Verbos: valer, salir, venir, caer...

Presente indicativo { saldo / caigo

Presente subjuntivo { salga, salgas, salga, salgamos, salgáis, salgan, / caiga, caigas, caiga, caigamos, caigáis, caigan.

AGREGAN Y. (al radical)

Verbos: Los terminados en -*uir:* excluir, huir, concluir, construir, destruir, obstruir. . .

Presente indicativo: huyo, huyes, huye, huyen.

Presente subjuntivo: huya, huyas, huya, huyamos, hayáis, huyan

Imperativo: huye.

Ejercicios

Tema 6-F | **VERBO** | —VERBOS IRREGULARES —(de irregularidad común)

A continuación, de la forma irregular de cada verbo, escriba la forma que sería regular (ésta, por supuesto, no se usa), separando con un guión la raíz de la terminación. Es un ejercicio para apreciar en qué consiste la irregularidad en cada caso.

VERBO	forma irregular (es la que se usa)	forma que sería la regular (no se usa)
1) (medir)	mide	_____
2) (sentir)	sintieron	_____
3) (elegir)	eligieron	_____
4) (padecer)	padezco	_____
5) (negar)	niega	_____
6) (salir)	saldré	_____
7) (convertir)	convirtieron	_____
8) (crecer)	crezca	_____
9) (alentar)	aliento	_____
10) (jugar)	juegan	_____

11) (tener)   tengas   _____

12) (probar)   prueben   _____

13) (deducir)   deduje   _____

14) (rogar)   ruego   _____

15) (valer)   valga   _____

16) (soltar)   suelte   _____

17) (adquirir) adquieren _____

18) (hacer)   hagamos   _____

19) (huir)   huyeron   _____

20) (reducir)   reduzca   _____

ANDAR

Pret. perf. simple ind... anduve, anduviste
anduvo, anduvimos
anduvieron

Además de los verbos irregulares estudiados en el tema anterior, existen otros con un tipo de irregularidad que les es propia, por lo que se expresan a continuación los tiempos y personas que en cada uno son irregulares. Ejemplos:

Andar.

Pretérito de Ind. Anduve, anduviste, anduvo, anduvimos, anduvisteis, anduvieron.

Pret. de Subj. Anduviera o anduviese, anduvieras o anduvieses, anduviera o anduviese, anduviéramos o anduviésemos, anduvierais o anduvieseis, anduvieran o anduviesen.

Futuro de Subj. Anduviere, anduvieres, anduviere, anduviéremos, anduviereis, anduvieren.

Asir.

Presente de Ind. Asgo.

Presente de Subj. Asga, asgas, asga, asgamos, asgáis, asgan.

Presente de Imper. Asga, asgamos, asgan.

Caber.

Presente de Ind. Quepo.

Pretérito de Ind. Cupe, cupiste, cupo, cupimos, cupisteis, cupieron.

Futuro de Ind. Cabré, cabrás, cabrá, cabremos, cabréis, cabrán.

Pospretérito de Ind. Cabría, cabrías, cabría, cabríamos, cabríais, cabrían.

Presente de Subj. Quepa, quepas, quepa, quepamos, quepáis, quepan.

Pret. de Subj. Cupiera o cupiese, cupieras o cupieses, cupiera o cupiese, cupiéramos o cupiésemos, cupierais o cupieseis, cupieran o cupiesen.

Futuro de Subj. Cupiere, cupieres, cupiere, cupiéremos, cupiereis, cupieren.

Presente de Imper. Quepa, quepamos, quepan.

Decir.

Gerundio. Diciendo.

Presente de Ind. Digo, dices, dice, dicen.

Pretérito de Ind. Dije, dijiste, dijo, dijimos, dijisteis, dijeron.

Futuro de Ind. Diré, dirás, dirá, diremos, diréis, dirán.

	Prospretérito de Ind.	Diría, dirías, diría, diríamos, diríais, dirían.
	Presente de Subj.	Diga, digas, diga, digamos, digáis, digan.
	Pret. de Subj.	Dijera o dijese, dijeras o dijeses, dijera o dijese, dijéramos o dijésemos, dijerais o dijeseis, dijeran o dijesen.
	Futuro de Subj.	Dijere, dijeres, dijere, dijéremos, dijereis, dijeren.
	Presente de Imper.	Di, diga, digamos, digan.
Erguir.	*Gerundio*	Irguiendo.
	Presente de Ind.	Irgo o yergo, irgues o yergues, irgue o yergue, irguen o yerguen.
	Pretérito de Ind.	Irguió, irguieron.
	Presente de Subj.	Irga o yerga, irgas o yergas, irga o yerga, irgamos o yergamos, irgáis o yergáis, irgan o yergan.
	Pret. de Subj.	Irguiera o irguiese, irguieras o irguieses, irguiera o irguiese, irguiéramos o irguiésemos, irguierais o irguieseis, irguieran o irguiesen.
	Futuro de Subj.	Irguiere, irguieres, irguiere, irguiéremos, irguiereis, irguieren.
Caer.	*Presente de Ind.*	Caigo.
	Presente de Subj.	Caiga, caigas, caiga, caigamos, caigáis, caigan.
	Presente de Imper.	Caiga, caigamos, caigan.
Dar.	*Presente de Ind.*	Doy.
	Pretérito de Ind.	Di, diste, dio, dimos, disteis, dieron.
	Pretérito de Subj.	Diera o diese, dieras o dieses, diera o diese, diéramos o diésemos, dierais o dieseis, dieran o diesen.
	Futuro de Subj.	Diere, dieres, diere, diéremos, diereis, dieren.
Estar.	*Presente de Ind.*	Estoy, estás, está, están.
	Pretérito de Ind.	Estuve, estuviste, estuvo, estuvimos, estuvisteis, estuvieron.
	Presente de Subj.	Esté, estés, esté, estén.
	Pret. de Subj.	Estuviera o estuviese, estuvieras o estuvieses, estuviera o estuviese, estuviéramos o estuviésemos, estuvierais o estuvieseis, estuvieran o estuviesen.
	Futuro de Subj.	Estuviere, estuvieres, estuviere, estuviéremos, estuviereis, estuvieren.
	Presente de Imper.	Está, esté, estén.

Hacer.	Presente de Ind.	Hago.
	Pretérito de Ind.	Hice, hiciste, hizo, hicimos, hicisteis, hicieron.
	Futuro de Ind.	Haré, harás, hará, haremos, haréis, harán.
	Presente de Subj.	Haga, hagas, haga, hagamos, hagáis, hagan.
	Pretérito de Subj.	Hiciera o hiciese, hicieras o hicieses, hiciera o hiciese, hiciéramos o hiciésemos, hiciereis o hicieseis, hicieran o hiciesen.
	Futuro de Subj.	Hiciere, hicieres, hiciere, hiciéremos, hiciereis, hicieren.
	Pospretérito de Ind.	Haría, harías, haría, haríamos, haríais, harían.
	Presente de Imper.	Haz, haga, hagamos, hagan.
Poner.	Presente de Ind.	Pongo.
	Pretérito de Ind.	Puse, pusiste, puso, pusimos, pusisteis, pusieron.
	Futuro de Ind.	Pondré, pondrás, pondrá, pondremos, pondréis, pondrán.
	Presente de Subj.	Ponga, pongas, ponga, pongamos, pongáis, pongan.
	Presente de Subj.	Pusiera o pusiese, pusieras o pusieses, pusiera o pusiese, pusiéramos o pusiésemos, pusierais o pusieseis, pusieran o pusiesen.
	Futuro de Subj.	Pusiere, pusieres, pusiere, pusiéremos, pusiereis, pusieren.
	Pospretérito	Pondría, pondrías, pondría, pondríamos, pondríais, pondrían.
	Presente de Imper.	Pon, ponga, pongamos, pongan.
Querer.	Presente de Ind.	Quiero, quieres, quiere, quieren.
	Pretérito de Ind.	Quise, quisiste, quiso, quisimos, quisisteis, quisieron.
	Futuro de Ind.	Querré, querrás, querrá, querremos, querréis, querrán.
	Presente de Subj.	Quiera, quieras, quiera, quieran.
	Pret. de Subj.	Quisiera o quisiese, quisieras o quisieses, quisiera o quisiese, quisiéramos o quisiésemos, quisierais o quisieseis, quisieran o quisiesen.
	Futuro de Subj.	Quisiere, quisieres, quisiere, quisiéremos, quisiereis, quisieren.
	Pospretérito de Ind.	Querría, querrías, querría, querríamos, querríais, querrían.
	Presente de Imper.	Quiere, quiera, quieran.
Saber.	Presente de Ind.	Sé.
	Pretérito de Ind.	Supe, supiste, supo, supimos, supisteis, supieron.
	Futuro de Ind.	Sabré, sabrás, sabrá, sabremos, sabréis, sabrán.

	Presente de Subj.	Sepa, sepas, sepa, sepamos, sepáis, sepan.
	Pret. de Subj.	Supiera o supiese, supieras o supieses, supiéramos o supiésemos, supierais o supieseis, supieran o supiesen.
	Futuro de Subj.	Supiere, supieres, supiere, supiéremos, supiereis, supieren.
	Pospretérito de Ind.	Sabría, sabrías, sabría, sabríamos, sabríais, sabrían.
	Presente de Imper.	Sepa, sepamos, sepan.
Tener.	*Presente de Ind.*	Tengo, tienes, tiene, tienen.
	Pretérito de Ind.	Tuve, tuviste, tuvo, tuvimos, tuvisteis, tuvieron.
	Futuro de Ind.	Tendré, tendrás, tendrá, tendremos, tendréis, tendrán.
	Presente de Subj.	Tenga, tengas, tenga, tengamos, tengáis, tengan.
	Pret. de Subj.	Tuviera o tuviese, tuvieras o tuvieses, tuviera o tuviese, tuviéramos o tuviésemos, tuvierais o tuvieseis, tuvieran o tuviesen.
	Futuro de Subj.	Tuviere, tuvieres, tuviere, tuviéremos, tuviereis, tuvieren.
	Pospretérito de Ind.	Tendría, tendrías, tendría, tendríamos, tendríais, tendrían.
	Presente de Imper.	Ten, tenga, tengamos, tengan.
Poder.	*Gerundio*	Pudiendo.
	Presente de Ind.	Puedo, puedes, puede, pueden.
	Pretérito de Ind.	Pude, pudiste, pudo, pudimos, pudisteis, pudieron.
	Futuro de Ind.	Podré, podrás, podrá, podremos, podréis, podrán.
	Presente de Subj.	Pueda, puedas, pueda, puedan.
	Pretérito de Subj.	Pudiera o pudiese, pudieras o pudieses, pudiera o pudiese, pudiéramos o pudiésemos, pudierais o pudieseis, pudieran o pudiesen.
	Futuro de Subj.	Pudiere, pudieres, pudiere, pudiéremos, pudiereis, pudieren.
	Pospretérito de Ind.	Podría, podrías, podría, podríamos, podríais, podrían.
	Presente de Imper.	Puede, pueda, puedan.
Venir.	*Gerundio*	Viniendo.
	Presente de Ind.	Vengo, vienes, viene, vienen.
	Pretérito de Ind.	Vine, viniste, vino, vinimos, vinisteis, vinieron.
	Futuro de Ind.	Vendré, vendrás, vendrá, vendremos, vendréis, vendrán.
	Presente de Subj.	Venga, vengas, venga, vengamos, vengáis, vengan.

	Pret. de Subj.	Viniera o viniese, vinieras o vinieses, viniera o viniese, viniéramos o viniésemos, vinierais o vinieseis, vinieran o viniesen.
	Futuro de Subj.	Viniere, vinieres, viniere, viniéremos, viniereis, vinieren.
	Pospretérito de Ind.	Vendría, vendrías, vendría, vendríamos, vendríais, vendrían.
	Presente de Imper.	Ven, venga, vengamos, vengan.
Ir.	*Gerundio*	Yendo.
	Presente de Ind.	Voy, vas, va, vamos, vais, van.
	Copretérito de Ind.	Iba, ibas, iba, íbamos, ibais, iban.
	Pretérito de Ind.	Fui, fuiste, fue, fuimos, fuisteis, fueron.
	Presente de Subj.	Vaya, vayas, vaya, vayamos, vayáis, vayan.
	Pret. de Subj.	Fuera o fuese, fueras o fueses, fuera o fuese, fuéramos o fuésemos, fuerais o fueseis, fueran o fuesen.
	Futuro de Subj.	Fuere, fueres, fuere, fuéremos, fuereis, fueren.
	Presente de Imper.	Ve, vaya, vayamos, id, vayan.
Traer.	*Presente de Ind.*	Traigo.
	Pretérito de Ind.	Traje, trajiste, trajo, trajimos, trajisteis, trajeron.
	Presente de Subj.	Traiga, traigas, traiga, traigamos, traigáis, traigan.
	Pretérito de Subj.	Trajera o trajese, trajeras o trajeses, trajera o trajese, trajéramos o trajésemos, trajerais o trajeseis, trajeran o trajesen.
	Futuro de Subj.	Trajere, trajeres, trajere, trajéremos, trajereis trajeren.
	Presente de Imper.	Traiga, traigamos, traigan.
Ver.	*Presente de Ind.*	Veo.
	Pretérito de Ind.	Veía, veías, veía, veíamos, veíais, veían.
	Presente de Subj.	Vea, veas, vea, veamos, veais, vean.
	Presente de Imper.	Vea, veamos, vean.
Oir.	*Presente de Ind.*	Oigo, oyes, oye, oyen.
	Presente de Subj.	Oiga, oigas, oiga, oigamos, oigáis, oigan.
	Presente de Imper.	Oye, oiga, oigamos, oigan.
Placer*.	*Pretérito de Ind.*	Plugo o plació (en plural plugieron o placieron).
	Presente de Subj.	Plega, plegue o plazca.
	Pret. de Subj.	Pluguiera-pluguiese o placiera-placiese.
	Futuro de Subj.	Plugiere o placiere.

	Yacer.	Presente de Ind.	Yazgo, yazco o yago.
		Presente de Subj.	Yazca, yazga o yaga, yazcas, yazgas o yagas, yazca, yazga o yaga, yazcamos, yazgamos o yagamos, yazcáis, yazgáis o yagáis, yazcan, yazgan o yagan.
		Presente de Imper.	Yace o yaz, yazca, yazga o yaga, yazcamos, yazgamos o yagamos, yazcan, yazgan o yagan.

El verbo *podrir* o *pudrir* usa indistintamente cada una de estas formas en infinitivo; pero no en los demás tiempos, pues se conjuga regularmente como *pudrir*. Únicamente el participio pasivo es *podrido*.

Ejercicios

Tema 6-G **VERBO** —VERBOS IRREGULARES (de irregularidad propia)

Escriba las formas verbales correspondientes a la persona, número, tiempo, y modo del verbo que en cada caso se indica.

verbo	persona	número	ejemplo	modo	forma correspondiente
1) (andar)	2a.	sing.	pret. perf. simple	ind.	_____
2) (asir)	1a.	sing.	presente	ind.	_____
3) (caber)	3a.	sing.	pret. perf. simple	ind.	_____
4) (decir)	3a.	pl.	presente	subj.	_____
5) (erguir)	3a.	sing.	presente	ind.	_____
6) (caer)	3a.	pl.	presente	subj.	_____
7) (dar)	3a.	pl.	futuro	subj.	_____
8) (estar)	2a.	pl.	pretérito imperfecto	subj.	_____
9) (poder)	3a.	pl.	futuro	ind.	_____
10) (querer)	3a.	sing.	condicional	ind.	_____
11) (saber)	4a.	sing.	pret. perf. simple	ind.	_____
12) (venir)	2a.	pl.	pret. perf. simple	ind.	_____
13) (ir)	1a.	pl.	presente	subj.	_____

14) (traer)	2a.	sing.	pretérito imperfecto	subj.	_____
15) (ver)	1a.	pl.	presente	subj.	_____
16) (oír)	3a.	pl.	presente	ind.	_____
17) (yacer)	3a.	pl.	presente	subj.	_____

Un buen número de verbos ofrecen la particularidad de tener en uso dos formas para el participio: una *regular* (radical + la terminación *-ado* o *-ido*) y otra *irregular,* llamada participio fuerte, heredada del latín. Generalmente la forma regular se usa para construir los tiempos compuestos y la voz pasiva, es decir cuando el participio se emplea como verbo, mientras que la forma irregular se usa, en muchos casos exclusivamente, cuando el participio va en función de adjetivo o de sustantivo (el participio en función adjetiva también puede sustantivarse).

- El niño no se ha *despertado* (*despertado*, verbo en voz activa)
- El niño ha sido *despertado* (*despertado*, verbo en voz pasiva)
- Es un niño *despierto* (*despierto*, adjetivo exclusivamente)

Los verbos, que poseen una sola forma para el participio, lógicamente emplearán tal forma, sea regular o irregular, en cualquiera de las funciones del participio.

- No ha *hecho* gran cosa. (*hecho*, verbo en voz activa)
- Este pan ha sido *hecho* de harina integral. (*hecho* verbo en voz pasiva)
- Es un trabajo *hecho* a mano. (*hecho* adjetivo)
- Es un *hecho* increíble. (*hecho*, sustantivo)
- La madre siempre ha *amado* a sus hijos. (*amado*, verbo en voz activa)
- El hijo siempre fue *amado* por su madre. (*amado*, verbo en voz pasiva)
- Éste es mi hijo *amado*. (*amado*, adjetivo)
- Éste es el *amado* de mi corazón. (*amado*, sustantivo)

VERBOS CON PARTICIPIO REGULAR E IRREGULAR

VERBO	forma regular participio débil	forma irregular participio fuerte	VERBO	forma regular participio débil	forma irregular participio fuerte
abstraer	abstraído	abstracto	contraer	contraído	contracto
afijar	afijado	afijo	contundir	contundido	contuso
afligir	afligido	aflicto	convencer	convencido	convicto
ahitar	ahitado	ahito	convertir	convertido	converso
asumir	asumido	asunto	corregir	corregido	correcto
atender	atendido	atento	corromper	corrompido	corrupto
bendecir	bendecido	bendito	descalzar	descalzado	descalzo
circuncidar	circuncidado	circunciso	despertar	despertado	despierto
compeler	compelido	compulso	difundir	difundido	difuso
comprender	comprendido	comprenso	dividir	dividido	diviso
comprimir	comprimido	compreso	elegir	elegido	electo
concluir	concluido	concluso	enjugar	enjugado	enjuto
confesar	confesado	confeso	exceptuar	exceptuado	excepto
confundir	confundido	confuso	excluir	excluido	excluso
consumir	consumido	consunto	eximir	eximido	exento
expeler	expelido	expulso	poseer	poseído	poseso
expresar	expresado	expreso	prender	prendido	preso
expulsar	expulsado	expulso	presumir	presumido	presunto
extender	extendido	extenso	pretender	pretendido	pretenso

extinguir	extinguido	extinto	propender	propendido	propenso
fijar	fijado	fijo	prostituir	prostituído	prostituto
freír	freído	frito	proveer	proveído	provisto
hartar	hartado	harto	querer	querido	quisto (1)
incluir	incluído	incluso	recluir	recluído	recluso
incurrir	incurrido	incurso	repeler	repelido	repulso
infundir	infundido	infuso	romper	rompido (2)	roto
injertar	injertado	injerto	salvar	salvado	salvo
inserir	inserido	inserto	sepultar	sepultado	sepulto
insertar	insertado	inserto	soltar	soltado	suelto
invertir	invertido	inverso	sujetar	sujetado	sujeto
juntar	juntado	junto	suprimir	suprimido	supreso
maldecir	maldecido	maldito	suspender	suspendido	suspenso
manifestar	manifestado	manifiesto	sustituir	sustituido	sustituto
nacer	nacido	nato	teñir	teñido	tinto
omitir	omitido	omiso	torcer	torcido	tuerto
oprimir	oprimido	opreso			

(1) Se usa únicamente precedido de los adverbios *bien* y *mal: bienquisto, malquisto.*
(2) Caído ya totalmente en desuso, aunque empleado por los clásicos.

VERBOS CON PARTICIPIO IRREGULAR

VERBO	forma irregular (participio fuerte)	VERBO	forma irregular (participio fuerte)
abrir	abierto	imprimir	impreso
absolver	absuelto	morir	muerto
cubrir	cubierto	poner	puesto
decir	dicho	resolver	resuelto
disolver	disuelto	ver	visto
escribir	escrito	volver	vuelto
hacer	hecho		

Ejercicios

Tema 6-H	VERBOS	—Con participio regular e irregular —Con participio irregular

Construya oraciones en las que utilice los participios en las funciones que en cada caso se indican.

1) *confundido*   a) como verbo _____

                b) como adjetivo _____

2) *convencido* a) como verbo _____

b) como adjetivo _____

3) *convertido* a) como verbo _____

b) como adjetivo _____

4) *converso* a) como adjetivo _____

b) como sustantivo _____

5) *corregido* a) como verbo _____

b) como adjetivo _____

6) *correcto* a) como adjetivo _____

b) como sustantivo _____

7) *elegido* a) como verbo _____

b) como adjetivo _____

8) *electo* a) como adjetivo _____

b) como sustantivo _____

9) *prendido* a) como verbo _____

b) como adjetivo _____

10) *preso* a) como adjetivo _____

b) como sustantivo _____

11) *oprimido* a) como verbo _____

b) como adjetivo

Escriba la forma o formas del participio de cada uno de los verbos. Cuando carezca de una de las formas, escriba *no tiene* en la columna correspondiente.

VERBO	forma regular (participio débil)	forma irregular (participio fuerte)
1) sustituir	_____	_____
2) sujetar	_____	_____
3) volver	_____	_____
4) soltar	_____	_____
5) poner	_____	_____

6) recluir   _____   _____

7) morir   _____   _____

8) prender   _____   _____

9) decir   _____   _____

10) omitir   _____   _____

11) hacer   _____   _____

12) insertar   _____   _____

13) incluir   _____   _____

14) escribir   _____   _____

15) injertar   _____   _____

16) abrir   _____   _____

17) extinguir   _____   _____

18) disolver   _____   _____

19) atender   _____   _____

20) corromper   _____   _____

VERBO

—Función sintáctica
—Modificadores

Definición sintáctica

El verbo es el elemento central o *núcleo* del predicado.
Ésa es la única función que puede desempeñar.

Consecuentemente, el predicado puede construirse de dos maneras:

1) con VERBO únicamente. El verbo por sí solo puede constituir el predicado.
   • *Sopla* un aire fresco - Ninguno de los presentes *protestó*.
2) con CONSTRUCCIÓN VERBAL, que es toda construcción formada por un verbo-núcleo más los elementos sintácticos que lo acompañan, llamados modificadores. Son modificadores todos los elementos que contiene el predicado, excepto el verbo.

MODIFICADORES DEL VERBO

A) **MONOVALENTES**   (modificadores del verbo únicamente).
                    Pueden ir delante o detrás del verbo.

   1) **OBJETO DIRECTO.** a) con la preposición A: Saludé *a mis amigos.*
                           b) sin preposición: Realizó *una gran labor.*

El objeto directo, tanto si es sustantivo solo, como si es construcción sustantiva, puede duplicarse y sustituirse por las formas pronominales *lo* y *la* o sus correspondientes plurales *los* y *las*. Precisamente esta particularidad nos permite reconocer el objeto directo. Así, en los ejemplos anteriores, tenemos:
• Saludé *a mis amigos* = *Los* saludé
• Realizó *una gran obra* = *La* realizó

Otra característica sintáctica del objeto directo es que puede convertirse en sujeto agente cuando la oración activa se transforma en pasiva.
• Juan cumplió *la promesa* = *La promesa* fue cumplida por Juan
                         O. D.   S.P.

   2) **OBJETO INDIRECTO.** a) con la preposición A o PARA: Dio las gracias *a todos.*
                                    : Entregó esto *para ti.*
                     b) sin preposición   : *Le* envían saludos.
                     (cuando es pronombre átono)

El objeto indirecto puede sustituirse o duplicarse por las formas átonas del pronombre *le, les, se, me, te...*
• Dio las gracias *a todos* = *Les* dio las gracias.
• Entregó esto *para ti* = *Te* entregó esto.

   3) **OBJETO DE INTERÉS.** Es un modificador que no es ni objeto directo ni indirecto.
                        Se usa para resaltar el interés del hablante en lo que se dice. Se construye con las formas átonas: *me, te, se, lo, nos, os.*
              • *Me* comí toda la fruta
              • *Te* lo olvidaste en la casa

   4) **CIRCUNSTANCIAL.** Expresa circunstancias diversas: de lugar, tiempo, modo, instrumento, compañía, cantidad, fin, negación, duda, causa, medida, etc.

Puede construirse de las siguientes maneras:
a) con *construcción sustantiva* (de valor adverbial).
  • *Algún día* te arrepentirás.
b) con *complemento preposicional* (con cualquier preposición)
  • Viene *desde la otra orilla.*
c) con complemento comparativo (con el adverbio COMO)
  • Trabajó *como todos los días.*
d) con adverbio como atributo (de tiempo, lugar. . .)
  • *Siempre* tiene razón. Vivo *aquí.*
e) con *proposición incorporada.*
  • Llegó *cuando nadie lo esperaba.*
El modificador CIRCUNSTANCIAL, al contrario que el objeto directo y el objeto indirecto, no puede sustituirse ni duplicarse por las formas átonas del pronombre.

5) **COMPLEMENTO AGENTE.** (cuando el verbo está en la voz pasiva). Va siempre encabezado por la preposición *POR* (a veces DE) y se reconoce porque se transforma en sujeto cuando la oración pasiva se vuelve activa.
  • Es muy apreciado *por todos* = *Todos* lo aprecian

B) **BIVALENTES** (modificadores del verbo y del sustantivo, sea éste sujeto u O. D.)

1) **PREDICATIVO.** Esta función puede ser desempeñada por:
  1) *ADJETIVO,* que modifica simultáneamente al verbo y a un sustantivo-núcleo, con el que concuerda.
    a) Adjetivo predicativo subjetivo (si se refiere al sujeto)

    • *El público salió satisfecho.*
      S.   V. predicativo subjetivo
    b) Adjetivo predicativo objetivo (si se refiere al O. D.)

    • *Dejó preparado el almuerzo.*
      V. predicativo   O. D.
      objetivo

  2) *SUSTANTIVO,* que modifica, en función adjetiva, simultáneamente al verbo y al sustantivo (sujeto u O. D.)
    a) Sustantivo predicativo subjetivo (si se refiere al sujeto)

    • *Mi hermano se llama Luis.*
      S.   V.   predicativo subjetivo
    b) Sustantivo predicativo objetivo (si se refiere al O. D.)

    • *Considero a Pedro un gran hombre.*
      V.   O. D.   predicativo objetivo

VERBO

—Función sintáctica
—Modificadores

Construya oraciones en las que utilice los siguientes verbos con los modificadores que en cada caso se indican.

1) Con *objeto directo*.

    (comer) _____

    (estudiar) _____

2) Con *objeto indirecto*.

    (dar) _____

    (entregar) _____

3) Con *objeto de interés*.

    (tomar) _____

    (recorrer) _____

4) Con *circunstancial*.

    (vivir) _____

    (cantar) _____

5) Con *complemento agente*.

    (reparar) _____

    (componer) _____

6) Con *predicativo*.

    (ser) _____

    (estar) _____

    (permanecer) _____

    (escuchar) _____

En cada oración, subraye los modificadores del verbo y escriba, debajo de dicha línea, la clase de modificador que es. Puede usar las abreviaturas siguientes: Objeto directo (O. D.); objeto indirecto (O. I.); objeto de interés (O. de I.); Circunstancial (Circ.); agente (Ag.); predicativo (Pred.)

1) Fue citado por el juez para el próximo lunes.

2) Por tal motivo, estoy muy satisfecho.

3) A tus padres respétalos toda la vida.

4) Siempre se queja de todo.

5) Me bebí todo el café.

6) Los agricultores esperan una gran cosecha este año.

7) Mañana trabajaré como cualquier otro día.

8) Por favor, le entrega esto a Don Juan.

9) Envió regalos a todo el mundo.

10) Para mañana prepararemos otra clase de comidas.

11) Te tomaste muchas libertades.

12) Nadie lo aprecia tanto como yo.

13) La muerte llega cuando menos se espera.

14) Encontré muchas y agradables sorpresas.

15) Para las ocho espero tener todo listo.

16) Su vida fue una entrega total al servicio del prójimo.

17) Ya tengo preparado el trabajo.

18) Aquí, cada día tratamos de hacer las cosas mejor.

19) Lo reconocí por su barba blanca.

20) No fue visto por nadie.

COPULATIVO. Es el verbo intransitivo que requiere un predicativo subjetivo. Los verbos propiamente copulativos son SER y ESTAR. Otros muchos verbos pueden emplearse como copulativos (cuando se construyen con predicativo). El predicativo puede ser sustituido por *lo*, pronombre invariable que puede referirse a un masculino o a un femenino.

- El rendimiento es *bueno*   (*lo* es)
- La noche está *oscura*   (*lo* está)

Hay oraciones con el verbo SER que ofrecen la particularidad de poder invertirse sin que cambie su significado: el sujeto pasa a ser predicativo y viceversa. Se considera sujeto *lo* que precede al verbo.

- Luis es el dueño = El dueño es Luis

TRANSITIVO. Es el verbo que se construye con objeto directo. Puede pasar a voz pasiva.
- La tormenta destruyó varias casas = Varias casas fueron destruidas por la tormenta.

INTRANSITIVO. Es el verbo que no lleva objeto directo, aunque admite el objeto indirecto y el circunstancial. No puede pasar a la voz pasiva.
- No *le* avisaron *a tiempo*
  O. I.   Circ.

Hay verbos predominantemente transitivos o intransitivos. Ello se debe a su significación. Por ejemplo, verbos como *dar*, *recibir*, *mostrar*, etc., pueden considerarse transitivos por naturaleza, pues parecen exigir un O. D. (dar *las gracias*, recibir *dinero*. . .), aunque pueden prescindir de él. Lo contrario ocurre con otros verbos como *vivir*, *morir*, *dormir*, etc. Su mismo significado parece impedir, o al menos dificultar, su construcción con O.D. Son intransitivos por naturaleza. También pueden construirse con O. D., pero sólo si éste es extraído de su propio significado: vive *la vida*; murió *una muerte gloriosa*, etc.

PRONOMINAL. Es el verbo que en todas sus formas puede construirse con pronombre reflexivo.
a) REFLEJO. El que siempre se construye con pronombre reflexivo, es decir, es exclusivamente reflexivo, como *arrepentirse, quejarse, atreverse*. . .
b) CUASIRREFLEJO. El que puede construirse como reflexivo o como no reflexivo.
- *Se fue* de vacaciones (*reflexivo*) -*Fue* de vacaciones (*no reflexivo*).
c) RECÍPROCO. Es una variante del reflexivo. Tiene su misma forma, pero con la particularidad de indicar reciprocidad. Para ello, debe ser transitivo y tener el sujeto en plural o sujeto compuesto (dos o más sujetos).
- *Los hermanos* se quieren mucho (sujeto en plural)
- *Madre e hija* se quieren mucho (dos sujetos)

AUXILIAR. Son los verbos HABER y SER, que sirven para formar los tiempos compuestos de la voz activa y todos los tiempos de la voz pasiva.
- No *he terminado* (tiempo compuesto en voz activa) = No *fue visto* (verbo en voz pasiva)

IMPERSONAL. El verbo adquiere carácter impersonal cuando en su oración el sujeto no se expresa ni se sobreentiende por el contexto, bien porque el locutor lo desconoce o bien porque lo calla intencionadamente. Cualquier verbo transitivo o intransitivo, puede construirse como impersonal. En tal caso, va siempre en 3a. persona del plural.

- *Cuentan* cosas terribles - Me *regalaron* un reloj

UNIPERSONAL. Es una modalidad de impersonal. En su significado propio, se construye únicamente en 3a. persona de singular: Anoche *llovió* fuerte; pero puede construirse en plural cuando no tiene carácter unipersonal: le *llovieron* las ofertas.

VERBO

—Clasificación sintáctica

Subraye todos los verbos y escriba, en la columna de la derecha, la clasificación sintáctica que le corresponda: copulativo, transitivo, intransitivo, reflejo, cuasirreflejo, recíproco, impersonal o unipersonal.

Clasificación sintáctica

1) Cada día llueve a las cuatro de la tarde. _____

2) Estoy preparado para todo. _____

3) Toda la familia se fue de vacaciones. _____

4) No me arrepiento de nada. _____

5) Cuentan historias horribles de aquella tierra. _____

6) Este hombre sólo mentiras dice. _____

7) Siempre se sale con la suya. _____

8) El estado del enfermo permanece invariable. _____

9) No espero nada de nadie. _____

10) Este hombre se atreve a todo. _____

11) Las apariencias engañan. _____

12) Se quieren como hermanos. _____

13) Con ello despertaron falsas expectativas. _____

14) Hablan muy mal de él. _____

15) Todos son muy amigos. _____

16) Las pruebas hablan por sí mismas. _____

17) El animal se escondió muy bien en el monte. _____

18) De eso hace varios años. _____

19) Padre e hijo no se hablan desde ayer. _____

20) Anoche nevó copiosamente en la montaña. _____

PERÍFRASIS VERBALES. Llamadas también *FRASES VERBALES* o simplemente *SINTAGMAS* son giros o expresiones formadas por un verboide (Infinitivo, Gerundio o Participio) al que precede otro verbo para agregar ciertos matices o alteraciones a la significación del verboide. El verbo que encabeza la perífrasis se denomina auxiliar porque funciona como tal y pierde total o parcialmente su significado propio. El verbo auxiliar de las perífrasis verbales se conjuga igual que cualquier otro verbo simple en todos sus modos, tiempos, números y personas. Igualmente, las perífrasis verbales se construyen con sujeto y complementos exactamente como con un solo verbo. Las perífrasis verbales pueden agruparse en las tres categorías siguientes:

1) VERBO AUXILIAR + INFINITIVO

Con frases de este tipo, la acción del verbo generalmente se presenta como orientada hacia el futuro. Así, pueden expresar matices de obligatoriedad, suposición, etc., según los casos. Abundan las frases de este tipo. Entre otras, las siguientes:

Ir a	+	infinitivo		No *vaya a pensar* tal cosa.
Echar a	+	infinitivo		Se *echó a reír.*
Llegar a	+	infinitivo	(expresión perfectiva)	*Llegó a creer* lo mismo.
Venir a	+	infinitivo		*Viene a ser* igual.
Volver a	+	infinitivo	(expresión reiterativa)	*Vuelvo a sospechar.*
Haber de	+	infinitivo	(expresión obligativa)	*Has de decirme* la verdad.
haber que	+	infinitivo	(expresión obligativa)	*Hay que terminar* esto.
Tener que	+	infinitivo	(expresión obligativa)	*Tienes que hacerlo.*
deber	+	infinitivo	(expresión obligativa)	*Debes hacerlo.*
deber de	+	infinitivo	(suposición, conjetura)	*Deben de ser* las doce.
terminar de	+	infinitivo		No *termina de comprender.*
empezar a	+	infinitivo		*Empiezo a creerlo* todo.

2) VERBO AUXILIAR + GERUNDIO

El gerundio da a la perífrasis un sentido de acción *durativa* o *reiterativa.*

Estar	+	gerundio	*Estaba leyendo* la carta.
ir	+	gerundio	*Voy entendiendo* poco a poco.
venir	+	gerundio	*Viene costando* lo mismo.
andar	+	gerundio	*Anda diciendo* cosas raras.

3) VERBO AUXILIAR + PARTICIPIO

El participio da a la perífrasis un sentido de acción *perfectiva.*

Haber	+	participio	Estas perífrasis son las que forman los tiempos compuestos de la voz activa: *Ha dicho, han comido.* . .
Ser	+	participio	Estas perífrasis son las que forman la voz pasiva: *Fue premiado, ha sido construido.* . .
Estar	+	participio	Expresan también la pasiva en los tiempos imperfectos y presenta la acción como terminada: El caso *está resuelto*, todos *estaban comprometidos* en el asunto, el trabajo *estará terminado* mañana. . .

PERÍFRASIS VERBALES

—Naturaleza y función

Construya oraciones con perífrasis verbales del tipo que en cada caso se indica. Use el primero de los verbos en personas y tiempos diversos.

1) IR   +   infinitivo _____

    ECHAR A   +   infinitivo _____

    DEBER   +   infinitivo _____

    DEBER DE   +   infinitivo _____

    TENER QUE   +   infinitivo _____

    HABER DE   +   infinitivo _____

    VOLVER A   +   infinitivo _____

    VENIR A   +   infinitivo _____

    LLEGAR A   +   infinitivo _____

2) ESTAR   +   gerundio _____

    IR   +   gerundio _____

    VENIR   +   gerundio _____

    ANDAR   +   gerundio _____

3) HABER   +   participio _____

    SER   +   participio _____

    ESTAR   +   participio _____

con criterio **MORFOLÓGICO** (por su forma)	con criterio **SINTÁCTICO** (por su función)	con criterio **SEMÁNTICO** (por su significado)
INFINITIVO *Variaciones morfológicas* Es un derivado verbal morfológicamente *invariable*. Terminan en *-ar, -er, ir*.	*Funciones sintácticas* Puede funcionar: a) como *VERBO* ¿*Pedir* yo perdón? b) como *SUSTANTIVO* • El eterno *ir* y *venir*.	
GERUNDIO Es un derivado verbal morfológicamente *invariable*. Terminan en *-ando,* o *-iendo*.	Puede funcionar: a) como VERBO • y él, *esperando* allá. b) como ADVERBIO • Salió *corriendo*. c) como ADJETIVO (casos muy raros) • Echelo en agua *hirviendo*.	
PARTICIPIO Es un derivado verbal con variaciones de: Género: libro *cerrado* casa *cerrada*. Número: libros *cerrados* casas *cerradas* Terminan en *-ado* o *-ido*.	Puede funcionar: a) como VERBO • No ha decidido aún. • Fue servida la cena. Como verbo, forma parte de los tiempos compuestos de la voz activa y de todos los tiempos de la voz pasiva. b) como ADJETIVO • Él es muy *decidido* En su calidad de adjetivo, puede sustantivarse como cualquier otro adjetivo: • Los *decididos* ganarán.	

VERBOIDES

—Clasificación general
—Cuadro sinóptico

Conteste las siguientes preguntas:

1) Morfológicamente el infinitivo es: ¿variable? ☐ ¿invariable? ☐

2) Morfológicamente el gerundio es: ¿variable? ☐ ¿invariable? ☐

3) Mofológicamente el participio es: ¿variable? ☐ ¿invariable? ☐

4) ¿Qué funciones sintácticas puede desempeñar el infinitivo?

_____

5) ¿Qué funciones sintácticas puede desempeñar el gerundio?

_____

6) ¿Puede el participio funcionar como verbo?   SÍ ☐ NO ☐

7) ¿Puede el participio funcionar como adverbio? SÍ ☐ NO ☐

8) ¿Puede el participio funcionar como adjetivo? SÍ ☐ NO ☐

Subraye todos los verboides y escriba su clase (infinitivo, gerundio o participio) y la función que desempeña en cada caso.

	clase de verboide	en función de
1) Eso de que nos ayudará es un decir.	_____	_____
2) Tu madre siempre estará esperando.	_____	_____
3) Al llegar te contaré todo.	_____	_____
4) No hay disponibles apartados de correos.	_____	_____
5) Todos salieron corriendo.	_____	_____
6) Se encuentra muy deprimido.	_____	_____
7) Terminando esta pieza me iré.	_____	_____
8) El saber no ocupa lugar.	_____	_____
9) No hemos sabido más de él.	_____	_____
10) Los muertos no hablan.	_____	_____

El infinitivo es un *sustantivo verbal*, es decir, puede funcionar como *VERBO* y como *SUSTANTIVO*.

EL INFINITIVO COMO VERBO

El infinitivo mantiene su calidad de verbo porque conserva algunas de las funciones y cualidades del verbo, si bien carece de otras. La cualidad verbal de la que carece el infinitivo es la de expresar, por sí mismo, el modo, el tiempo y la persona gramatical pues no tiene *desinencias*. Es, pues, morfológicamente *invariable*. Conserva, sin embargo, las siguientes características verbales:

1) Puede construirse en voz pasiva _____ Logró *ser reconocido* por todos.
2) Puede llevar pronombres enclíticos _____ Vengo a ver*te*. No quiero ver*los*.
3) Aun empleado como sustantivo, admite ser modificado por un adverbio. Esto demuestra el carácter verbal del infinitivo, pues el adverbio es *atributo*, del verbo. En tal caso tiene la doble función de sustantivo y de verbo _____ *Aquel* gritar *constantemente* me irritaba.
   adj.   Adv.
4) Como cualquier otro verbo, puede construirse:
   a) con sujeto expreso _____ Quiero hacerlo *yo mismo*.
   b) con sujeto tácito _____ Querer y no poder (sujeto indeterminado).
   c) con objeto directo _____ Quiero leer *el periódico*.
   d) con objeto indirecto _____ ¿Puede entregar*le* esto a *Luis*?
   e) con circunstancial _____ Logró zarpar *de madrugada*.
5) Como cualquier otro verbo, puede ser núcleo de proposición incorporada:
   a) sustantiva de sujeto _____ Te conviene *descansar un poco*.
   b) sustantiva complementaria directa _____ No quiero *seguir en este trabajo*.
   c) sustantiva complementaria de sustantivo _____ Tengo el honor *de ser su discípulo*.
   d) sustantiva complementaria de adjetivo _____ Está deseoso *de ayudar a los demás*.
   e) adverbial de lugar _____ No encontraron *dónde descansar*.
   f) adverbial temporal _____ *Al conocer la noticia*, se alegró mucho.
   g) adverbial causal _____ Esto le ocurre *por no escuchar*.
   h) adverbial final _____ Estudia *para aprender*.

EL INFINITIVO COMO SUSTANTIVO

Como sustantivo, el infinitivo adquiere los mismos atributos y puede desempeñar las mismas funciones que cualquier otro sustantivo, excepto que carece de variaciones de género y número. Es morfológicamente *invariable*. La única forma del infinitivo es masculina, género al que debe ajustarse el artículo y el adjetivo.
Únicamente admiten el plural algunos infinitivos que han llegado a lexicalizarse completamente: (el) *haber* — (los) *haberes*; (el) *deber*— (los) *deberes*. . .

Consecuentemente, el infinitivo, cuando funciona como sustantivo:
1) Puede ser modificado por el a) artículo: El decir de la gente.
   b) adjetivo (uno o más): El incesante batir de las olas.
2) Puede desempeñar, respecto a otro verbo, las siguientes funciones:
   a) Sujeto _____ No conviene *protestar*.
   b) Predicativo _____ Querer es *poder*.
   c) Objeto directo _____ Necesito *salir*.
   d) Circunstancial _____ Habla sin *parar*.

Construya oraciones en las que utilice un infinitivo en la función que en cada caso se indica.

A) Infinitivo, como VERBO, que sea núcleo de proposición incorporada:

1) sustantiva de sujeto_____

2) sustantiva de O.D. _____

3) adverbial de lugar _____

4) adverbial temporal _____

5) adverbial causal _____

6) adverbial final_____

B) Infinitivo como SUSTANTIVO

1) con artículo como atributo _____

2) con adjetivo como atributo_____

3) en función de sujeto _____

4) en función de predicativo _____

5) en función de objeto directo _____

6) en función de circunstancial _____

Subraye los infinitivos y escriba su función (verbo o sustantivo).

función sintáctica

1) Fue un amargo despertar._____

2) No tenemos donde dormir esta noche. _____

3) Nos conviene regresar. _____

4) Partiremos al salir el sol. _____

5) Esto te ocurre por no escuchar consejos. _____

El gerundio es un *adverbio verbal*, es decir, puede funcionar como *VERBO* y como *ADVERBIO* (rara vez como *ADJETIVO*).

EL GERUNDIO COMO VERBO

En su calidad de verbo ha perdido, igual que el infinitivo, la facultad de expresar el modo, el tiempo y la persona gramatical. Es, pues, morfológicamente *invariable*. Por lo demás, funciona como verbo:

1) El gerundio simple expresa la acción durativa e imperfecta y simultánea con la acción del verbo principal: *Enseñando* se aprende = se aprende *mientras se enseña*.

2) El gerundio compuesto expresa la acción perfecta (terminada), anterior a la acción del verbo principal: *Habiendo terminado* el trabajo, se fueron = Después de terminar el trabajo, se fueron.
   Si al gerundio simple se le antepone la preposición, *en*, la acción también es anterior a la del verbo principal: *En diciendo* esto, se fue = *Dicho* esto. . .

3) El gerundio, como verbo, puede ser núcleo de proposición incorporada.
   Las circunstancias que generalmente expresa son: *modo, tiempo, causa, condición* o *concesión*. Así pues, puede ser núcleo de proposiciones:

   a) *modales* _____ El tigre siguió inmóvil, *observando a su presa*.
   b) *temporales* _____ *Habiendo revisado todo*, no encontró falla alguna.
   c) *causales* _____ *Temiendo mayores problemas*, no quiso seguir.
   d) *condicionales* _____ *Estando el mar tranquilo*, no habrá peligro.
   e) *concesivas* _____ *Aun conociendo el terreno*, resulta difícil la subida.

4) El gerundio admite pronombres enclíticos: Mirándo*me*? diciéndo*lo*. . .

5) A veces el gerundio se construye independientemente, es decir, sin estar referido a otro verbo: ¡*Amaneciendo* de nuevo! *Descansando* un poco.

EL GERUNDIO COMO ADVERBIO

1) La función más común del gerundio es la de modificar el verbo como adverbio de modo: salió *corriendo*; respondió *riéndose*. . .

2) Igual que algunos adverbios, el gerundio, aunque es invariable, admite a veces sufijos diminutivos: *callandito, corriendito*. . .

EL GERUNDIO COMO ADJETIVO

El uso del gerundio como adjetivo es muy raro. Prácticamente se reduce a sólo dos casos: *hirviendo* y *ardiendo*.
• Se disuelve en agua *hirviendo*. (= . . . agua *hirviente*).
• Lo echó en un horno *ardiendo*. (= . . . horno *ardiente*).

Uso incorrecto del gerundio

Por lo expuesto, se comprenderá la incorrección de las siguientes oraciones:

Incorrecto	*Lo correcto es:*
El reo huyó, *siendo* detenido después.	El reo huyó, pero *fue detenido* después.

La incorrección se debe a que no hay simultaneidad entre la acción del gerundio y la del verbo principal.

Se necesita secretaria *hablando* inglés.	Se necesita secretaria *que hable* inglés.
Recibí una bolsa *conteniendo* muestras.	Recibí una bolsa *que contiene* muestras.

En estos dos casos, el gerundio está mal empleado porque se usa como adjetivo, carácter que no tiene casi nunca. El carácter adjetivo que indebidamente se le atribuye al gerundio, queda bien claro y debidamente expresado mediante la proposición adjetiva correspondiente, que es la expresión correcta.

Construya oraciones en las que utilice un gerundio en la función que en cada caso se indica.

A) Gerundio, como VERBO, que sea núcleo de proposición incorporada:

1) adverbial modal _____

2) adverbial temporal _____

3) adverbial causal _____

4) adverbial condicional _____

5) adverbial concesiva _____

B) Gerundio como ADVERBIO

1) de modo _____

C) Gerundio como ADJETIVO

1) (hirviendo) _____

2) (ardiendo _____

Subraye todos los gerundios y escriba la función (verbo, adverbio o adjetivo) que desempeña en cada caso.

$$\boxed{\text{función}}$$

1) Allí nos quedamos esperando hasta la noche. _____

2) Se pasa el día durmiendo. _____

3) Teniendo paciencia, todo se arregla. _____

4) Esto no lo vas a arreglar gritando. _____

5) Aun siendo amigos, no le daba preferencia. _____

6) Temiendo males mayores, adelantaron la salida. _____

7) Nunca lo eche en agua hirviendo. _____

8) Habiendo buena voluntad, no habrá problemas. _____

9) Todos siguieron bailando. _____

10) Aun conociendo el terreno, no es fácil el ascenso. _____

Tema 7-C	VERBOIDES	—EL PARTICIPIO

El participio es un *adjetivo verbal*, es decir, puede funcionar como *VERBO* y como *ADJETIVO* (y cuando el adjetivo se sustantiva, como *SUSTANTIVO*).

EL PARTICIPIO COMO VERBO
En su calidad de verbo, el participio puede desempeñar las siguientes funciones:
1) Se utiliza como parte de todos los tiempos compuestos de la voz activa:
He *terminado*, han *dicho*, había *llovido*. . .
2) Sirve para construir la voz pasiva: Luis fue *visto*; María fue *vista*; ellas fueron *vistas*.
En esta función, como se ve en los ejemplos anteriores, sí tiene variaciones de género y número, que debe ajustar al género y número del sustantivo (sujeto paciente) al que se refiere.
3) El participio puede ser núcleo de proposiciones incorporadas, llamado en este caso "participio absoluto":
   a) de proposición adverbial *temporal*—*Hechos los arreglos*, empezó la obra =
      Después de hacer los arreglos, empezó. . .
   b) de proposición adverbial *modal* —Los prisioneros, *atadas sus manos*, fueron conducidos al campamento.
   c) de proposición adverbial *causal* —Todos, *abatidos por el hambre*, deseaban regresar.
En esta función concuerda en género y número con el sujeto.

EL PARTICIPIO COMO ADJETIVO
El participio, aparte de su condición de verbo, es fundamentalmente un *adjetivo*.
Como tal, adquiere sus características y funciones.
1) Debe ajustar su género y número al del sustantivo que modifica:
pan *endurecido* —ilusión *perdida* —campos *arados*. . .
2) En cuanto a sus funciones, el participio también puede desempeñar todas las que son propias del adjetivo:
   a) Atributo de sustantivo_____ Hombre *precavido* vale por dos.
   b) Predicativo subjetivo _____ Juan es *porfiado*.
      Predicativo objetivo _____ Veo a Juan *desconcertado*.
   c) Núcleo de predicado nominal _____ ¡Qué *cumplido* este señor!
   d) Término de preposición _____ Lo castigaron por *atrevido*.
3) Como cualquier otro adjetivo, puede sustantivarse:
   • Todavía no ha escrito la carta._____ (escrito = verbo)
   • Encontró un libro escrito a mano._____ (escrito = adjetivo)
   • Revisó el escrito cuidadosamente._____ (escrito = sustantivo)

Participios regulares e irregulares
Los participios regulares, llamados también participios débiles, son los formados por la raíz del verbo español + la terminación —*ado* o —*ido:*
acab-ado, ped-ido, tem-ido. . .
En cambio, los participios irregulares o fuertes se derivan de formas latinas:
hecho (de hacer); *vuelto* (de volver). . .
Hay verbos que tienen dos formas para el participio: una regular y otra irregular. Los que tienen una sola forma puede ser regular o irregular. Véase tema 6-H.

VERBOIDES

—EL PARTICIPIO

Construya oraciones en las que utilice un infinitivo en la función que en cada caso se indica.

A) Participio como VERBO

1) integrante de tiempo compuesto. _____

2) integrante de la voz pasiva. _____

3) núcleo de proposición temporal. _____

4) núcleo de proposición modal. _____

5) núcleo de proposición causal. _____

B) Participio como ADJETIVO

1) atributo de sustantivo. _____

2) predicativo. _____

3) núcleo de predicado nominal. _____

4) término de preposición. _____

5) sustantivo (adjetivo sustantivado). _____

Subraye los participios e indique la función (verbo, adjetivo o sustantivo), que en cada caso desempeña.

| | función sintáctica |

1) Las cuentas serán revisadas de nuevo. _____

2) Todos estamos muy preocupados. _____

3) Entonces todo habrá terminado. _____

4) Los oprimidos harán oir su voz. _____

5) En boca cerrada no entran moscas. _____

con criterio	con criterio	con criterio
MORFOLÓGICO	**SINTÁCTICO**	**SEMÁNTICO**
(por su forma)	(por su función)	(por su significado)

con criterio MORFOLÓGICO (por su forma)

Variaciones morfológicas
No tiene
El adverbio es morfológicamente INVARIABLE.
(hay excepciones)

Apócope del adverbio
No es propiamente una variación morfológica, sino una pérdida de las sílabas finales que sufren ciertos adverbios cuando preceden a un adjetivo o a otro adverbio (no cuando modifican al verbo).
Así, algunos adverbios poseen doble forma:
a) la *forma plena*, que usan como atributos del verbo
 • No vale *tanto*.
b) la *forma apocopada*, que usan delante del adjetivo o de otro adverbio.
 • No es *tan* barato.
 • ¡Lo hizo *tan* mal!

Diminutivo del adverbio
También como caso especial puede considerarse la forma diminutiva que adoptan a veces, algunos adverbios:
cerca-*cerquita*; ahora-*ahorita*, etc.
Se usa más que nada en el habla coloquial.

Clasificación morfológica
Invariable (todos los adverbios)
Simple aquí
Compuesto:

a) con la terminación -*mente*
 • claramente (clara + mente)
b) con elementos diversos:
 • enfrente (en + frente)
 • aprisa (a + prisa)

con criterio SINTÁCTICO (por su función)

Definición sintáctica
El adverbio es un modificador directo (sin nexo), es decir, *atributo* del verbo, del adjetivo o de otro adverbio.

Funciones sintácticas

Atributo
1) de verbo
 • *No* llegó Juan.
2) de adjetivo.
 • El agua está *muy fría*.
3) de construcción adjetiva
 • Hombre *bien* sin gracia.
4) de otro adverbio
 • Canta *bastante mal*.
5) de frase adverbial
 • Obra *muy a la ligera*
6) de sustantivo (pospuesto)
 • *tiempo atrás*.
En estos casos, que son excepcionales, el adverbio en realidad se adjetiva. Lo que tiene valor adverbial es el conjunto de las dos palabras.
Término de preposición
 • Gentes *de allá*.
Predicado (adverbial)
 • *Aquí*, todos felices.

Modificador de oración
 • Generalmente, trabajan bien.

Forma declarativa
 • Vive en el campo, *allá*.
El adverbio puede sustantivarse. En tal caso, puede desempeñar las funciones propias del sustantivo (sujeto, etc.) y llevar sus mismos atributos (artículo y adjetivo).

con criterio SEMÁNTICO (por su significado)

Definición semántica
El adverbio expresa cualidades o circunstancias de las palabras a las que acompaña como atributo.

Clasificación semántica
Según las circunstancias que expresan, se denominan:
de lugar: aquí, allí, donde. . .
de tiempo: cuando, hoy, mañana, ayer. . .
de modo: como, así, bien, mal. . .
de cantidad: tanto, mucho, poco. . .
de afirmación: sí, también. . .
de negación: no, jamás, tampoco. . .
de duda: quizás, tal vez. . .

Grados de significación
1) Positivo
 • Llegó *tarde*.
2) Comparativo
 • Llegó *más tarde*.
3) Superlativo
 • Llegó *tardísimo*.
 • Llegó *muy tarde*.

ADVERBIO

—Clasificación general
—Cuadro sinóptico

Construya oraciones en las que utilice los adverbios puestos entre paréntesis en las funciones sintácticas que en cada caso se indican.

A) ATRIBUTO
  1) de verbo   (no) _____

  2) de adjetivo   (poco) _____

  3) de construcción adjetiva (mal) _____

  4) de otro adverbio   (bastante) _____

  5) de frase adverbial   (muy) _____

  6) de sustantivo   (atrás) _____

B) TÉRMINO de preposición (aquí) _____

C) PREDICADO (adverbial) (después) _____

D) MODIFICADOR de oración (nunca) _____

E) FORMA DECLARATIVA (arriba) _____

Subraye los adverbios y escriba la clasificación que le corresponda.

	clasificación morfológica	clasificación sintáctica	clasificación semántica
1) Lo veré cuando regrese.			
2) Se perdió mar adentro.			
3) Aquí se trabaja.			
4) Se hará como tú digas.			
5) Vive enfrente.			
6) Jamás aceptaré esto.			
7) El agua está fría.			
8) Allá, todos contentos.			
9) Camina lentamente.			
10) Quizás él lo sepa.			

El adverbio *morfológicamente* se caracteriza por no tener accidentes o variaciones morfológicas. Es, pues, INVARIABLE.

APÓCOPE DEL ADVERBIO

No es propiamente un accidente (el adverbio es invariable). Es una forma abreviada que adoptan algunos adverbios cuando preceden a un adjetivo o a otro adverbio, no cuando modifican al verbo. El apócope se realiza al suprimirse ciertos sonidos al final de la forma normal o plena de la palabra.

cuanto-cuan	¿Cuánto vale?————————(delante de verbo no apocopa)
	Se vio *cuán* ruin era.————(delante de adjetivo apocopa)
tanto-tan	*Tanto* tienes, tanto vales.——(delante de verbo no apocopa)
	¡Es *tan* infeliz!————————(delante de adjetivo apocopa)
	Lo hace *tan* mal.—————————(delante de adverbio apocopa)
reciente-recién	Llegó *recientemente*.———(modifica a verbo, no apocopa)
(*)	Carne *recién* asada.———(modifica a adjetivo, apocopa)

DIMINUTIVO DEL ADVERBIO

Algunos adverbios admiten la forma diminutiva:

ahora-ahorita; despacio-despacito; cerca-cerquita

Estos diminutivos se usan más que nada en el habla coloquial.

ADVERBIOS COMPUESTOS

Hay dos tipos de compuestos:

1) Los compuestos con un adjetivo en su forma femenina, cuando existe, más la terminación *-mente*
   - *claramente* (clara + mente) -*sólidamente* (sólida + mente)

   Son palabras de dos acentos y los dos deben pronunciarse; pero el primero se escribirá únicamente cuando el adjetivo por separado lo requiera, como puede apreciarse en los ejemplos anteriores.
2) Los compuestos por elementos de diversa índole.
   - *enfrente*: *en* (preposición) + *frente* (sustantivo)
   - *aprisa*: *a* (preposición) + *prisa* (sustantivo)
   - *sobremanera*: *sobre* (preposición) + *manera* (sustantivo)

FRASES O MODOS ADVERBIALES

Son conjuntos de palabras de diversa índole, que forman expresiones de significación fija. El conjunto tiene valor adverbial y funciona como adverbio.
- Actúa *a tontas y a locas*.
- Daba golpes *a diestra y siniestra*.
- Se ríe *sin ton ni son*.
- Caminaba *a ciegas*.

(*) Es un modismo muy generalizado en algunos países de América del Sur el uso de la forma apocopada *recién*, aun como atributo de verbo: Llegó *recién* en vez de llegó *recientemente*.

Subraye todos los adverbios o frases adverbiales con doble raya (══════) y con una raya (_____) el elemento al que acompaña.

1) Entonces dijo con mucha gracia: ahorita regreso.

2) Así no llegarás muy lejos.

3) Especialmente fabricado para usted.

4) No tengo la menor idea de cuánto vale.

5) Repartía invitaciones a diestra y siniestra.

6) Entonces se dará cuenta de cuán valiosa es la ayuda ajena.

7) Subiremos despacito para no cansarnos demasiado.

8) Tiene una casa cerquita de aquí.

9) Tan cansado me sentía que no tuve ánimo para seguir.

10) Nunca se había reunido multitud tan numerosa.

11) Tanto ruido hacía que no se podía oir la conversación.

12) Todo lo resuelve a gritos.

13) Caminamos a oscuras largo trecho.

14) Debemos hablar francamente.

15) Agradezco sobremanera su gentileza.

16) Compórtate como Dios manda.

17) Aquí me siento a gusto.

18) Lo siguen donde quiera que vaya.

19) Lo hace todo sin ton y son.

20) Desgraciadamente nada se puede hacer.

Definición sintáctica

El adverbio es un modificador *directo* (sin nexo), es decir, *atributo* del verbo, del adjetivo o de otro adverbio.

FUNCIONES SINTÁCTICAS DEL ADVERBIO

ATRIBUTO: a) de verbo
- delante —— *No quiero* problemas.
- detrás —— Todos *viven aquí*.

        b) de adjetivo
- delante —— Bebió agua *muy fría*.
- detrás —— Es *amable sobremanera*.

Los adverbios, especialmente los de cantidad y de modo, antepuestos al adjetivo, completan su significado: *muy* caro, *demasiado* duro. . .

        c) de construcción adjetiva —— ¡Es un hombre *tan sin gracia*!
        d) de otro adverbio —————— Lo hizo *bastante mal*.
        e) de construcción adverbial— Lo hizo *muy a la ligera*.

Casos especiales
A veces, el adverbio puede acompañar como atributo, a un sustantivo:

1) *Antepuesto*, adjetiva al sustantivo: Juan es *muy hombre*.
2) *Pospuesto*, modifica al sustantivo como atributo, es decir, se adjetiva, formando con él una locución de valor adverbial:
   días *atrás*; días *después*; años *atrás*; mar *afuera*; tierra *adentro*; calle *arriba*; calle *abajo*. . .
3) también se adjetiva cuando va antepuesto al sujeto:
   Sólo yo lo sé: *También ellos* son culpables.

TÉRMINO de construcción preposicional ——Lejos *de aquí*.
PREDICADO (adverbial)——————————*Arriba*, los más pequeños.
MODIFICADOR de una oración—————*Invariablemente*, cada año llegan.
FORMA DECLARATIVA————————— Vive en la parte alta, *allí*.

PRONOMBRES—ADVERBIOS DEMOSTRATIVOS
Varias palabras citadas como adverbios (*tanto, mucho, poco, demasiado, bastante*) también pueden ser pronombres, esto es, sustantivos en cuanto a su función o adjetivos. En el uso hay que tener en cuenta cuándo van en una u otra función: a) como adverbios, no tienen variaciones morfológicas, pues el adverbio es *invariable*; b) como pronombres o adjetivos, sí tienen variaciones morfológicas, pues estos elementos son *variables* en cuanto a género y número.

- Nadie cuida *tanto* sus plantas.   *Tanto*, adverbio.
- No sé si había lugar para *tantos*.   *Tantos*, sustantivo.
- Tengo *poco* dinero.   *Poco*, adjetivo.
- Tengo *poca* sed.   *Poca*, adjetivo.

Por eso hay que evitar expresiones incorrectas como: Está *media* enojada. Lo correcto es: Está *medio* enojada (*medio* es adverbio y por ello *invariable*). El adverbio *todo* es la excepción. Como atributo del adjetivo, adopta el género de éste: Una persona *toda bondadosa*.

Subraye todos los adverbios o frases adverbiales e indique con una flecha el elemento al que modifica.

1) Más vale tarde que nunca.

2) Nos quedaremos aquí sólo mientras dure esta situación.

3) Merece un descanso, pues harto ha trabajado.

4) Termine esto rápido, que lo necesito urgentemente.

5) Cerquita de mi casa hay un pequeño río.

6) No debemos juzgar una situación *a priori*.

7) El dolor es largo, mas la dicha presto se va.

8) A veces no sabemos dónde está el bien y dónde, el mal.

9) Ya es demasiado tarde para empezar.

10) Quiere conseguirlo a todo trance.

11) Cuanto más estudie tanto mejor será para usted.

12) De cuando en cuando es conveniente un descanso.

13) Ya me siento mucho mejor.

14) No se debe obrar a la ligera.

15) Cumple tus obligaciones, a despecho del qué dirán.

16) El acusado decía a voces que era inocente.

17) Es inmensamente rico, pero no sobresale por su generosidad.

18) Caminaba de puntillas para no hacer ruido.

19) Gritó fuerte para que le oyeran.

20) Ciertamente no sé cuánto costó.

Definición semántica

El adverbio expresa una cualidad o describe circunstancias de las palabras a las que acompaña como atributo, que son el verbo, el adjetivo u otro adverbio.

CLASIFICACIÓN SEMÁNTICA DEL ADVERBIO

Por la circunstancia a la que se refiere, el adverbio recibe la siguiente clasificación:

DE LUGAR   aquí-ahí-allí-acá-allá-arriba-abajo-encima-debajo-delante-detrás-dentro-fuera-adentro-afuera-enfrente-adelante-atrás-cerca-lejos-donde-adonde.

DE TIEMPO   cuando-ahora-hoy-ayer-anteayer-mañana-entonces-anoche-siempre-nunca-ya-antes-después-pronto-tarde-mientras-luego-aun-todavía-antaño-hogaño.

DE MODO   como-así-tal-cual-aprisa-adrede-bien-mal-despacio-lentamente y todos los de la serie terminados en -*mente*, que se forman con esta terminación precedida por la forma femenina del adjetivo.

DE CANTIDAD   tanto (y la forma apocopada tan)-cuanto(y la forma apocopada cuan)-mucho-poco-demasiado-harto-bastante-muy-menos-casi-apenas-nada-así-algo.

DE AFIRMACIÓN   sí-también-ciertamente.

DE NEGACIÓN   no-tampoco-jamás

DE DUDA   quizás-quizá-acaso-tal vez. . .

GRADOS DE SIGNIFICACIÓN DE ADVERBIO

Algunos adverbios tienen, igual que los adjetivos, los tres grados de significación:

1) *Positivo* ——————— Llegó *tarde*.

2) *Comparativo* ——————— Llegó *más tarde que* nunca.

3) *Superlativo* a) absoluto—Llegó *tardísimo*.
   b) relativo—Llegó *muy tarde*.

ADVERBIO

—Clasificación semántica

Subraye todos los adverbios o frases adverbiales y escriba la clasificación semántica que le corresponda.

	Clasificación semántica

1) Casi se mata en un accidente. _____

2) Nosotros sí queremos colaborar. _____

3) Tal vez él pueda ayudarnos. _____

4) Quédese aquí. _____

5) Yo estoy seguro de que lo hizo adrede. _____

6) Vive a lo grande. _____

7) Ha sufrido bastante. _____

8) Afuera seguirá la fiesta. _____

9) No se hagan muchas ilusiones. _____

10) Debes hacer las cosas cuidadosamente. _____

11) Debemos terminar hoy este trabajo. _____

12) Ya nadie se acuerda de él. _____

13) Jamás admite haberse equivocado. _____

14) Esto es exactamente lo que quiero. _____

15) Después de la tempestad viene la calma. _____

16) Todo lo hace a lo loco. _____

17) Pronto empezará la primavera. _____

18) Eso está muy lejos. _____

19) Terminantemente prohibido cortar flores. _____

20) Aún se puede solucionar este problema. _____

PREPOSICIÓN

—Clasificación general
—Cuadro sinóptico

con criterio	con criterio	con criterio
MORFOLÓGICO	**SINTÁCTICO**	**SEMÁNTICO**
(por su forma)	(por su función)	(por su significado)

Variaciones morfológicas

No tiene.
La preposición es morfológicamente INVARIABLE.

Clasificación morfológica

Propias
a-ante-bajo-cabe-con-contra-de-desde-en-entre-hacia-hasta-para-por-pro-según-sin-so-sobre-tras.

Impropias
Así llamadas las de origen latino, que hoy se usan únicamente como prefijos inseparables. Las más usuales son: *ad* (adyacente), *des* (desorden), *ex* (ex presidente), *in* (innecesario), *inter* (internacional), *infra* (infrarrojo), *sub* (submarino), *super* (supermercado), *trans* (transporte).

Frases prepositivas
Son locuciones formadas por una preposición y otras palabras de categoría diferentes. El conjunto funciona como preposición: *enfrente de, acerca de...*

Preposiciones agrupadas
Dos preposiciones que van juntas. La primera rige a la segunda y a su término.
• *de por* vida.
• *desde por* la mañana.

Definición sintáctica
Por su función, la preposición es un nexo *subordinante*.
Complemento preposicional.
Es el conjunto de preposición más el *término*, que es la palabra o palabras regidas por la preposición. La preposición precede siempre al término.
Funciones sintácticas
La preposición puede relacionar los siguientes elementos de la oración.

Elemento inicial	nexo	término
VERBO	+	Verboide Sustantivo pronombre adjetivo adverbio proposición
VERBOIDE	+	verboide sustantivo pronombre adjetivo adverbio proposición
SUSTANTIVO	+	verboide sustantivo pronombre adjetivo adverbio proposición
ADJETIVO	+	verboide sustantivo pronombre adjetivo adverbio proposición
ADVERBIO	+	verboide sustantivo pronombre adjetivo adverbio proposición

Definición semántica

La preposición no tiene significado por sí sola. Es nulo su contenido semántico.

———— • ————

La preposición puede sustantivarse. En tal caso, puede desempeñar las funciones propias del sustantivo (sujeto, etc.) y llevar sus mismos atributos (el artículo y el adjetivo).

PREPOSICIÓN

—Clasificación general
—Cuadro sinóptico

Subraye todas las preposiciones (propias e impropias), frases prepositivas y preposiciones agrupadas, tanto si se emplean como nexos entre elementos de la oración, como si van en calidad de prefijos.

1) Él se mantiene por encima de toda polémica.

2) Se iniciaron las negociaciones sin condiciones previas.

3) El ex embajador es un experto en asuntos internacionales.

4) Según las ordenanzas, nadie puede pasar de este punto.

5) De mi casa al colegio voy en tren.

6) Desde allí se divisa un bello panorama.

7) Es innecesario tanto adorno.

8) Lo hizo contra su voluntad.

9) Todos tenemos ciertas obligaciones para con nuestros semejantes.

10) Ciertas zonas suburbanas están superpobladas.

11) Sale a correr por la mañana.

12) No hablamos acerca de ningún tema en especial.

13) Viven en condiciones infrahumanas.

14) En pocos días esperan una poderosa contraofensiva.

15) Ha sido nombrado secretario adjunto para asuntos económicos.

16) A todo le recargan un sobreprecio por entrega inmediata.

17) Su ambición es desmedida.

18) Es un verdadero sinvergüenza.

19) Recibirá las instrucciones en un sobre cerrado.

20) Se veían huellas sobre la nieve.

Definición sintáctica

Sintácticamente, la preposición es un *nexo subordinante*. Subordina un elemento, llamado *término* (al que precede siempre) a otro elemento, llamado *elemento inicial*.

Las preposiciones son:
A-ANTE-BAJO-CABE-CON-CONTRA-DE-DESDE-EN-ENTRE-HACIA-HASTA-PARA-POR-PRO-SEGÚN-SIN-SO-SOBRE-TRAS.

Dentro de la oración, el elemento inicial puede ir delante o detrás del término; pero en cualquier caso la preposición precede siempre al término. Puede decirse indistintamente:
* *Escuchaba las quejas con gran paciencia.*
    elemento inicial   término
* *Con gran paciencia, escuchaba las quejas.*
    término   elemento inicial

Al variar la colocación de los elementos sintácticos, no ha variado la relación que entre ellos establece la preposición, por lo que ambos siguen siendo *inicial* y *término* respectivamente.
Por el solo hecho de ser término de una preposición, cualquier palabra o grupo de palabras queda sustantivada.
La preposición más el término se llama *complemento preposicional*. En general, las preposiciones relacionan elementos de la oración, mientras que la conjunción enlaza proposiciones dentro de la oración.

Preposiciones como prefijos
Varias preposiciones pueden funcionar como prefijos dentro de una palabra compuesta de la que forman parte:

a	asoleado	*de*	depresión	*sin*	sinvergüenza
ante	antesala	*en*	encerrar	*so*	someter
con	consuegra	*entre*	entrever	*sobre*	sobretodo
contra	contraorden	*por*	porvenir	*tras*	traspiés

PREPOSICIONES AGRUPADAS
Con frecuencia dos preposiciones van juntas. En estos casos, la primera preposición establece y rige la relación entre el elemento inicial y el resto, es decir, el conjunto que forma la segunda preposición y su término.
Algunas de las agrupaciones más usuales.

DE: *de a* cinco pesos
    de entre todos
    de por vida
DESDE: *desde por* la mañana
HASTA: *hasta con* calor
    hasta de dos años
    hasta en bicicleta
    hasta para niños
    hasta por los ríos
    hasta sin zapatos

PARA: *para con* todos
    para desde cerca
    para en terminado
    para entre nosotros
    para sin requisito
    para sobre el techo
POR: *por ante* el juez
    por bajo cuerda
    por de pronto
    por entre los árboles

FRASES PREPOSITIVAS
Son locuciones fijas formadas por una preposición y otras palabras.
El conjunto funciona como una preposición: *acerca de, frente a, alrededor de, junto a, enfrente de, por encima de, debajo de,* etc.
El *elemento inicial* puede ser: *verbo, verboide, sustantivo, adjetivo o adverbio.*
El *término* puede ser: *verboides, sustantivo, pronombre, adjetivo, adverbio o proposición.*

Así pues, todas las combinaciones posibles de elementos de la oración que pueden enlazar las preposiciones son:

Elemento inicial	nexo	Término	Ejemplos
VERBO		Verboide	Salió a pasear.
		Sustantivo	Murió de cáncer.
		Pronombre	Llegó con él.
		Adjetivo	Se pasa de bueno.
		Adverbio	Entró por allá.
		Proposición	Perdono a quien me ofende.
VERBOIDE		Verboide	Comer hasta hartarse.
		Sustantivo	Vivir sin problemas.
		Pronombre	Trabajando con él.
		Adjetivo	Castigado por desobediente.
		Adverbio	Esperando desde ayer.
		Proposición	Amonestado por llegar tarde.
SUSTANTIVO		Verboide	Máquina de coser.
		Sustantivo	Pan de trigo.
		Pronombre	Cara de bueno.
		Adverbio	Ruido de lejos.
		Proposición	La ilusión de sentirse importante.
ADJETIVO		Verboide	Difícil de manejar.
		Sustantivo	Ancho de espaldas.
		Pronombre	Útil para ti.
		Adjetivo	Bueno por obediente.
		Adverbio	Complaciente hasta aquí.
		Proposición	Bueno para curar heridas.
ADVERBIO		Verboide	Lejos de terminar.
		Sustantivo	Debajo de tierra.
		Pronombre	Delante de ti.
		Adjetivo	No por caro es mejor.
		Adverbio	Cerca de aquí.
		Proposición	Antes de que amanezca.

También puede ser elemento inicial una interjección o palabra empleada como tal: ¡*Ay*! de mí. —*Pobres* de nosotros.

Ejercicios

Tema

9-A   PREPOSICIÓN   —Función sintáctica

Construya oraciones en las que utilice las preposiciones indicadas como prefijos de palabras compuestas.

1) (a)   _____

2) (ante)   _____

3) (con) _____

4) (contra) _____

5) (de) _____

6) (en) _____

7) (entre) _____

8) (por) _____

9) (sin) _____

10) (so) _____

11) (sobre) _____

12) (tras) _____

Construya oraciones en las que utilice las siguientes preposiciones agrupadas.

1) (de a) _____

(de por) _____

2) (hasta en) _____

(hasta por) _____

3) (para con) _____

(para desde) _____

4) (por de) _____

(por entre) _____

Construya oraciones en las que utilice una preposición que relacione, como nexo, los elementos de la oración que se indican.

elemento inicial	nexo	término	
1) VERBO	+	sustantivo	_____
VERBO	+	adjetivo	_____
VERBO	+	adverbio	_____
VERBO	+	proposición	_____
2) VERBOIDE	+	sustantivo	_____
VERBOIDE	+	adjetivo	_____
VERBOIDE	+	adverbio	_____

VERBOIDE	+	proposición _____
3) SUSTANTIVO	+	sustantivo _____
SUSTANTIVO	+	adjetivo _____
SUSTANTIVO	+	pronombre _____
SUSTANTIVO	+	proposición _____
4) ADJETIVO	+	verboide _____
ADJETIVO	+	sustantivo _____
ADJETIVO	+	pronombre _____
ADJETIVO	+	proposición _____
5) ADVERBIO	+	sustantivo _____
ADVERBIO	+	pronombre _____
ADVERBIO	+	adjetivo _____
ADVERBIO	+	proposición _____

PREPOSICIÓN

—Uso y significación

Definición semántica

Las preposiciones por sí mismas son palabras no enteramente vacías de significado; pero, en la mayoría de los casos, ese significado se refleja en forma tan vaga que sólo por el contexto puede precisarse.

Más que palabras con sentido pleno y preciso, son nexos que apuntan al tipo de relación que pueden establecer. Así, preposiciones sueltas como A, DE, EN, etc. poco o nada nos sugieren, pues cada una de ellas, puede establecer relaciones de muy diverso significado, que sólo por el contexto podemos comprender. Sólo alguna como SIN puede por sí sola sugerirnos su significado de excepción.

Preposiciones	Significaciones más comunes	Ejemplos
A	Precede a objeto directo e indirecto	Ama *a* tus padres—Envía la carta *a* él
	Lugar — tiempo	Está *a* la entrada—Vendrá *a* las 6.
	modo — instrumento	Hecho *a* conciencia—Hecho *a* mano.
ANTE	Delante o en presencia de	*Ante* mí — *Ante* todo.
BAJO	Situación inferior, sujeción. . .	*Bajo* las estrellas—*Bajo* mis órdenes.
CABE	Equivale a *junto a, cerca de.*	Se usa sólo como arcaísmo deliberado.
CON	Compañía, medio, instrumento	Viene *con* él—Lo corta *con* cuchillo.
CONTRA	Oposición, contrariedad. . .	Todos *contra* él—*Contra* mi opinión.
DE	Propiedad, posesión, pertenencia	La casa *de* mi padre—Los derechos *del* hombre.
	Lugar, tiempo, origen	Viene *de* América—Trabaja *de* noche.
	modo, materia, asunto	Camina *de* puntillas—Clase *de* idiomas.
DESDE	Principio de lugar o de tiempo	*Desde* aquí — *Desde* mañana.
EN	Tiempo, lugar, modo	*En* enero—*En* Roma —*En* broma.
	Forma locuciones adverbiales	En general, en absoluto, etc.
ENTRE	Situación o estado o cooperación entre dos o más personas	*Entre* amigos—*Entre* dos fuegos. *Entre* unos y otros acabaron con todo.
HACIA	Lugar físico o figurado, tiempo. . .	Voy *hacia* mi casa—llegaré *hacia* la una
HASTA	Término de tiempo, lugar. . .	*Hasta* hoy—*Hasta* aquí—*Hasta* cinco
PARA	Destino, fin, movimiento, tiempo, relación. . .	Es *para* tí — Estudia *para* aprender Voy *para* mi casa—Esto es *para* hoy
POR	Agente (voz pasiva), fin	Fue pintado *por* mí— Lo hace *por* molestar.
	Lugar, tiempo, precio	*Por* tierra—*Por* la noche—*Por* docena
	modo, causa, medio. . .	Lo hace *por* gusto—Cerrado *por* duelo.
PRO	Significa *a* o *en favor de* (se usa muy poco)	Comité *pro* escuelas. Lotería *pro* ciegos.
SEGÚN	Relaciones de conformidad	*Según* la ley— *Según* su criterio
SIN	Privación o carencia de algo	*Sin* libertad— *Sin* dinero
	Excepción, exclusión. . .	*Sin* él—*Sin* mi consentimiento
SO	Equivale a *bajo de.* Se usa sólo delante de los sustantivos *capa, color, pena* y *pretexto*	*So* capa—*So* color—*So* pena—*So* pretexto
SOBRE	Elevación, proximidad, cercanía	Voló *sobre* las montañas—Vendrá *sobre* las dos.
TRAS	Lugar, orden...	Vive *tras* la montaña—*Tras* la tempestad, la calma.

PREPOSICIÓN

—Uso y significación

Construya oraciones en las que utilice las preposiciones abajo relacionadas con el significado que en cada caso se indica.

1) *a*   a) tiempo   _____

      b) lugar   _____

      c) modo   _____

2) *con*   a) compañía   _____

      b) instrumento   _____

3) *de*   a) posesión   _____

      b) lugar   _____

      c) tiempo   _____

      d) modo   _____

      e) materia   _____

4) *en*   a) tiempo   _____

      b) lugar   _____

      c) modo   _____

5) *hasta*   a) tiempo   _____

      b) lugar   _____

6) *para*   a) lugar   _____

      b) tiempo   _____

      c) destino   _____

7) *por*   a) agente   _____

      b) lugar   _____

      c) tiempo   _____

      d) causa   _____

con criterio **MORFOLÓGICO** (por su forma)	con criterio **SINTÁCTICO** (por su función)	con criterio **SEMÁNTICO** (por su significado)

Variaciones morfológicas

No tiene. La conjunción es morfológicamente INVARIABLE

Clasificación morfológica

Por su composición

Simples: que, si. . .

Compuestas
- aunque (aun + que)
- porque (por + que)

Definición sintáctica

La conjunción es básicamente un nexo *coordinante*. Une elementos de la misma clase (sustantivos entre sí, verbos entre sí, etc.) o elementos distintos, pero de función gramatical equivalente.
Frase conjuntiva
Todo conjunto de palabras que funciona como conjunción.
Clasificación sintáctica
A) COORDINANTES
   Unen elementos de la misma clase y proposiciones coordinadas.
   1) *Copulativas:* y-e-ni-que
   2) *Disyuntivas:* o-u
   3) *Distributivas: ya...ya*
   4) *Adversativas:* pero, empero, mas, sino
B) SUBORDINANTES
   Encabezan proposiciones subordinantes.
   1) *Causales:* porque, pues. . .
   2) *Finales:* a, para por. . .
   3) *Consecutivas* o *ilativas:* pues, luego, conque. . .
   4) *Condicionales:* si y los adverbios *como, cuando*
   5) *Concesivas:* aunque. . .
   6) *Completivas:* que y si
La conjunción puede sustantivarse. En tal caso, puede desempeñar las funciones propias del sustantivo (sujeto,etc.) y llevar sus mismos atributos (artículo y adjetivo).

Definición semántica

La conjunción no tiene significado por sí sola.
Es nulo su contenido semántico.

CONJUNCIÓN

—Clasificación general
—Cuadro sinóptico

Construya proposiciones de la clase que en cada caso se indica usando como nexo la conjunción o frase conjuntiva apropiada.

A) Proposiciones COORDINADAS:

1) copulativas   a) _____

                   b) _____

2) disyuntivas   a) _____

                   b) _____

3) distributivas   a) _____

                   b) _____

4) adversativas   a) _____

                   b) _____

B) Proposiciones SUBORDINADAS:

1) causales   a) _____

                b) _____

2) finales   a) _____

                b) _____

3) consecutivas   a) _____

                b) _____

4) condicionales   a) _____

                b) _____

5) concesivas   a) _____

                b) _____

6) completivas   a) _____

                b) _____

Definición sintáctica

Conjunción es la palabra o palabras (llamadas en este caso *frase conjuntiva*) que une elementos de la misma clase (susantivos entre sí, verbos entre sí, etc.) o bien elementos distintos, pero gramaticalmente equivalentes.
La conjunción es básicamente un nexo *coordinante*.

FRASE CONJUNTIVA Es toda expresión usada como conjunción. Está formada generalmente por dos o más elementos de diversa categoría, pero el conjunto tiene significación única. Algunas de las más usuales: *por lo tanto, por consiguiente, sin embargo, no obstante, es decir, o sea, en consecuencia*, etc.

CLASIFICACIÓN SINTÁCTICA, Según el tipo de relación que establecen.

A) CONJUNCIONES COORDINANTES

Unen elementos de la oración de función igual o equivalente y oraciones independientes, las que, al quedar unidas por la conjunción, son proposiciones coordinadas.

1) **COPULATIVAS**: Y-E-NI. Unen dos o más elementos para indicar un orden, es decir, sirven para enumerar: Tú *y* yo - *Ni* uno *ni* otro. . .
   También tienen valor copulativo la conjunción *que* (llueve *que* llueve = llueve y llueve); la preposición *con* (salió el padre *con* el hijo = salió el padre *y* el hijo) y el adverbio *más* (dos *más* dos son cuatro = dos *y* dos. . .),
   La conjunción copulativa puede repetirse delante de todos los miembros de una serie; pero comúnmente sólo se emplea para unir los dos últimos elementos: Pan, Amor *y* Fantasía.

2) **DISYUNTIVAS**: O-U (delante de O y HO). Son las que indican opción entre dos o más posibilidades ¿Es de plata *o* de níquel? —Uno *u* otro.
   También unen dos términos sinónimos o equivalentes: Reino Unido *o* Inglaterra

3) **DISTRIBUTIVAS**: ora. . .ora; ya. . .ya; bien. . .bien; sea. . .sea y otras.
   Más que conjunciones son palabras correlativas que funcionan como nexos cuando se hace referencia alternativamente a varias oraciones o elementos de la oración. A veces tienen sentido exclusivamente distributivo: cantaban alegremente *ora* cánticos religiosos, *ora* canciones de su tierra; pero generalmente se usan con sentido disyuntivo:debe pagar *sea* en efectivo *sea* en especie.

4) **ADVERSATIVAS**: PERO-EMPERO-MAS-SINO-AUNQUE
   Son las que oponen dos elementos y establecen una objeción.
   a) *Adversativas exclusivas* si la relación es de tal naturaleza que uno de los términos excluye al otro. Se construyen con *sino*: no son lobos *sino* perros. También se emplean como adversativas exclusivas otras palabras de distinto origen como *menos, antes* (adverbios), *salvo, excepto* (participios): todos los libros *menos* este; cada día, *excepto* el lunes. . .
   b) *Adversativas restrictivas* si establecen una objeción, no la exclusión. Se construyen con las otras conjunciones: Es bueno, *pero* holgazán; Es muy rico, su cultura, *empero*, es escasa; Prefiere las tierras húmedas, *mas* no en exceso, Es fuerte, *aunque* lento.

   EMPERO y MAS son de uso exclusivamente literario.

B) CONJUNCIONES SUBORDINANTES O INCLUIDAS

Son las que encabezan proposiciones incorporadas o incluidas.

CAUSALES   Las que expresan causa.
Conjunciones: porque, pues, que las más usuales.
Frases conjuntivas: ya que, puesto que, como que, de que, por razón de que, en vista de que, como quiera, a causa de que y otros muchos.
También expresa causa la preposición *por* delante de infinitivo.

FINALES   Las que expresan finalidad o intención. Los nexos más usados para indicar esta significación son las preposiciones *Para, a* y *Por*. También se emplean otras frases prepositivas y conjuntivas como: *Para que, a que, por que, a fin de, a fin de que, con el fin de que, con objeto de*, etc.

CONSECUTIVAS o ILATIVAS   Las que relacionan dos elementos demodo uqe el segundo expresa la consecuencia de lo dicho en el primero.
Conjunciones: PUES (que también puede ser causal), *Luego, Conque, Pues* puede ir cabezando la proposición, pero con frecuencia va detrás de la primera palabra.
Frases conjuntivas: Así pues, así que, por tanto, por lo tanto, por consiguiente, etc.

CONDICIONALES   Las que expresan condición.
Conjunciones: SI, que es la usual y característica.
Adverbios: COMO y CUANDO usados con valor condicional.
Frases conjuntivas: a condición de que, con tal que, siempre que, ya que, con tal que, etc.

CONCESIVAS   Las que expresan una objeción o repaso a lo dicho en la oración principal o subordinante.
Conjunciones: AUNQUE es la característica y de uso más frecuente.
Adverbios: *Así, como*, usados con valor concesivo.
Frases conjuntivas: *si bien, por más que, aun cuando, a pesar de que, siquiera, bien que, mal que*, etc.

COMPLETIVAS   Así llamadas *QUE* y *SI* cuando se emplean como conjunciones y van encabezando las siguientes proposiciones subordinadas:
1) Sustantivas de sujeto: No me gusta *que* hablen mal de nadie
2) Sustantivas de O.D. a) enunciativas   —Les ruego *que* me disculpen
b) interrogativas indirectas—Preguntó *si* faltaba alguien.

LA CONJUNCIÓN COMO NEXO EXTRAORACIONAL

Algunas conjunciones como *Y, E, NI, QUE* pueden ir encabezando una oración. En tal caso funcionan como nexo extraoracional que hace referencia a lo expresado anteriormente o que se deduce por el contexto. Este uso de las conjunciones es frecuente sobre todo en las oraciones interrogativas, exclamativas, exhortativas y desiderativas.

- ¿*Y* tú me lo preguntas?
- ¡*Que* Dios te bendiga!
- *Que* no salga nadie.
- ¡*Que* seas feliz!

CONJUNCIÓN

—Funciones sintácticas

Construya oraciones en las que entren las conjunciones, preposiciones o frases conjuntivas con el carácter que en cada caso se indica.

1) Y   como copulativa _____

2) O   como disyuntiva _____

3) PORQUE   como causal _____

4) PERO   como adversativa _____

5) MAS   como adversativa _____

6) SINO   como adversativa _____

7) QUE   como copulativa _____

8) QUE   como causal _____

9) PARA   como final_____

10) POR   como final_____

11) PUES   como consecutiva _____

12) SI   como condicional _____

13) AUNQUE   como concesiva _____

Subraye las conjunciones o frases conjuntivas y escriba, en la columna de la derecha, el carácter con que está empleada (copulativa, etc.).

1) Todo el día estuvo llueve que llueve. _____

2) Debo irme, que ya es muy tarde. _____

3) No puedo abrir, pues no tengo la llave. _____

4) Todo está listo, manos, pues, a la obra. _____

5) Siempre que viene, trae regalos. _____

6) Te lo daré siempre que te portes bien. _____

7) Ya te dí todo, conque no me pidas más. _____

8) No lo creo, aunque me lo jure._____

Subraye todas las conjunciones, preposiciones y adverbios empleados como conjunciones y frases conjuntivas. Escriba, en la columna de la derecha, la clasificación sintáctica que le corresponda.

clasificación sintáctica

1) Seguía intentando, por más que lo rechazaron varias veces. _____

2) Es un poco lento, pero muy eficiente. _____

3) Nada se puede hacer, pues el plazo ha terminado. _____

4) No tengo inconveniente, con tal de que sea la última vez. _____

5) No es asunto mío, sino tuyo. _____

6) Se portó correctamente, mas no con generosidad. _____

7) Deben comerlo, por más que no les guste. _____

8) Si no llega hoy, no podremos terminar a tiempo. _____

9) A fin de terminarlo pronto, trajo varios ayudantes. _____

10) Os daré el premio, siempre que estudies. _____

11) Nada sabemos aún, porque no ha llegado el informe. _____

12) Es culpa suya, que no mía. _____

13) Tarde o temprano se arrepentirá. _____

14) Uno y otro debe hacerse cargo del asunto. _____

15) Aunque parezca mentira, nadie lo ayudó. _____

16) Cerraron la puerta para que nadie entrase. _____

17) No se preocupe, pues todo saldrá bien. _____

18) Mostró una gran ansiedad e interés. _____

19) Siempre pedía más, aunque no siempre se lo daban. _____

20) Si no es así, me retiro de la sociedad. _____

con criterio **MORFOLÓGICO** (por su forma)	con criterio **SINTÁCTICO** (por su función)	con criterio **SEMÁNTICO** (por su significado)

Variaciones morfológicas

No tiene.

La interjección es morfológicamente INVARIABLE.

Son invariables tanto las interjecciones propias como las impropias.

Las impropias, que son sustantivos, adjetivos, verbos. . . tendrán variaciones morfológicas de género y número cuando se emplean en estas funciones; pero empleadas como intejecciones, su forma (sea singular o plural) es inmóvil, invariable, precisamente porque la interjección, como elemento incidental dentro de la oración, es INVARIABLE.

Definición sintáctica

La interjección es un elemento incidental dentro de la oración. No altera en nada la estructura de la oración en la que está incluida.

Funciones sintácticas

Sintácticamente la interjección funciona como:

1) *Oración*, cuando va en posición independiente.
   - *¡Bah!* Nadie lo sabrá.

2) *Proposición*, cuando va intercalada en la oración.
   - Aquellos años, ¡*ay*!, no volverán.

3) Simplemente como índice de actitud interrogativa o exclamativa
   - Te crees muy listo, ¿*eh*?
   - *¡Eh!*, ya llegué.

4) También puede funcionar como núcleo de complemento preposicional.
   - *¡Ah!* de todos los diablos.

Las interjecciones propias pueden sustantivarse. En tal caso, pueden desempeñar las funciones propias del sustantivo (sujeto, etc.) y llevar sus mismos atributos (el artículo y el adjetivo).

Definición semántica

La interjección es la palabra, palabras u oraciones que expresan en forma exclamativa o interrogativa, los estados de ánimo, sentimientos y emociones, tales como: alegría, tristeza, dolor, ira. . .

Son palabras carentes de contenido conceptual.

INTERJECCIÓN

—Clasificación general
—Cuadro sinóptico

Subraye todas las palabras empleadas como interjecciones y en la columna de la derecha escriba su clase (propia o impropia)

clase

1) ¡Ojo!, repase la suma cuidadosamente. _____

2) ¡Hola!, amigos, ¿cómo están? _____

3) ¡Cuidado!, no se acerquen demasiado. _____

4) ¡Ea!, vámonos ya. _____

5) ¡Caramba!, vaya frío que hace hoy. _____

6) ¡Qué!, ¿viene usted hoy a la ciudad? _____

7) Ahí hay un hombre que dice ¡ay de mí! _____

8) ¡Bah!, no es tanto como tú decías. _____

9) ¡Ya, ya!, eso no se lo cree nadie. _____

10) ¡Vaya, vaya!, conque usted es primo de Juan. _____

11) ¡Fuera!, ¿ya me oyen? _____

12) ¡Ay, ay, ay!, no debió hacer eso. _____

13) ¡Huy!, este trabajo no es para mí. _____

14) ¡Vaya, vaya!, conque usted es Mario. _____

15) ¡Oh!, es tan bonito que me gustaría comprarlo. _____

16) ¡Bravo!, compañero. _____

17) ¡Eh!, señor, ¿puede decirme qué hora es? _____

18) ¡Demonios!, aquí hay demasiado humo. _____

19) ¡Uf!, qué cansado estoy. _____

20) ¡Quia!, a mí no me engaña ese tipo. _____

INTERJECCIÓN

Es la palabra o conjunto de palabras (a veces oraciones completas) que expresan en forma exclamativa o interrogativa los estados de ánimo, sentimientos o emociones humanas, tales como alegría, tristeza, dolor, ira, pena, admiración, etc.

Clases de interjecciones

A) **Propias.**   Son las palabras empleadas únicamente como interjecciones. La mayoría son monosílabos, debido precisamente a su misma índole de expresión espontánea e incidental.
Las de uso más común son: ¡ah!, ¡eh!, ¡oh!, ¡uh!, ¡uf!, ¡uy!, ¡hala!, ¡ay!, ¡bah!, ¡ea!, ¡hola!, ¡hurra!, ¡ojalá!, ¡quia!
Las interjecciones propias son palabras carentes de contenido conceptual.

B) **Impropias.**   Son las palabras de categoría diversa (sustantivos, adjetivos, verbos o adverbios) empleadas como interjecciones.
Algunos ejemplos: ¡demonios!, ¡bravo!, ¡anda!, ¡fuera!, ¡ya!, ¡vaya!, ¡caracoles!, etc.

Funciones sintácticas

Sintácticamente, las interjecciones, tanto las propias como las impropias, funcionan como:

1) *oraciones,* cuando van en posición independiente.
  - ¡*Bah!* No es nada importante.
  - ¡*Bravo!* Así se hacen las cosas.

2) *proposiciones*; cuando van intercaladas o coordinadas.
  - Aquí estoy, ¡*ay de mí!* sufriendo las consecuencias.
  - Los ayudaré, pero ¡*ay de los holgazanes*!

3) *núcleo* de complemento preposicional.
  - ¡*oh!* de todos los diablos.

4) *índice* de actitud interrogativa o exclamativa.
  - Crees que tienes razón, ¿*eh?*
  - ¡*Eh*!, ya llegué.

Construcción

Cuando la interjección va intercalada entre elementos de la oración, no altera en nada la estructura de la oración, pues, igual que el vocativo, es simplemente un elemento incidental que se agrega con fines expresivos. En cualquier posición, independiente o intercalada, puede repetirse dos y hasta tres veces. El signo de admiración debe emplearse únicamente antes de la primera y después de la última palabra: ¡vaya, vaya!, ¡ay, ay, ay! En español debe usarse el signo de admiración delante y detrás: ¡ah!, ¡cuidado!

11-A INTERJECCIÓN —Funciones sintácticas

Construya oraciones en las que utilice una interjección del tipo que en cada caso se indica.

A) Interjección propia   1) _____

                                    2) _____

                                    3) _____

                                    4) _____

                                    5) _____

B) Interjección impropia   1) _____

                                    2) _____

                                    3) _____

                                    4) _____

                                    5) _____

Construya oraciones en las que utilice una interjección, propia o impropia, que sintácticamente funcione como:

A) oración independiente   1) _____

                                    2) _____

                                    3) _____

B) proposición incluida   1) _____

                                    2) _____

                                    3) _____

C) índice de actitud
    interrogativa o   1) _____
    exclamativa

                                    2) _____

                                    3) _____

| Tema **12** | LA ORACIÓN GRAMATICAL | —Unimembre
—Bimembre |

ORACIÓN GRAMATICAL

Es la unidad más pequeña del habla real con sentido completo en sí misma, con figura tonal propia y con autonomía sintáctica.

No es la oración una estructura de extensión determinada. Hay oraciones que contienen una sola palabra, mientras que otras oraciones comprenden muchas palabras. Lo que define una oración no es su extensión, sino el hecho de que tenga sentido en sí misma y no dependa de otra construcción, es decir, tenga autonomía sintáctica.

I) *ORACIÓN UNIMEMBRE.* Consta de un solo miembro o constituyente. Son unidades del habla con sentido en sí mismas, con figura tonal propia y con autonomía sintáctica; pero que no pueden dividirse en *sujeto* y *predicado.*

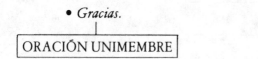

• *Gracias.*

ORACIÓN UNIMEMBRE

Caminar sin rumbo.

ORACIÓN UNIMEMBRE

II) *ORACIÓN BIMEMBRE.* Consta de dos miembros: *sujeto* y *predicado.*
Sujeto y predicado son los dos núcleos esenciales de la oración. Con este criterio puede definirse la oración bimembre como la estructura sintáctica que expresa la relación existente entre sujeto y predicado.

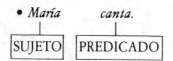

• *María*   *canta.*

SUJETO   PREDICADO

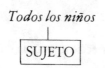

Todos los niños   *juegan en el patio.*

SUJETO   PREDICADO

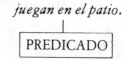

BIMEMBRACIÓN PARALELA

Existe cuando la oración puede dividirse en dos miembros, pero de tal naturaleza que ninguno de ellos funciona como sujeto.

• *Adelante*   *con los faroles.*
   A   B

FRASES

Cualquier grupo de palabras con nexo y con sentido, aunque no sentido completo, pues en ese caso ya sería oración. Así pues, las oraciones son frases; pero no viceversa. Por ejemplo, expresiones como: *Los gratos recuerdos de la infancia, por las razones de todos conocidas* son frases porque las palabras de cada grupo están relacionadas entre sí y tienen un significado, un sentido; pero ese sentido no es completo en sí mismo. Son frases, no oraciones.

LOCUCIONES

Son frases hechas. Se usan como fórmulas fijas, es decir, con todas sus palabras componentes en el mismo orden. Funcionan como adverbios, preposiciones, conjunciones, verbos, etc.

• *A la buena de Dios.*
• *Sin embargo.*
• *Por encima de. .*
• *Había que ver.*

LA ORACIÓN GRAMATICAL

—Unimembre
—Bimembre

Escriba la clasificación (*unimembre* o *bimembre*) que corresponda a cada una de las siguientes oraciones.

clasificación

1) Los asistentes salieron muy satisfechos. _____

2) ¡Maravilloso! _____

3) ¡Gracias a Dios! _____

4) Siéntense. _____

5) Por su boca muere el pez. _____

6) ¡Fuera! _____

7) Esperaré. _____

8) Las apariencias engañan. _____

9) Ansiedad en el público. _____

10) ¡Silencio! _____

Construya cinco oraciones unimembres.

1) _____

2) _____

3) _____

4) _____

5) _____

Construya cinco oraciones *bimembres*.

1) _____

2) _____

3) _____

4) _____

5) _____

Definición sintáctica

La oración unimembre tiene sentido en sí misma, autonomía sintáctica y figura propia, pero no puede dividir- se en Sujeto y Predicado.

El único miembro o constituyente de este tipo de oraciones puede ser cualquiera de las partes de la oración, por sí sola o la construcción correspondiente. Así pues, las oraciones unimembres se clasifican en:

1) **SUSTANTIVAS**
   a) Sustantivo solo — ¡Silencio!
   b) Construcción sustantiva — Una lucha sin tregua.

2) **ADJETIVAS**
   a) Adjetivo solo — Culpable.
   b) Construcción adjetiva — Culpable de asesinato.

3) **VERBALES**
   a) Verbo solo (impersonal) — Llueve.
   b) Construcción verbal (imp.) — Llueve a cántaros.

4) **VERBOIDALES**
   a) Verboide solo — Caminar.
   b) Construcción verboidal — Caminar sin rumbo.

5) **ADVERBIALES**
   a) Adverbio solo — Aquí.
   b) Construcción adverbial — Aquí aproximadamente.

6) **PREPOSICIONALES** (Construcción preposicional) — Con las botas puestas.

7) **COMPARATIVAS** (Construcción preposicional) — Como la negra noche.

Por su carácter sintético, las interjecciones, se emplean mucho como oraciones unimembres, tanto las propias (*¡hola!*, *¡ah!*, etc.) como las impropias (*¡vaya!*, *¡bueno!*, etc.), especialmente en el habla coloquial.

Ejercicios

Tema

13 ORACIONES UNIMEMBRES —Clasificación

Subraye todas las oraciones unimembres (sólo las unimembres), no las bimembres, que tengan el sujeto o el verbo callado.

1) La noche se acercaba. Llovía. El viento soplaba con furor.

2) Por un mundo mejor. Esa era nuestra consigna.

3) Gracias. Muchas gracias, amigos. Mi agradecimiento será eterno.

4) ¡Qué espectáculo! Sí. Aquello era la culminación de nuestro sueño.

5) ¡Adiós! ¿Será el adiós final? Adiós. Adiós doloroso, desgarrador.

6) Nacer. Nacer y morir. La vida es así.

7) Perdón. No lo había visto a usted.

8) ¿Cómo te sientes, Juan? ¡Como los ángeles!

9) Los ruidos habían quedado atrás. Silencio. Silencio total.

10) Así se burlan de la justicia. ¡Culpable! ¡Desvergonzados, ellos!

Construya oraciones unimembres de los siguientes tipos.

1) sustantivas _____

2) adjetivas _____

3) verbales _____

4) verboidales _____

5) adverbiales _____

6) construcción preposicional _____

7) construcción comparativa _____

partición bimembre	funciones sintácticas	
SUJETO	NÚCLEO	Es siempre un sustantivo o elemento sustantivado: 1) Sustantivo solo 2) Frase sustantiva 3) Adjetivo solo o construcción con valor adjetivo 4) Pronombre (que es sustantivo) 5) Verbo sustantivado (verboide infinitivo) 6) Adverbio solo o construcción con valor adverbial 7) Preposición, sustantivada 8) Conjunción sustantivada 9) Interjección sustantivada 10) Proposición incorporada

	MODIFICADORES	A) DIRECTOS o ATRIBUTOS
		    (sin nexo) 1) Artículo (delante únicamente)
		               2) Adjetivo (delante o detrás)
		               3) Adjetivo predicativo
		               4) Sustantivo predicativo
		               5) Sustantivo en aposición
		               6) Gerundio en función adjetiva (muy raro)
		B) INDIRECTOS
		    (con nexo) 1) Complemento preposicional
		               2) Complemento comparativo
		               3) Proposición incorporada

PREDICADO	NÚCLEO	El verbo es el núcleo o palabra esencial del predicado.
		A) Con el verbo expreso: PREDICADO VERBAL
		B) Con el verbo callado: PREDICADO NOMINAL:
		          1) Sustantivo
		          2) Adjetivo
		          3) Complemento preposicional
		          4) Complemento comparativo
		       PREDICADO ADVERBIAL
		          1) Infinitivo
		          2) Gerundio

	MODIFICADORES	A) MONOVALENTES (modifican al verbo únicamente)
		          OBJETO DIRECTO (con nexo o sin él)
		          OBJETO INDIRECTO (con nexo o sin él)
		          OBJETO DE INTERÉS (sin nexo)
		          CIRCUNSTANCIAL (con nexo o sin él)
		          AGENTE (en la voz pasiva)
		B) BIVALENTES (modifica al verbo y al sustantivo sea este
		                Sujeto u Objeto Directo)
		                PREDICATIVO a) adjetivo
		                               b) sustantivo

VOCATIVO   Es un elemento incidental, que no pertenece ni al sujeto ni al predicado de la oración en que está incluido.

ELEMENTOS DE LA ORACIÓN BIMEMBRE

—Clasificación general
—Cuadro sinóptico

Haga la partición sujeto-predicado (y del vocativo, cuando exista) de las siguientes oraciones bimembres y escriba las palabras que corresponden a una u otra función, según se indica en cada caso.

1) Los habitantes de la ciudad recibieron la noticia con gran alegría.
   SUJETO _____
     a) núcleo del sujeto _____
     b) modificadores del núcleo _____
   PREDICADO _____
     a) núcleo del predicado _____
     b) modificadores del núcleo _____
   VOCATIVO _____

2) Señores, necesito su colaboración.
   SUJETO _____
     a) núcleo del sujeto _____
     b) modificadores del núcleo _____
   PREDICADO _____
     a) núcleo del predicado _____
     b) modificadores del núcleo _____
   VOCATIVO _____

3) Cada año, las bellezas de la región atraen muchos visitantes.
   SUJETO _____
     a) núcleo del sujeto _____
     b) modificadores del núcleo _____
   PREDICADO _____
     a) núcleo del predicado _____
     b) modificadores del núcleo _____
   VOCATIVO _____

4) En tales circunstancias, mis queridos amigos, la tarea no fue fácil.
   SUJETO _____
     a) núcleo del sujeto _____
     b) modificadores del núcleo _____
   PREDICADO _____
     a) núcleo del predicado _____
     b) modificadores del núcleo _____
   VOCATIVO _____

ELEMENTOS DEL SUJETO

La función de sujeto es propia del sustantivo. Por tanto, el núcleo del sujeto es siempre un sustantivo o elemento sustantivado.

Basta un solo sustantivo para formar el sujeto, si bien éste puede ir acompañado de uno o varios modificadores.

Así pues, todas las palabras que conforman el sujeto pertenecen a alguna de las siguientes categorías:

A) NÚCLEO

Siempre es un sustantivo o elemento sustantivado. En consecuencia, pueden funcionar como núcleo del sujeto las siguientes palabras:

1) Sustantivo solo	Entonces surgieron *protestas*.
2) Frase sustantiva	*El del sombrero* se fue.
3) Adjetivo sustantivado	*El justo* será premiado.
4) Pronombre (que es sustantivo)	*Nadie* se quedó atrás.
5) Verbo sustantivado (verboide)	*Caminar* es saludable.
6) Adverbio, sustantivado	*Hoy* es domingo.
7) Preposición sustantivada	*El sobre* está cerrado.
8) Conjunción sustantivada	*El porqué* está claro.
9) Interjección sustantivada	*Un ¡ay!* aterrador se oyó.
10) Proposición incorporada	Conviene que nadie se entere.

B) MODIFICADORES

1) DIRECTOS (sin nexo)

a) Atributos: artículo-*El* maestro ya llegó.

adjetivo-*El joven* maestro ya llegó.

b) Adjetivo predicativo

La noche está *fría*.

c) Sustantivo predicativo

Obras son *amores*

d) Sustantivo en aposición

Habló Luis, *el ingeniero*.

e) Construcción sustantiva en aposición

Habló Luis, *el jefe del grupo*.

f) Gerundio en función adjetiva

Brotó agua *hirviendo*.

(caso muy raro)

2) INDIRECTOS (con nexo)

a) Complemento preposicional

Las fresas *con crema* son sabrosas.

b) Complemento comparativo

Flores, *como éstas*, son caras.

c) Proposición

El libro *que te di*, es mío.

CLASIFICACIÓN DEL SUJETO

1) SUJETO SIMPLE. Si tiene un solo núcleo. El núcleo puede ir solo o acompañado de uno o más modificadores.

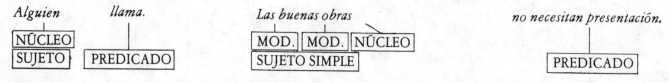

Alguien — NÚCLEO / SUJETO   *llama.* — PREDICADO   *Las buenas obras* — MOD. MOD. NÚCLEO / SUJETO SIMPLE   *no necesitan presentación.* — PREDICADO

2) **SUJETO COMPUESTO.** Si tiene dos o más núcleos, con modificadores o sin ellos.

Julio y Mario		trabajan.	Llegaron	todos	los	parientes,	amigos e invitados
NÚCLEO	NÚCLEO			MODIFICADOR	MODIFICADOR	NÚCLEO	NÚCLEO	NÚCLEO
SUJETO COMPUESTO		PREDICADO	PREDICADO	SUJETO		COMPUESTO	

Los sujetos compuestos pueden ir yuxtapuestos, es decir, separados por pausas y en la escritura, por comas o unidos por conjunciones coordinantes copulativas: y, e, ni, o.

3) **SUJETO TÁCITO.** Es el sujeto que no se expresa, pero que se sobreentiende por la forma que adopta el verbo o por el contexto.

• *Necesito* dinero. Por la forma del verbo (*necesito*), el sujeto únicamente puede ser *yo*.

• El cazador *vio* su presa, *apuntó* y *disparó* con precisión.

El cazador es el sujeto del verbo *vio* y también de *apuntó* y *disparó*.

Si no se expresa junto a estos últimos es por entenderse sin lugar a dudas.

4) **SUJETO INDETERMINADO.** Es el sujeto que no se expresa ni puede precisarse por el contexto.

USO DEL SUJETO

Cuando el sujeto es pronombre personal, normalmente va callado. La razón es sencilla: las desinencias de la conjugación en español son tan claras y variadas que señalan, sin lugar a dudas, la persona gramatical que es sujeto, por lo que resulta casi siempre innecesario y redundante el uso del pronombre. Las formas del verbo contienen en sí mismas los dos elementos esenciales de la oración: el sujeto y el predicado. Debido a este poder sintético de las formas verbales, existe en español una gran libertad para combinar los elementos de la oración en posiciones diversas, característica peculiar del español en contraste con otros idiomas (el inglés, y el francés, por ejemplo), que obligadamente deben anteponer el pronombre-sujeto al verbo, pues este no tiene desinencia para cada persona gramatical.

Sin embargo, también en español puede usarse correctamente por razones de énfasis expresivo o para evitar posible ambigüedad.

• Ya lo suponía *yo*   • *Yo* no lo creo.   • Apareció *ella*.

Ejercicios

Tema	ELEMENTOS DE LA	—SUJETO
14-A	**ORACIÓN BIMEMBRE**	—Núcleo y modificadores

Subraye todas las palabras que pertenezcan al sujeto en cada una de las siguientes oraciones y escriba, en la columna de la derecha, la palabra que funciona como núcleo del sujeto.

	núcleo del sujeto

1) Nadie, joven o viejo, fuerte o débil, salió con vida. _____

2) No está claro el porqué de todo esto. _____

3) Él y ella, jóvenes, hermosos, ven la vida con entusiasmo. _____

4) Después de la tempestad viene la calma.   _____

5) El trabajar sin orden no da buenos resultados.   _____

6) Mañana será otro día.   _____

7) Tengo confianza en todos ustedes.   _____

8) Los malvados no quedarán sin castigo.   _____

9) Aquel ¡ay! aterrador jamás se borrará de mi mente.   _____

10) Aquellos jóvenes valientes dieron la vida por su ideal.   _____

11) Ustedes, señores y señoras, son los del mérito.   _____

12) Estos se quedarán aquí hasta mañana.   _____

13) Algun día comprenderás estas cosas.   _____

14) Todos los años, en esta fecha, aparecen las golondrinas.   _____

15) Para mayor seguridad, todos ustedes irán delante.   _____

16) Con gran estrépito, dieron en tierra caballo y caballero.   _____

17) Entonces, él mismo se dio cuenta del error.   _____

18) El comer con exceso no es bueno.   _____

19) Nadar es un buen ejercicio.   _____

20) El agua y la tierra no son recursos ilimitados.   _____

Construya oraciones con la clase de sujetos que en cada caso se indica.

A) Con sujeto cuyo núcleo sea:

    1) sustantivo solo   _____

    2) construcción sustantiva   _____

    3) adjetivo sustantivado   _____

    4) pronombre   _____

    5) verboide   _____

    6) adverbio sustantivado   _____

    7) preposición sustantivada   _____

    8) conjunción sustantivada   _____

    9) interjección sustantivada   _____

    10) proposición sustantiva

B) Con sujeto que lleve como modificador directo:

    1) un artículo   _____

    2) un adjetivo-atributo   _____

    3) un adjetivo-predicativo   _____

    4) un sustantivo-predicativo   _____

C) Con sujeto de las siguientes clases:

    1) sujeto simple   _____

    2) sujeto compuesto   _____

    3) sujeto tácito   _____

    4) sujeto indeterminado   _____

PREDICADO

Todo lo que se dice, se predica (de ahí su denominación de *predicado*) del sujeto. La palabra que en el predicado indica persona y número del sujeto, además de tiempo y modo de la oración es el verbo. El·verbo es el núcleo o palabra esencial del predicado.

PREDICADO VERBAL. Es el que lleva expreso el verbo, que es su núcleo.

a) Predicado verbal *simple* (si tiene un sólo núcleo o verbo)

- Todos *tienen* la misma aspiración.

b) predicado verbal *compuesto* (si tiene dos o más núcleos o verbos)

1) Los núcleos pueden estar coordinados por pausas (sin nexo alguno)

- Los niños *corren*, *saltan*, *nadan* todo el día.

2) Los núcleos pueden estar coordinados por nexos: y, e, ni, o, u.

- Este muchacho ya *habla* y se *comporta* como un hombre.

ELEMENTOS DEL PREDICADO VERBAL

A) **NÚCLEO** El núcleo del predicado verbal es siempre el *verbo*.

B) **MODIFICADORES**

1) *Objeto directo*	a) sin nexo	Come *pan*.
	b) con nexo	Te presento *a Juan*.
2) *Objeto indirecto*	a) sin nexo	*Le* envía saludos.
	b) con nexo	Entregue esto *a Luis*.
3) *Objeto de interés* (no es ni O.D. ni O.I.)	a) sin nexo	*Me* tomé la libertad.
4) *Circunstancial*	a) sin nexo	Llovió *todo el día*.
	b) con nexo	Camina *por el campo*.
5) *Agente* (en la voz pasiva)		Fue aprobado *por el Congreso*.
6) *Predicativo* (modifica al verbo y al sujeto)	a) Adjetivo	El paisaje es *hermoso*.
	b) Sustantivo	Su ayuda es *bendición*.
7) *Proposición incorporada*		Iremos *cuando yo ordene*.

ELEMENTOS DE LA ORACIÓN BIMEMBRE

—Predicado verbal
—Núcleo y modificadores

Subraye todas las palabras que pertenezcan al predicado: el núcleo, con doble raya (══════) y con una raya (───────), los modificadores, indicando además la clase de éstos: O.D. (objeto directo), O.I. (objeto indirecto), etc.

1) Cada día, este buen hombre les entrega la comida necesaria.
   Circ.   O.I núcleo   O.D.

2) El avión salió a las ocho.

3) Cada vez se muestra más entusiasmado con el proyecto.

4) El tiempo parece propicio para la siembra.

5) Todos los presentes aplaudieron con entusiasmo.

6) Espero la llegada de mis parientes mañana por la noche.

7) Ninguno de los allí presentes protestó.

8) Todas las construcciones fueron arrasadas por un feroz incendio.

9) El tiempo apremia.

10) Trataremos este asunto cuando sea el momento oportuno.

11) Su generosidad es proverbial.

12) Les daré más información sobre este punto la semana entrante.

13) Todos los animales, grandes y pequeños, desaparecieron misteriosamente.

14) Los vencedores se mostraron muy generosos.

15) Muchos árboles fueron derribados por la tormenta.

PREDICATIVO

Es toda palabra o construcción que modifica simultáneamente tanto al verbo como al sujeto, sea éste sustantivo u otro elemento sustantivado. Queda subordinado a ambos y concuerda con el sujeto en género y número.

Construcción del Predicativo

La función de predicativo puede ser desempeñada por cualquiera de las siguientes categorías gramaticales:

1) Adjetivo solo   El campo está *seco*.

2) Construcción con valor adjetivo   Juan está *de mal humor*.

3) Sustantivo en función predicativa   Juan es *maestro*.

4) Pronombre en función predicativa   Yo soy *aquél* que ayer...

5) Verboide (infinitivo) en función predicativa   Esto es *robar*.

6) El adverbio *así* (que funciona como adjetivo
   predicativo con los verbos copulativos)   Las cosas son *así*.

7) Construcción preposicional (los nexos más comunes son *sin*,
   de y *con*).

   a) con la preposición *sin*   El árbol está *sin hojas*.

   b) con la preposición *de*   Este pastel es *de miel*.

   c) con la preposición *con*   El niño está *con gripe*.

La construcción preposicional puede llevar como término otra construcción preposicional:

Todos mis amigos son *de por aquí*.

Preposición	término
Predicativo	

8) Construcción comparativa:

   a) con el nexo *como*   Luis se portó *como amigo*.

   b) con el nexo *cual*   Su voz sonaba *cual música celestial*.

La construcción comparativa puede tener como término una construcción preposicional:

Su color era *como de cera*.

nexo	const. prep.
predicativo	

El predicativo siempre concuerda en género y en número con el sujeto, aún cuando éste vaya callado. Así, se dirá:
- Es muy *atento* (si el sujeto entendido es *él*) —Son atentos (si el sujeto entendido es *ellos*)
- Es muy *atenta* (si el sujeto entendido es *ella*) —Son atentas (si el sujeto entendido son *ellas*)

ELEMENTOS DE LA ORACIÓN BIMEMBRE

—Predicativo

Subraye todas las palabras que pertenezcan al predicativo.

1) Se portó como todo un señor.

2) Así somos los de esta tierra.

3) Viajar es vivir.

4) Yo no soy ése que tú te imaginas.

5) Las piezas eran como de juguete.

6) Miriam es prima de Rafael.

7) Este árbol se mantiene con flores mucho tiempo.

8) El niño, desde hace dos días, está con fiebre.

9) Toda la montaña está sin árboles.

10) Estoy muy ocupado en los preparativos.

Construya oraciones en las que utilice un predicativo formado con los elementos oracionales que en cada caso se indican.

1) adjetivo solo _____

2) construcción adjetiva _____

3) sustantivo solo _____

4) construcción sustantiva _____

5) pronombre _____

6) construcción preposicional _____

7) construcción comparativa _____

8) verboide (infinitivo) _____

9) adverbio _____

PREDICADOS NO VERBALES. Son los construidos sin verbo (*)

PREDICADO NOMINAL

Es el predicado no verbal construido con un adjetivo, sustantivo u otra construcción atribuidos al sujeto, en función adjetiva.

Construcción del predicado nominal

1) Con un solo adjetivo   *Sabroso*, el pastel.

2) Con construcción adjetiva   *Muy guapa*, la niña.

3) Con un solo sustantivo   *Hombre*, este amigo tuyo.

4) Con construcción sustantiva   *Todo un hombre*, este amigo tuyo.

5) Con complemento preposicional   *Sin sabor*, aquella comida.

6) Con complemento comparativo   *Como río de fuego*, aquella lava.

Características del predicado nominal

1) Cuando es adjetivo, concuerda con el sujeto (en género y número)
   • *Sabroso* el pastel - *Guapa*, la niña - *Sabrosos*, los pasteles...
2) Cuando es sustantivo, puede funcionar como apósito del sustantivo-sujeto
   • *Todo un hombre*, tu amigo = Tu amigo, *todo un hombre*, es simpático.
        Pred. nominal   apósito
3) Suele construirse junto al sujeto (delante o detrás), separado por pausa
   • delante: *Aburrido*, el público. Detrás: El público, *aburrido*.
4) Puede transformarse en predicativo con solo introducir un verbo copulativo.
   • *Muy guapa*, la niña   La niña es *muy guapa*
      pred. nominal   predicativo

PREDICATIVO ADVERBIAL

Es el predicado no verbal, construido con un adverbio o construcción de valor adverbial

---

1) con adverbio   *Arriba*, la nieve; *abajo*, el río.
2) con construcción adverbial   *En el fondo del mar*, silencio.

(*) Tradicionalmente se clasificaban como oraciones de *predicado nominal* las formadas con los verbos copulativos *ser* y *estar* y asimilados. Contrariamente, la tendencia actual es considerar como *predicado verbal* a todo predicado en el que aparezca un verbo, cualquiera sea la clase de éste y como predicado no verbal a todo predicado que no lleve verbo.

PREDICADO VERBOIDAL

Es el predicado no verbal construido con un verboide que puede ser infinitivo o gerundio. Es de uso poco frecuente.

1) con infinitivo   *¿Rendirme* yo?
2) con gerundio   Todos *divirtiéndose mucho.*

ELEMENTOS DE LA ORACIÓN BIMEMBRE

—PREDICADOS NO VERBALES
—Nominal
—Adverbial
—Verboidal

Subraye todas las palabras que formen el predicado no verbal y escriba la clase del mismo (*nominal, adverbial* o *verboidal*).

clase de predicado

1) La situación, como siempre. _____

2) Muy interesante, la novela. _____

3) En el fondo de su alma, una gran amargura. _____

4) Demasiado arrogante, aquel muchacho. _____

5) La reunión con los dirigentes, todo un éxito. _____

6) Siempre, ilusiones vanas. _____

7) ¿Llorar yo? _____

8) Allá arriba, silencio absoluto. _____

9) Puras tonterías, este señor. _____

10) Toda la familia lamentando su ausencia. _____

Construya oraciones con predicado no verbal del tipo que en cada caso se indica.

A) Con predicado nominal.   1) _____
   2) _____
   3) _____

B) Con predicado adverbial.   1) _____
   2) _____
   3) _____

C) Con predicado verboidal.   1) _____
   2) _____
   3) _____

La concordancia en español es la igualdad de género y número entre el sustantivo y sus atributos (adjetivo y artículo) y la igualdad de número y persona entre el verbo y su sujeto.

Aunque se producen excepciones, hay unas reglas generales que rigen la concordancia gramatical como un modelo ideal que la lengua impone y los hablantes, más o menos conscientemente, aspiran a realizar. Consecuentemente, en caso de duda, sirven de norma: la concordancia que ellas piden es la que se considera correcta.

REGLAS GENERALES DE LA CONCORDANCIA GRAMATICAL

Primera regla general

a) Cuando el verbo se refiera a un solo sujeto, concuerda con él en número y persona.

- El niño *duerme*.
- Los niños *duermen*.
- ¡María, *estás* muy linda!
- Yo no *pienso* así.

b) Cuando el adjetivo se refiere a un solo sustantivo, concuerda con él en género y número.

- Río *caudaloso*.
- Tierra *alta*.
- Ríos *caudalosos*.
- Tierras *altas*.

Segunda regla general

a) Cuando el verbo se refiere a varios sujetos, debe ir en plural. Si concurren personas diferentes, la 2a. es preferida a la 3a. y la 1a. a todas.

- El *agua* y el *aire son* vitales.
- *Ríos* y *lagos están* helados.
- *Tú* y *yo somos* amigos.
- *Él* y *yo somos* amigos.
- *Tú* y *él son* amigos.

Dos sujetos en singular = verbo en plural.
Dos sujetos en plural = verbo en plural.
1a. y 2a. persona = predomina la 1a.
1a. y 3a. persona = predomina la 1a.
2a. y 3a. persona = predomina la 2a.

b) Cuando el adjetivo se refiere a varios sustantivos, va en plural. Si los sustantivos son de distinto género, predomina el masculino.

- *Luis* y *Pedro* son *vecinos*.
- *Padres* e *hijos* son *amables*.
- *Luis* y *María* son *vecinos*.

Dos sustantivos en singular = adjetivo en plural.
Dos sustantivos en plural = adjetivo en plural.
Sustantivos masculino y femenino = adjetivo masculino.

CASOS ESPECIALES DE CONCORDANCIA (*)

Adjetivo referido a varios sustantivos
1) Cuando el adjetivo precede a los sustantivos, generalmente concuerda con el más próximo: Su bien *cultivada* aptitud y gusto por la música.
2) Cuando el adjetivo va detrás de los sustantivos, casi siempre concuerda con ellos en plural, es decir, se aplica la regla general: capacidad y honradez *comprobadas*, pero a veces se usa en singular para indicar que se quiere calificar exclusiva o preferentemente al sustantivo más próximo: su ambición, decisión y carácter *decidido* lo llevaron al triunfo.
3) A veces el adjetivo se usa en singular o en plural, según se sientan como un todo o como conceptos separados los sustantivos a los que acompaña.
   - Lengua y Literatura *española*. (sentido unitario)
   - Lengua y Literatura *españolas*.

Género gramatical y sexo diferentes
Ello ocurre con títulos y tratamientos como *usted, santidad, usía, señoría, excelencia, eminencia, alteza, majestad*, etc. Tales palabras concuerdan con adjetivos masculino o femenino, según el sexo de la persona a quien se aplican: Usted es *generoso* (referido a él) —Su Santidad está *complacido*.

Usted es *generosa* (referido a ella) —Su Excelencia se ve *cansado*.

Concordancia de los colectivos
Sustantivos como mitad, tercio, parte, resto y otros puede llevar el verbo y el adjetivo en plural.
   - Nos atacaron los bandidos, *parte eran* hombres, *parte eran* mujeres.

Pluralidad gramatical y sentido unitario
1) Dos o más sujetos pueden sentirse tan asociados que permiten usar el verbo en singular, aunque también pueden usarse en plural.
   - La entrada y salida *debe* (o *deben*) ser *puntual* (o *puntuales*)
2) Ocurre lo mismo con dos o más sujetos que sean infinitivos:
   - Caminar, correr y nadar *activa* (o *activan*) la circulación sanguínea.
3) Cuando dos o más sujetos preceden al verbo, casi siempre se sigue la regla general (verbo en plural), ya que la pluralidad es muy visible.
   - El odio y la envidia no *son* buenos consejeros.
4) Contrariamente, cuando el verbo precede a los sujetos, existe libertad de concordancia que permite concertarlo con el más próximo (en singular), o bien en plural.
   - No me *interesa* (o *interesan*) su dinero, poder ni influencias.
5) También tiende a concertar con el sujeto más próximo el verbo que va intercalado entre varios sujetos:
   - Su calidad *es* aceptable y su precio para nuestras necesidades.
6) El verbo copulativo SER a veces concuerda con el predicativo, no con el sujeto. Esta concordancia se usa casi exclusivamente en el habla coloquial.
   - Mi salario *son* 500 pesos. (en vez de Mi salario *es*...)

DISCORDANCIA DELIBERADA
No es raro, especialmente en el habla coloquial, usar una discordancia deliberada con fines estilísticos. En tal caso se encuentran el llamado "plural de modestia" y el "plural mayestático". Así un orador o autor dice de sí mismo: *creemos* que esto es así... Del mismo modo, el Papa: Nos, queridos hijos, *rogamos* por la paz... También existe una discordancia deliberada en frases como: ¿Qué es *eso*? ¡Mira *eso*!, si están empleadas para designar personas. El uso del demostrativo neutro para designar personas (que naturalmente son masculino o femenino) confiere a la expresión un marcado matiz despectivo.

(*) Los casos especiales que ofrecen algunos pronombres no se mencionan aquí. Se estudian en los temas correspondientes.

ELEMENTOS DE LA
ORACIÓN BIMEMBRE
—Concordancia

Escriba, en los espacios en blanco, el sujeto que requiera la concordancia del verbo existente en la oración.

1) _____llegaron demasiado tarde.

2) En esta oportunidad, _____no tuvo suerte.

3) _____son indispensables para la vida.

4) Esta semana, _____os quedaréis en casa.

5) _____somos parientes.

6) _____y_____arruinaron la cosecha.

7) Para tal empresa, _____no estoy preparado.

8) _____y_____estudian en el mismo colegio.

9) Mi querido amigo,_____es muy amable.

10) _____lo has reconocido.

Escriba, en los espacios en blanco, el verbo en el número y persona que exija el sujeto o sujetos existentes en la oración.

1) Justos y pecadores _____por igual.

2) La nieve y el agua_____serios daños.

3) Luis, Pedro y sus hermanos_____juntos.

4) No_____su riqueza, poder ni fama.

5) Las existencias_____agotadas.

6) Mi gran preocupación_____estos niños.

7) Tú y él_____ser siempre buenos amigos.

8) Su buen gusto y finos modales_____de todos conocidos.

9) La compra y venta_____a las siete.

10) Mi remuneración_____doscientos pesos.

Escriba, en los espacios en blanco, el adjetivo (en su forma masculina o femenina, singular o plural) que exija el sustantivo o sustantivos con los que debe concordar.

1) Su familia, amigos y vecinos me parecen muy ——————————————————————————————.

2) Luis y Antonio son—————————————————————————————————————.

3) Es un asunto muy ————————————————————————————————————.

4) Madre e hijos fueron ———————————————————————————————————.

5) Es una montaña demasiado ———————————————————————————————.

6) Es una escuela especial para niños y niñas——————————————————————————.

7) Sus aspiraciones me parecen ———————————————————————————————.

8) Geografía e Historia ——————————————————————————————————.

9) Los asistentes se sintieron muy ——————————————————————————————.

10) Jorge y María son ———————————————————————————————————.

11) Profesor, usted es muy——————en aquel país.

12) Usted, doña María, ha sido muy——————con nosotros.

13) Su Majestad la Reina fue——————con pompa.

14) Su majestad el Rey fue——————ayer.

15) Su Eminencia el Cardenal es ya muy——————————————————————————.

16) Su Excelencia el Gobernador se siente muy ————————————————————————.

17) Su Excelencia la Gobernadora se siente muy ———————————————————————.

18) Su bien——————voz y tono brillante gustan mucho al público.

19) Su capacidad y honradez——————lo hacen muy útil.

20) Rosas y tulipanes son——————en grandes cantidades.

Es un sustantivo o construcción sustantiva que se intercala (en cualquier posición) en la oración sin formar parte de ella estructuralmente, pues no pertenece ni al sujeto ni al predicado. Por ello puede cambiarse sin que varíe el sentido de la oración.

NATURALEZA DEL VOCATIVO

El vocativo es un elemento incidental dentro de la oración. No es modificador de ningún otro elemento de la oración, por lo que no concuerda con ninguna palabra, ni del sujeto, ni del predicado, ni puede subordinarse a ninguna de ellas. No puede coordinarse con la oración donde está incluido. Puede suprimirse sin que cambie el sentido de la oración.

* Te hablaré, *amigo mío,* con claridad = Te hablaré con claridad, *amigo mío.*

Puede cambiarse su posición sin que cambie el sentido de la oración.

* No se desanimen, *compañeros* = *Compañeros,* no se desanimen

CONSTRUCCIÓN DEL VOCATIVO

1) La persona del vocativo puede ser la misma que la de la oración:
   * Bien te lo *has ganado, hermano.*
        2a. pers.   2a. pers.
   * o ser diferente:
   * *Estoy, amigos mios,* realmente decidido.
        1a. pers. 2a. pers.

2) Puede colocarse prácticamente en cualquier posición dentro de la oración; pero casi siempre va intercalada entre la primera y segunda palabra: Nadie, *amigo,* te obligó a ello.
3) También puede colocarse en posición independiente. En tal caso, forma otra oración por sí mismo:
   * *¡Señora!* ¿Cómo se atreve?
4) El vocativo, como cualquier otro sustantivo, puede estar modificado por uno o más modificadores.
   * Espero su colaboración, *estimado colega.*
   * Hoy, *mis queridos amigos,* es una fecha memorable.

Subraye todas las palabras que sean vocativos.

1) Lo siento, señores, pero no puedo ayudarlos.

2) ¡Oh noble y famosa tierra!, permíteme contemplarte con respeto.

3) No creas que tú eres el mejor, hermano.

4) Estoy, compañeros del alma, desilusionado completamente.

5) Nadie, ¡oh Dios mío!, me hace caso.

6) No te desanimes, ¡hombre!

7) A tí va dirigida, mi estimado lector.

8) Que Dios te bendiga hijo mío.

9) Carlos, esta carta es para usted.

10) ¡Niños!, por favor, respeten a los mayores.

Construya oraciones con vocativos en las siguientes posiciones:

A) encabezando la oración.

1) _____

2) _____

3) _____

4) _____

5) _____

B) intercalados entre los elementos de la oración.

1) _____

2) _____

3) _____

4) _____

5) _____

Por su estructura, las oraciones pueden ser SIMPLES o COMPUESTAS.

SIMPLES

Será simple toda oración formada únicamente por una estructura, sea ésta *unimembre* o *bimembre*.
En la práctica del análisis gramatical se reconocerá porque tiene un solo predicado (verbo). Por supuesto, las perífrasis verbales (tiempos compuestos, voz pasiva y otras formadas con verbos auxiliares) cuentan como un solo verbo.

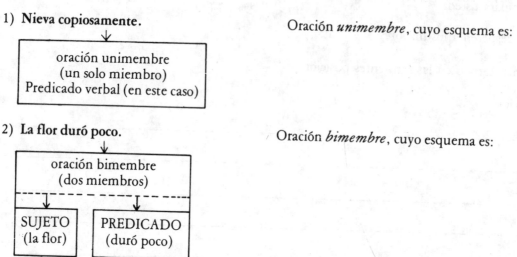

1) **Nieva copiosamente.**

oración unimembre
(un solo miembro)
Predicado verbal (en este caso)

Oración *unimembre*, cuyo esquema es:

2) **La flor duró poco.**

oración bimembre
(dos miembros)

SUJETO
(la flor)

PREDICADO
(duró poco)

Oración *bimembre*, cuyo esquema es:

COMPUESTAS (llamadas también *COMPLEJAS*)

Son compuestas todas las oraciones que contienen proposiciones *coordinadas* o *subordinadas* (éstas llamadas también *incorporadas o incluidas*).
En la práctica del análisis se reconocen porque llevan más de un verbo.

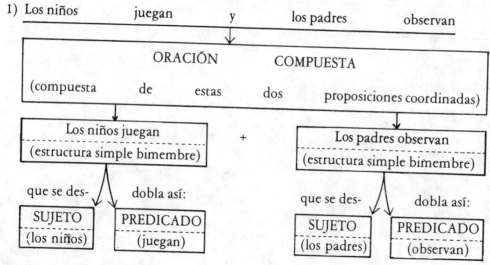

1) Los niños   juegan   y   los padres   observan

ORACIÓN   COMPUESTA
(compuesta   de   estas   dos   proposiciones coordinadas)

Los niños juegan
(estructura simple bimembre)

+

Los padres observan
(estructura simple bimembre)

que se des-   dobla así:

SUJETO
(los niños)

PREDICADO
(juegan)

que se des-   dobla así:

SUJETO
(los padres)

PREDICADO
(observan)

2) Los rosales   florecerán   cuando llegue   la primavera.

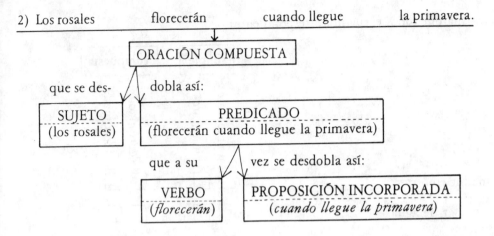

ORACIÓN COMPUESTA

que se des-   dobla así:

SUJETO
(los rosales)

PREDICADO
(florecerán cuando llegue la primavera)

que a su   vez se desdobla así:

VERBO
(*florecerán*)

PROPOSICIÓN INCORPORADA
(*cuando llegue la primavera*)

A su vez, la proposición incorporada, como estructura *bimembre*, se desdoblará en SUJETO y PREDICADO.

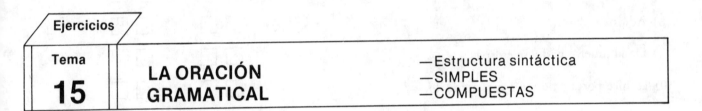

Ejercicios		
Tema **15**	**LA ORACIÓN GRAMATICAL**	—Estructura sintáctica —SIMPLES —COMPUESTAS

Construya oraciones de la clase que en cada caso se indica.

i)   ORACIONES SIMPLES

    a) oración simple de estructura UNIMEMBRE

    _____

    b) oración simple de estructura BIMEMBRE

    _____

2)   ORACIONES COMPUESTAS

    a) oración compuesta con proposición coordinada

    _____

    b) oración compuesta con proposición subordinada

    _____

Clasifique las siguientes oraciones (marque con X el cuadro correspondiente).

	simple		compuesta	
	unimembre	bimembre	coordinada	subordinada
1) Yo se lo advertí, pero no me hicieron caso.	☐	☐	☐	☐
2) Si no llueve pronto, habrá escasez de agua.	☐	☐	☐	☐
3) Gracias.	☐	☐	☐	☐
4) La decisión fue tardía.	☐	☐	☐	☐
5) Los campos ya están secos y la lluvia no llega.	☐	☐	☐	☐
6) En este mes anochece más temprano.	☐	☐	☐	☐
7) La verdad no tiene sustitutos.	☐	☐	☐	☐
8) Adiós.	☐	☐	☐	☐
9) De la muerte nadie se escapa.	☐	☐	☐	☐
10) Lo hice porque no tenía otro remedio.	☐	☐	☐	☐

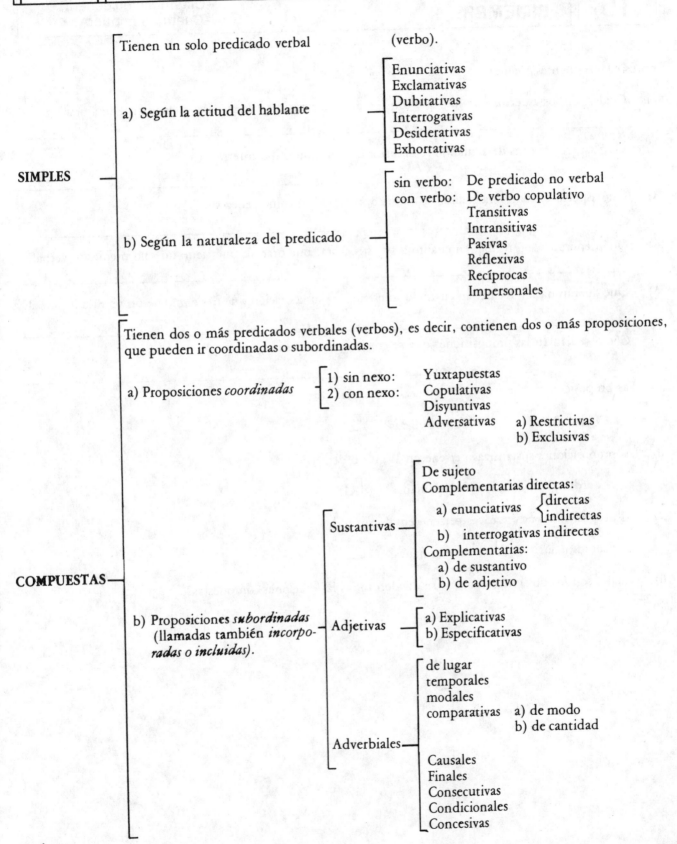

SIMPLES

Tienen un solo predicado verbal (verbo).

a) Según la actitud del hablante
- Enunciativas
- Exclamativas
- Dubitativas
- Interrogativas
- Desiderativas
- Exhortativas

b) Según la naturaleza del predicado
- sin verbo: De predicado no verbal
- con verbo: De verbo copulativo
  - Transitivas
  - Intransitivas
  - Pasivas
  - Reflexivas
  - Recíprocas
  - Impersonales

COMPUESTAS

Tienen dos o más predicados verbales (verbos), es decir, contienen dos o más proposiciones, que pueden ir coordinadas o subordinadas.

a) Proposiciones *coordinadas*
- 1) sin nexo: Yuxtapuestas
- 2) con nexo: Copulativas
  - Disyuntivas
  - Adversativas
    - a) Restrictivas
    - b) Exclusivas

b) Proposiciones *subordinadas* (llamadas también *incorporadas o incluidas*).

Sustantivas
- De sujeto
- Complementarias directas:
  - a) enunciativas
    - directas
    - indirectas
  - b) interrogativas indirectas
- Complementarias:
  - a) de sustantivo
  - b) de adjetivo

Adjetivas
- a) Explicativas
- b) Especificativas

Adverbiales
- de lugar
- temporales
- modales
- comparativas
  - a) de modo
  - b) de cantidad
- Causales
- Finales
- Consecutivas
- Condicionales
- Concesivas

LA ORACIÓN BIMEMBRE

—Clasificación general
—Cuadro sinóptico

Conteste las siguientes preguntas.

1) ¿Cuáles son los aspectos que hay que considerar para clasificar e identificar plenamente una oración?

    _____

2) ¿Qué aspecto se considera cuando se clasifica una oración como interrogativa?

    _____

3) ¿Qué aspecto se considera cuando se clasifica una oración como reflexiva?

    _____

4) ¿Qué denominación recibe, en cuanto a su estructura, una oración que tiene un solo predicado verbal?

    _____

5) ¿Qué denominación recibe, en cuanto a su estructura, una oración que tiene más de un predicado verbal?

    _____

6) ¿Cómo se llaman las proposiciones que se construyen sin nexo?

    _____

7) Las proposiciones adjetivas pertenecen al grupo de:

    ¿Coordinadas? ☐   ¿Subordinadas? ☐

8) Las proposiciones sustantivas pertenecen al grupo de:

    ¿Coordinadas? ☐   ¿Subordinadas? ☐

9) Las proposiciones adversativas pertenecen al grupo de:

    ¿Coordinadas? ☐   ¿Subordinadas? ☐

10) ¿Cuáles son los dos grupos en que se dividen todas las oraciones compuestas?

A) SEGÚN LA ACTITUD DEL HABLANTE

1) ENUNCIATIVAS (llamadas también DECLARATIVAS Y ASEVERATIVAS). Son las que enuncian o declaran un pensamiento. Según la manera *afirmativa* o *negativa* de expresarlo, se dividen en:
   a) *afirmativas*
   b) *negativas*
En su forma se caracterizan por tener el verbo en *indicativo*.

2) EXCLAMATIVAS. Expresan directamente emociones como sorpresa, admiración, ira, dolor, alegría, ansiedad, etc. Su estructura es la de cualquier otro tipo de oración. Dicho de otro modo, cualquier oración puede expresarse en forma exclamativa. Son frecuentes como exclamativas las del tipo unimembre, especialmente las formadas por las interjecciones, propias (¡ah!, ¡eh!, ¡oh! . . .) o impropias (¡ánimo!, ¡fuera! . . .). Las interjecciones pueden usarse en posición independiente, en cuyo caso constituyen por sí mismas, una oración o bien pueden acompañar, simplemente como índices de la actitud exclamativa, a otros elementos oracionales: ¡Ay de mí!; ¡Eh!, ya llegué.

3) DUBITATIVAS. Expresan posibilidad o duda. Pueden construirse:
   a) en *condicional: Serían* las cinco (= probablemente eran las cinco)
   b) en *indicativo: Tendrá* unos diez años.
   c) en *subjuntivo: Quizá* no vuelva.
   d) con *frases verbales: debe de ser* persona muy buena.
Como índices de la actitud dubitativa se emplean frecuentemente *quizás, tal vez,* y *acaso.*
El subjuntivo acentúa la actitud dubitativa mientras que en indicativo la duda se atenúa.

4) INTERROGATIVAS. Sirven para formular una pregunta. Llevan el verbo en modo indicativo y usan frecuentemente palabras interrogativas (quién, qué, dónde...), que son los índices de la actitud interrogativa. Se representan con los signos ¿?
   • ¿Quién llamó?   • ¿Sabes algo?   • ¿Dónde vives?

5) DESIDERATIVAS. (llamadas también *OPTATIVAS*). Expresan deseo. Se caracterizan por tener el verbo en subjuntivo. Como índices de la actitud desiderativa se usan *ojalá, que. . . Ojalá* sean pronto. —*Que* Dios te acompañe.

6) EXHORTATIVAS. Expresan mandato, exhortación, prohibición, consejo, ruego, invitación. Pueden construirse en:
   • *Imperativo: Siéntate*, por favor. *Oración Unimembre: ¡A la casa!*
   • *Subjuntivo:* No te *preocupes. Oración bimembre: ¡Arriba, todos!*
   • *Indicativo:* No *saldrás* más.
En el habla coloquial poco esmerada se usa el infinitivo: *¡Callar!, ¡Sentarse!* en lugar de *Callad, Sentaos* -o *Siéntense* ustedes.
Este uso del infinitivo no es recomendable. Debe evitarse.

B) SEGÚN LA NATURALEZA GRAMATICAL DEL PREDICADO

1) DE PREDICADO NO VERBAL (sin verbo), que puede ser:

   a) *Predicado nominal,* que puede estar constituido por:

      1) sustantivo solo
      2) construcción sustantiva

3) adjetivo solo
4) construcción adjetiva
5) construcción preposicional
6) construcción comparativa

b) *Predicado adverbial*, que puede estar constituido por:

1) adverbio solo
2) construcción con valor adverbial

c) *Predicado verboidal*, que puede estar constituido por:

1) gerundio
2) infinitivo

2) *DE PREDICADO VERBAL* (con verbo). Las oraciones pueden ser:

a) *De verbo copulativo*	Son las formadas con los verbos SER y ESTAR o cualquier otro verbo que lleve predicativo.	
b) *Transitivas*	Las que llevan como modificadores del verbo uno o varios objetos directos.	
c) *Intransitivas*	Las que no llevan objeto directo.	
d) *Pasivas*	Las que tienen el verbo en voz pasiva y un complemento agente (éste no siempre va expreso)	
e) *Reflexivas*	Son las oraciones cuyo sujeto es a la vez *agente* (como en las activas) y *paciente* (como en las pasivas).	
f) *Recíprocas*	Son las reflexivas con sujeto plural o dos o más sujetos en singular, los cuales ejecutan y a la vez reciben mutuamente la acción verbal.	
g) *Impersonales*	Las que carecen de sujeto, pues ni va expreso ni puede sobreentenderse por el contexto.	

Para caracterizar plenamente una oración en la práctica del análisis hay que tomar en cuenta tanto la actitud del hablante como la naturaleza del predicado, ya que ambos valores se dan juntos en la práctica. Es, pues, necesario indicar que una oración es afirmativa, interrogativa, etc., y además transitiva, reflexiva, etc.

Ejercicios

Tema

17 ORACIONES SIMPLES —Clasificación

Escriba la clasificación que corresponda a cada oración.

clasificación	
según la actitud del hablante	según la naturaleza del predicado

1) Ojalá no tarde mucho.

_____   _____

2) ¿Has averiguado algo?

_____   _____

3) Se prepara para los exámenes. _____ _____

4) Haremos lo posible. _____ _____

5) No siga con esas mentiras. _____ _____

6) ¡Vaya problema! _____ _____

7) Aquellos vecinos no se hablan. _____ _____

8) Serían dos o tres los asaltantes. _____ _____

9) ¿Quién desea más problemas? _____ _____

10) Hablan de nuevas batallas. _____ _____

11) No aceptaron mi oferta. _____ _____

12) Será relevado de su puesto. _____ _____

13) ¡Que pena! _____ _____

14) Los antiguos enemigos se reconciliaron. _____ _____

15) Quizás no tenga interés. _____ _____

16) Hay pocas posibilidades. _____ _____

17) Debe de ser muy interesante. _____ _____

18) ¡Que tenga suerte! _____ _____

19) No te preocupes tanto. _____ _____

20) Se reabrirá el proceso. _____ _____

Escriba oraciones de la clase que en cada caso se indica:

1) afirmativa y transitiva

a) _____
b) _____
c) _____

2) negativa y pasiva

a) _____
b) _____
c) _____

3) exclamativa e intransitiva

a) _____
b) _____
c) _____

4) dubitativa y de verbo copulativo

a) _____

b) _____

c) _____

5) interrogativa y reflexiva

a) _____

b) _____

c) _____

6) desiderativa y transitiva

a) _____

b) _____

c) _____

7) exhortativa y recíproca

a) _____

b) _____

c) _____

8) afirmativa e impersonal

a) _____

b) _____

c) _____

DE PREDICADO NO VERBAL

Son las oraciones que carecen de verbo en el predicado.

Con frecuencia, las oraciones de este tipo han sido denominadas de Predicado Nominal, lo que no siempre es rigurosamente exacto. Ciertamente, cuando el predicado no lleva verbo, casi siempre se construye con carácter *nominal*; pero no siempre. Además de nominal, el predicado, en estos casos, puede tener carácter *adverbial* o *verboidal*. Consecuentemente, será más apropiado denominar a las oraciones que están formadas por Predicado Nominal, Predicado Adverbial o Predicado Verboidal, oraciones de Predicado *no verbal*, que es la característica común de todas ellas.

ORACIONES DE PREDICADO NO VERBAL

• *Un ángel*, este niño.	Predicado Nominal: sustantivo
• *Sabrosa*, la comida.	Predicado Nominal: adjetivo
• *Gran artista*, este señor.	Predicado Nominal: sustantivo + adjetivo
• *Sin esperanza*, todos ellos.	Predicado Nominal: construcción preposicional
• *Como alma en pena*, el pobre hombre.	Predicado Nominal: construcción comparativa
• *Lejos*, mis recuerdos de la infancia.	Predicado Adverbial: adverbio solo
• *En lo más alto del monte*, la bandera.	Predicado Adverbial: construcción con valor adverbial
• Todos, *esperando con ansiedad*.	Predicado Verboidal: con gerundio
• ¿*Pedir perdón*, él?	Predicado Verboidal: con infinitivo

El predicado verboidal con infinitivo no debe confundirse con el predicado nominal formado con infinitivo. Este último, como todos los predicados nominales, puede transformarse en *predicativo* con sólo agregar un verbo copulativo.

• *Mi propósito*, ayudar.	• *Mi propósito* es ayudar.
Pred. nominal	Predicativo

Esta transformación no es factible en el ejemplo anterior. No podría decirse:
Pedir perdón es él.

Por su carácter sintético, las oraciones de predicado no verbal se usan mucho en sentencias, dichos y refranes populares que expresan juicios permanentes, es decir, intemporales, por lo que no se siente necesario, sino más bien inconveniente, el uso del verbo. Por ejemplo: *De tal palo*, tal astilla; Perro ladrador, *nunca mordedor;* Mal de muchos, *consuelo de tontos...* A todas las expresiones se podría añadir un verbo, pero entonces perderían la concisión que les da mayor fuerza expresiva.

Por la misma razón, son también de uso frecuente en las oraciones interrogativas y exclamativas en las cuales los sentimientos dominantes se sobreponen a toda idea de tiempo; ¿Yo *amigo de él?*; ¡Qué *simpático,* tu amigo!

ORACIONES SIMPLES

—De predicado no verbal

En cada oración, subraye todas las palabras que forman el predicado no verbal y escriba el carácter que éste tiene en cada caso: *nominal, adverbial* o *verboidal.*

clase de predicado

1) Prometedora, la próxima cosecha.

2) Una gran promesa, este muchacho.

3) Todos, esperando tiempos mejores.

4) Arriesgada, sin duda, la decisión.

5) La sequía, afectando seriamente la región.

6) Completamente desorientado, el hombre.

7) ¿Empezar de nuevo, nosotros?

8) Con pocas esperanzas, el enfermo.

9) Como pájaro enjaulado, el pobre prisionero.

10) La primavera, como todos los años.

11) Sin el cariño materno, esta pobre criatura.

12) Después de mí, el diluvio.

13) Buena señal, este tiempo templado.

14) En la tierra, paz a los hombres.

15) Año de nieves, año de bienes.

16) El rumor de las olas, a lo lejos.

17) ¿Culpable, yo?

18) Por encima de todos, la ley.

19) Al fin, los problemas de siempre.

20) A la vejez, viruelas.

ORACIONES SIMPLES —De verbo copulativo

DE VERBO COPULATIVO

Son las oraciones formadas por verbos copulativos (SER y ESTAR) o por otros verbos en función de copulativos más un predicativo.

CONSTRUCCIÓN DE LAS ORACIONES DE VERBO COPULATIVO

Por definición, este tipo de oraciones debe tener dos elementos que le son característicos: verbo *copulativo* y *predicativo*.

1) VERBO COPULATIVO

Hay que distinguir dos tipos entre los vebos usados como copulativos:
a) Los copulativos propiamente dichos (SER y ESTAR), que son los que exigen obligatoriamente el predicativo.
b) Los no copulativos, que son los que no exigen obligatoriamente el predicativo, pero pueden admitirlo.

El verbo se llama copulativo, porque, además de expresar los modos, tiempos y personas, como todos los verbos, sirve además de nexo o cópula (de ahí su nombre) entre el sujeto y el predicativo.
En este tipo de oraciones, la relación sintáctica del verbo con el sujeto y el predicativo es tan estrecha y característica, que cualquier verbo que se construya con predicativo adquiere carácter de copulativo.

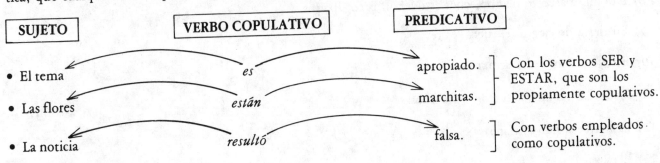

SUJETO	VERBO COPULATIVO	PREDICATIVO	
• El tema	*es*	apropiado.	Con los verbos SER y ESTAR, que son los propiamente copulativos.
• Las flores	*están*	marchitas.	
• La noticia	*resultó*	falsa.	Con verbos empleados como copulativos.

2) PREDICATIVO

La función característica y exclusiva, y por tanto definitoria, del predicativo es la de referirse simultáneamente al sujeto y al verbo. Queda subordinado a ambos: con el sujeto debe concordar en género y número y con el verbo, en número. En cuanto a su ubicación dentro de la oración, puede ir delante o detrás del verbo.
Los elementos oracionales que pueden ir en función de predicativo son:

		Predicativo
• La maestra	está *enferma*.	*Adjetivo*
• Mi vecino	está *loco de remate*.	*construcción adjetiva*
• Don Juan	es *Almirante*.	*sustantivo*
• Yo	soy *aquél*.	*pronombre*
• *Así*	soy yo.	*adverbio*
• Los estudiantes	están *de vacaciones*.	*construcción preposicional*
• *Como un león*	luchó José Luis.	*construcción comparativa*

Nótese la concordancia entre el sujeto y el predicado y entre éste y el verbo. Las oraciones de verbo copulativo se convierten en oraciones de predicado nominal cuando tienen el verbo callado.
El verbo SER admite como predicativo un adjetivo, sustantivo, pronombre, adverbio e infinitivo; ESTAR sólo admite un adjetivo o construcción preposicional con valor adjetivo.

ORACIONES SIMPLES —De verbo copulativo

En cada oración, subraye con doble raya (═════) los verbos copulativos o que funcionen como tales y con una raya (─────), la palabra o palabras que sean predicativo.

1) Se marchó muy satisfecho.

2) La carretera permanece cerrada.

3) Los niños regresaron de la excursión muy fatigados.

4) Esto es abusar de los demás.

5) Hoy amaneció el señor de mal humor.

6) Los heridos fueron doce.

7) Estos gastos son los del pasado mes.

8) Durante bastante tiempo, ellos estuvieron preocupados.

9) En tierra de ciegos, el tuerto es rey.

10) Estuve enfermo dos semanas.

11) Todas las tentativas fueron infructuosas.

12) La mayoría eran ancianos.

13) Él es así.

14) La vida es un incesante luchar.

15) Esto no está bien.

16) Este señor no es nadie.

17) Grecia fue cuna de una gran civilización.

18) Estos precios son muy elevados.

19) Su presencia nunca fue oportuna.

20) Mis vecinos son buena gente.

TRANSITIVAS

Son las oraciones que llevan objeto directo.

Nexos: La preposición *A* o ninguno.

Construcción de las oraciones transitivas
El objeto directo puede ir delante o detrás del verbo, aunque más comúnmente detrás. En uno y otro, puede ir precedido de nexo (la preposición *A*) o carecer de él.
- Los necesitados recibieron *ayuda.*_____ El O.D. detrás, sin nexo.
- Espero *a los invitados.*_____ El O.D. detrás, con nexo.
- *El problema* resuélvelo tú._____ El O.D. delante, sin nexo.
- *A tus padres* respétalos._____ El O.D. delante, con nexo.

La función de objeto directo es propia del sustantivo, pero también puede desempeñarla cualquier otra palabra o grupo de palabras sustantivada, con sus respectivos modificadores:

1) Sustantivo solo_____ Bebieron *café.*
2) Frase sustantiva_____ Eligieron *la tarea más ardua.*
3) Adjetivo sustantivado_____ Humillaron *a los débiles.*
4) Pronombre (que es sustantivo)_____ Prefiero *a él.*
5) Verboide (infinitivo)_____ Necesito *descansar.*
6) Adverbio sustantivado_____ Olvido *el ayer.*
7) Preposición sustantivada_____ Considera *el pro y el contra.*
8) Conjunción sustantivada_____ Nunca supe *el porqué.*
9) Interjección sustantivada_____ Jamás olvidaré *aquel ¡ay! aterrador.*
10) Proposición incorporada_____ Quiero *que sepas esto.*

Sintácticamente, las oraciones transitivas, que son oraciones activas con objeto directo, se caracterizan por poder convertirse en pasivas.
- El jardinero riega las flores = Las flores son regadas por el jardinero

Cómo reconocer el objeto directo
El objeto directo tiene dos características, que le son propias y que por ello nos dan la clave para reconocerlo. Así se determina si una oración es transitiva.

1) Puede ser duplicado y sustituido por las formas pronominales: *Lo* (para masculino y neutro), *La* (para femenino singular), *Los* (para masculino plural) y *Las* (para femenino plural).
   - Terminó *el trabajo.* (= *Lo* terminó)
   - Vive *la vida.* (= Víve*la*)
   - Vendí *los libros.* (= *Los* vendí)
   - No cambio *mis ideas.* (= No *las* cambio)

2) Se convierte en sujeto paciente si la oración se expresa en pasiva.
   - El maestro ofreció *una brillante conferencia.*
        O. D
   - *Una brillante conferencia* fue ofrecida por el maestro.
        S . P .

Uso de la preposición A delante del Objeto Directo

No existen reglas fijas y universales para el uso de la preposición A delante del objeto directo. Hay muchas excepciones y vacilaciones. Sin embargo, pueden recomendarse las siguientes normas:

1) **Se usa la preposición A**
    a) Si el O.D. es nombre de persona, tanto propio como común, debe usarse obligadamente.
        Avisa *a Juan*.
        Avisa *a tus padres*.

    b) Si el O.D. es nombre de animal personificado.
        Quiere mucho *a Platero*.

    c) Si el O.D. es nombre de cosa personificada.
        No teme *a la muerte*.

    d) Si el O.D. es pronombre (el, ella, ellos, ellas, este, ese, aquel, alguien, nadie, uno, otro, todo, ninguno y cualquiera) referido a personas.
        Espera *a él*.
        Necesitamos *a alguien*.
        No quiere *a nadie*.
        Premió *a todos*.

    e) En casos en que haya que evitar ambigüedad.
        No teme *al fuego*.

2) **No se usa la preposición A**
    a) Si el O.D. es nombre de animal (no personificado).
        Cuide *los caballos*.
    b) Si el O.D. es nombre de cosa (no personificada).
        Come *pan*.

3) **Casos vacilantes**
    Con nombres propios que no sean de personas o animales cuando no llevan artículo, como nombre de ciudades, regiones y países, el objeto directo puede construirse con preposición o sin ella. Modernamente parece predominar la construcción sin preposición.
    • con preposición: Vimos *a Roma*-Visitaron *a la Patagonia*-Elogió *a Colombia*.
    • sin preposición: Bombardearon *Londres*-Fundaron *Guadalajara*. . .

ORACIONES SIMPLES —Intransitivas

INTRANSITIVAS

Son las oraciones que carecen de objeto directo.

Construcción de las oraciones intransitivas.

La única diferencia formal que distingue a las oraciones intransitivas de las transitivas es la carencia del objeto directo. Por lo demás pueden llevar, como las transitivas, cualquiera de los otros modificadores (objeto indirecto, objeto de interés, circunstancial) o carecer de ellos.

1) Sin ningún modificador.
   - Luis estudia.
   - Llueve.
   Con frecuencia se usan como intransitivas (sin objeto directo) las oraciones del tipo unipersonal, que son las construidas con los verbos que expresan fenómenos de la naturaleza: llover, nevar, amanecer, etc.

2) Con objeto indirecto únicamente.
   - Entrégale a Juan.
     O.I. O.I.
   Son poco usuales oraciones como ésta, con objeto indirecto y sin objeto directo. Usualmente cuando llevan objeto indirecto va expreso también el objeto directo. Así, se diría: Entrégale esto a Juan. Naturalmente, en tal caso, la oración, por llevar objeto directo (esto), se convertiría en transitiva.

3) Con objeto de interés únicamente.
   - Me gusta.
     O. de I.

4) Con circunstancial (uno o varios).
   - Llegaré a las siete.
     Circunstancial
   - Zarparon   al amanecer   con rumbo desconocido.
                 circunstancial de tiempo circunstancial de lugar

Todas estas oraciones tienen en común el hecho de que no tienen objeto directo, que es lo que caracteriza y define a la oración intransitiva.

Ejercicios

**Tema
17-C y
17-D**

ORACIONES SIMPLES —Transitivas
—Intransitivas

En cada oración, subraye la palabra o palabras que sean objeto directo (cuando exista) y escriba, en la columna de la derecha, la clase de oración: *transitiva* o *intransitiva*.

clase de oración

1) Siempre ha obrado muy a la ligera.

2) Buenas cosechas produce esta tierra.

3) Elogió a profesores y alumnos.   _____

4) Esta música tiene para mí un no sé qué.   _____

5) Aquí yacen los restos mortales de un gran hombre.   _____

6) Unamos nuestras fuerzas.   _____

7) No esperaré más tiempo.   _____

8) ¿Desea usted algo?   _____

9) Francamente no lo entiendo.   _____

10) Nada conseguirás sin esfuerzo.   _____

11) Pasea cada mañana una hora por lo menos.   _____

12) ¡Qué ilusión más grande tenía!   _____

13) Avisa a alguien inmediatamente.   _____

14) El incendio duró dos horas.   _____

15) Por favor, no digas eso.   _____

16) Los bombardeos destruyeron la ciudad.   _____

17) Lo cortés no quita lo valiente.   _____

18) No lo vi por ninguna parte.   _____

19) El mes próximo serán las elecciones.   _____

20) Tengo sobradas razones para ello.   _____

PASIVAS

Son las oraciones cuyo verbo está construido en la voz pasiva.

Nexos: La preposición POR o DE (ésta poco común), que precede al agente.

Elementos de la oración pasiva

1) *Sujeto paciente.* Es el que recibe la acción verbal.

2) *Verbo en voz pasiva:*   a) con el verbo auxiliar SER + participio.

b) con SE + foma activa en 3a. persona (en singular o plural en concordancia con el sujeto).

Es la llamada pasiva *cuasirrefleja.*

El *SE* no funciona ni como objeto directo ni como objeto indirecto. Es simplemente una partícula o índice de pasiva cuasirrefleja.

3) *Complemento agente:*   Va precedido por la preposición POR o DE. Es el que produce o ejecuta la acción del verbo. La oración pasiva puede llevar complemento agente o carecer de él.

Sintácticamente las oraciones pasivas se caracterizan por poder convertirse en oraciones transitivas, del mismo modo que éstas se caracterizan por su capacidad de poder convertirse en pasivas.

Los cambios que afectan a los distintos elementos oracionales en tal conversión pueden apreciarse en el siguiente cuadro.

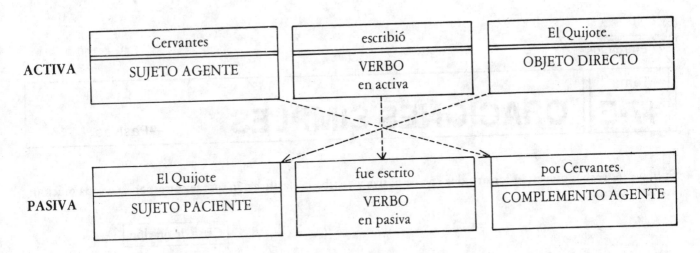

La oración pasiva puede convertirse en activa, como a la inversa la oración activa puede convertirse en pasiva; pero en la práctica no todos los verbos admiten la construcción pasiva.

Por ejemplo, se dice: Luis tiene muchos amigos.   (en activa)
pero no se usa: Muchos amigos son tenidos por Luis.   (en pasiva)

CONSTRUCCIÓN DE LA ORACIÓN PASIVA

En la construcción de la pasiva hay que tener en cuenta ciertas limitaciones, usos y tendencias que tienen estas oraciones.

1) Los elementos componentes pueden ir en cualquier oden, si bien normalmente el agente va detrás del verbo.
   - *Por una tormenta* fue abatido el árbol. El agente va delante del verbo cuando se quiere resaltarlo.
     agente
   - *El árbol fue abatido por una tormenta.* Este es el orden usual.
     S.P.   V.   agente

2) La voz pasiva es de uso poco frecuente en español (mucho menos frecuente que en inglés y francés, por ejemplo). Además, con el verbo en tercera persona hay una fuerte tendencia a usar la *pasiva cuasirrefleja*, no la pasiva propiamente dicha.
   - Los juguetes *fueron repartidos por los maestros*. Esta forma se emplea normalmente cuando va expreso el agente.
   - *Se repartieron* los juguetes. Pasiva cuasirrefleja. Es la forma de uso más frecuente cuando no va expreso el agente.

3) El sujeto paciente, como el sujeto de cualquier oración, puede ir callado cuando por el contexto se conoce sin lugar a dudas y por lo mismo no es necesario expresarlo.

4) El complemento agente va callado frecuentemente, bien por ser indefinido, bien porque el hablante no tiene interés en expresarlo. En ambos casos, el verbo suele construirse de preferencia en la forma cuasirrefleja, no en la forma con verbo auxiliar más participio. Con el agente callado, la oración adquiere carácter impersonal, pues se desconoce el ejecutor de la acción verbal.

más frecuente
- *Se dicen* muchas cosas.
- *Se difundió* la noticia rápidamente.
- *Se repararon* las averías.
- Nada *se supo* aquel día.

poco usual
Son dichas muchas cosas.
Fue difundida la noticia rápidamente.
Fueron reparadas las averías.
Nada *fue sabido* aquel día

Ejercicios

Tema

17-E ORACIONES SIMPLES —Pasivas

Subraye los verbos que están construidos en voz pasiva y escriba la clasificación que le corresponda a cada oración: *activa* o *pasiva*.

	Clase de oración
1) Cuídese mucho, hijo mío.	
2) Se tomarán nuevas medidas.	
3) No se nota su falta de experiencia.	
4) No se interesa por nada.	
5) Sus méritos no han sido reconocidos debidamente.	
6) Han tenido muchos inconvenientes.	

7) Se reparó la carretera en una semana. _____

8) Píntese esa pared inmediatamente. _____

9) Agítese antes de su uso. _____

10) Los puentes nunca más se reconstruyeron. _____

11) Fíjese bien en este punto. _____

12) El caso está siendo considerado por el juez. _____

13) Fueron muy atentos con nosotros. _____

14) Fueron bien atendidos por el anfitrión. _____

15) Se fueron de paseo. _____

16) Todos fueron hallados culpables. _____

17) Las dificultades actuales no serán eternas. _____

18) Mañana se inaugurará la feria. _____

19) Manténgase cerrada la puerta. _____

20) Este año se espera una gran cosecha. _____

Con los siguientes verbos construya oraciones del tipo que se indica.

1) (difundir) a) en activa _____
            b) en pasiva _____

2) (asustar) a) en activa _____
            b) en pasiva _____

3) (abrir) a) en activa _____
            b) en pasiva _____

4) (pintar) a) en activa _____
            b) en pasiva _____

5) (escribir) a) en activa _____
            b) en pasiva _____

En la columna de la derecha, escriba la clase de oración (activa o pasiva) y en la siguiente línea, haga la conversión correspondiente si es activa, conviértala en pasiva y viceversa.

1) Al fin, encontramos la salida. _____

_____

2) Ciérrense bien todas las puertas. _____

_____

3) El grupo de peregrinos fue recibido por el Papa. _____

_____

4) El Ministerio no autorizará aumentos de precios. _____

_____

5) Los excursionistas fueron sorprendidos por una tormenta. _____

_____

REFLEXIVAS

Son las oraciones cuyo sujeto es a la vez *agente* (como en las activas) y *paciente* (como en las pasivas).

Elementos de la oración reflexiva

1) *Sujeto*, que es *agente* y *paciente* a la vez.
2) *Verbo*, en su forma activa, pero con el carácter de reflexivo que le confiere el pronombre reflexivo.
3) *Pronombre reflexivo* en sus formas: *me-te-se-nos*

Construcción de las oraciones reflexivas

1) Se empleará la forma átona del pronombre que corresponda al sujeto:

Si el sujeto es:	el pronombre reflexivo será:	Ejemplos
Yo	me	*Yo* me río
Tú	te	Tú *te* ríes
Él-Ella	se	Él o ella *se* ríe
Nosotros-Nosotras	nos	Nosotros o nosotras *nos* reímos
Ustedes	se	Ustedes *se* ríen
Ellos-Ellas	se	Ellos o ellas *se* ríen

Además de estas formas átonas, pueden usarse en la misma oración las formas tónicas correlativas (éstas precedidas por la preposición *a*) más el adjetivo *mismo* o *misma* para dar mayor énfasis a su carácter reflexivo.

- Yo *me* cuido *a mí mismo*. Yo *me* cuido *a mí misma*.
- *Nos* consolamos *a nosotros mismos*. . .

2) El pronombre reflexivo puede ir delante o detrás del verbo:
   a) con el verbo en imperativo, el pronombre átono va obligadamente *detrás* del verbo y unido a el: Siénte*se*-Unámo*nos*-Cálla*te*, etc.
   b) en todos los demás casos, el pronombre puede ir indistintamente delante o detrás. En la práctica, sin embargo, puede haber preferencia por una u otra posición debido a que resulta un estilo más ágil y expresivo o, por el contrario, se busca evitar una palabra de ingrata pronunciación. De todos modos, si el pronombre va detrás del verbo, forzosamente debe unirse a él: *Se* arrepintió o arrepintió*se*.
3) También pueden formarse construcciones de carácter reflexivo con las formas tónicas de los pronombres precedidas de preposición.
   - Hablaba *consigo* mismo.   - Decía *entre mí*.
4) Las formas átonas de 1a. y 2a. persona (*me, te-nos y se*) no siempre tienen carácter reflexivo. Pueden ser simplemente pronombres personales: En tal caso su función y empleo será el que les corresponda:
   Te aprecian mucho.- *Me* regalaron un libro.
     O.D.   O.I.

Funciones de pronombre reflexivo

El pronombre reflexivo puede funcionar como:
a)   Objeto directo: Juan *se* lava.
                    O.D.
b)   Ojeto indirecto: Juan *se* tomó la mejor parte.
                    O.I.

En ejemplos como los anteriores, se ve claramente la función del pronombre reflexivo, pues se trata de un tipo de reflexión que podría llamarse puro: la acción vuelve al sujeto que la realiza. Pero hay otros muchos casos en los que la reflexión se atenúa de tal manera que los pronombres no son ni objeto directo ni indirecto. Indican simplemente, con mayor o menor vaguedad, cierta participación en la acción expresada por el verbo. Los matices de esa participación son variados: van desde el llamado *dativo de interés* hasta las *seudorreflejas* y las *pasivas cuasirreflejas*, como puede observarse en los siguientes ejemplos:

- *Me* construí una casa.

  El sujeto callado *yo* no es propiamente agente, pues la acción de construir puede haber sido realizada por otra persona.

- Luis *se* tomó el café.
- No *te* me acerques.
- *Se le* quemó la casa.

  En los tres casos, los pronombres subrayados son *dativos de interés*. No indican reflexión.

- *Me* voy mañana.
- *Se* retiró a descansar.
- No *te* quedarás sola.

  Seudorreflejas. Su carácter reflexivo es muy vago o apartado del reflexivo propiamente dicho.

- Se levantó la sesión.

  Pasiva cuasirrefleja. Se no es objeto directo ni indirecto. Es simplemente una partícula para formar la pasiva cuasirrefleja.

La oración reflexiva impersonal

La oración reflexiva puede tener el sujeto callado o indefinido. Por tanto, puede ser al mismo tiempo *reflexiva* e *impersonal.*

El sujeto, aunque desconocido e indeterminado, es el que realiza y recibe la acción del verbo, como lo demuestra el pronombre reflexivo que llevan estas oraciones. El verbo puede llevar uno o más modificadores o bien carecer de ellos.

- *Se rieron* de él.

  No podemos precisar *quiénes* se rieron (el sujeto es indefinido); pero el pronombre *SE* a ellos (al sujeto) se refiere como reflexivo.

- *Se trabaja.*

  El verbo sin modificadores.

- *Aquí* se trabaja *más cada día.* El verbo lleva varios modificadores:

  *Aquí*_____circunstancial de lugar

  más _____circunstancial de cantidad

  *cada día*_____circunstancial de tiempo

Cómo distinguir las oraciones reflexivas

La clave para discernir este tipo de oraciones la encontraremos en los pronombres, pues son los que denotan el carácter reflexivo de la oración. Ahora bien, como las formas *me, te,* y *nos,* a veces son simplemente pronombres personales y *se* es partícula que forma la llamada pasiva cuasirrefleja, la manera más práctica para determinar cuándo una oración tiene carácter reflexivo será la de agregar a la forma átona el adjetivo *mismo, misma, mismos* o *mismas,* cuya misión es precisamente la de reforzar la significación reflexiva del pronombre. Si tienen cabida tales adjetivos, la oración será reflexiva; en caso contrario, no será reflexiva.

Formas átonas	**con carácter reflexivo**		**con carácter no reflexivo**
me	*Me* divierto.	(yo mismo/a)	*Me* ofenden ustedes.
te	*Te* ríes.	(tú mismo/a)	*Te* veré mañana.
se	*Se* lava.	(el-ella mismo/a)	*Se* supo la noticia hoy.
nos	*Nos* reímos.	(nos. mismos/as)	*Nos* recibirán mañana.
se	*Se* arrepienten.	(ustedes mismos/as)	*Los* veré más tarde.
se	*Se* consolaron.	(ellos mismos/as)	*Se* revisaron todas las máquinas.

Nótese cómo la oración admite los adjetivos *mismo, misma. . .* cuando los pronombres son reflexivos, cosa que no es posible cuando no lo son.

Clasificación de las oraciones reflexivas

A) Según la función que desempeña el pronombre reflexivo:

    1) *Directas.* Si el pronombre reflexivo es *objeto directo.*
        • Juan *se* lava.
                O.D.

    2) *Indirectas.* Si el pronombre reflexivo es *objeto indirecto.*
        • Juan *se* tomó la mejor parte.
             O.I

B) Según la naturaleza del verbo:

    1) *Propias.* Si el verbo puede usarse únicamente como reflexivo, tales como *arrepentirse, jactarse, quejarse, atreverse, dignarse.*
        • No *se* dignó saludarme.
        • *Se queja* de todo, etc.
        No podría decirse: no *dignó* saludarme ni *queja* de. . .

    2) *Impropias.* Si el verbo está empleado con carácter reflexivo, aunque puede usarse con otro carácter.
        • *Se levanta* a las seis. Reflexiva impropia. El verbo está usado con carácter reflexivo.
        • *Levanta* la mano. No es reflexiva. El verbo es simplemente transitivo.

Ejercicios

Tema 17-F | **ORACIONES SIMPLES** —Reflexivas

Subraye los verbos que estén empleados con carácter reflexivo. En cada cosa, indique si la oración es *pasiva* o *reflexiva*.

Clase de oración

1) Fíjense bien en todos los detalles.
    _____

2) Este tipo de ofensa no se olvida fácilmente.
    _____

3) No se acordó más de mí.
    _____

4) Por los frutos se conoce el árbol.
    _____

5) No se aparten de este camino.
    _____

6) Los combatientes se entregaron tras dura lucha.
    _____

7) No te enojes, mujer.
    _____

8) Se conforman con poco.
    _____

Construya oraciones en las que utilice las siguientes formas pronominales, empleadas con el carácter que se indica.

1) (*me*)   a) como reflexivo   _____

           b) como no reflexivo   _____

2) (*te*)   a) como reflexivo _____

       b) como no reflexivo _____

3) (*nos*)   a) como reflexivo _____

       b) como no reflexivo _____

4) (*os*)   a) como reflexivo _____

       b) como no reflexivo _____

5) (*se*)   a) como reflexivo _____

       b) como no reflexivo _____

RECÍPROCAS

Son las oraciones reflexivas con la particularidad de tener dos o más sujetos que ejecutan la acción del verbo y a la vez la reciben mutuamente.

Elementos de las oraciones recíprocas

1) Sujeto en plural (o dos o más sujetos en singular). Con un sujeto en singular no sería posible expresar reciprocidad.

2) *Verbo transitivo en plural.* Ambas características son necesarias.

3) *Pronombre personal en plural* en sus formas átonas: *nos, se.*

Construcción de las oraciones recíprocas

Por su estructura sintáctica, las recíprocas no se diferencian de las reflexivas. Más aún, pueden considerarse una especie de reflexivas en las que el fenómeno de la reflexión se convierte en reciprocidad, debido a que los sujetos que realizan la acción del verbo a la vez la reciben mutuamente. Así, las recíprocas pueden construirse:

1) con un sujeto en plural: *Los novios* se quieren mucho.
2) con dos o más sujetos en singular: *Padre* e *hijo* se respetan.

El pronombre reflexivo puede ir delante o detrás del verbo:
a) en imperativo, va obligadamente detrás del verbo y unido a él.
   • Ama*os* los unos a los otros.
b) en todos los demás casos, puede ir indistintamente delante o detrás.
   • *Se* respetan como amigos.
   • Respétan*se* como amigos.

Para hacer más claro o resaltar más el carácter recíproco de la oración, a veces se agrega alguna palabra o expresión que evite toda ambigüedad.

   • Todos los soldados se mataron.

Una oración como ésta, sin más, ofrece ambigüedad. Puede interpretarse como reflexiva o como recíproca. Como reflexiva significaría que los soldados se mataron cada uno a sí mismos, suicidándose, por ejemplo. Como recíproca, significaría que los soldados se mataron unos a otros, peleándose, por ejemplo. En cambio, no hay ambigüedad alguna en oraciones como ésta:

   • Todos los soldados se mataron *a sí mismos* (reflexiva)
   • Todos los soldados se mataron *unos a otros* (recíproca)

NOTA

No son recíprocas las oraciones que carecen de alguno de sus elementos: sujeto en plural, verbo transitivo en plural y pronombre personal en plural.

   • Juan y Luis *discuten* frecuentemente (carece de pronombre recíproco)
   • El juez *casó* a los novios (carece de pronombre y el verbo está en singular)
   • Juan *se enfadó* con Luis (el verbo no va en plural)

La aparente reciprocidad que expresan estas oraciones no se debe a la estructura sintáctica de la oración, sino al significado del verbo.

ORACIONES SIMPLES

—Recíprocas

Subraye los verbos que estén empleados con carácter recíproco. En cada caso, indique si la oración es reflexiva o recíproca.

	Clase de oración
1) Todos se alegraron mucho.	_____
2) Se pelean como el perro y el gato.	_____
3) No se levanten hasta el final de la obra.	_____
4) Padre e hijo se abrazan efusivamente.	_____
5) En parte se sienten culpables de lo sucedido.	_____
6) Los polos opuestos se repelen.	_____
7) Los dos se ayudan mutuamente en el trabajo.	_____
8) Nunca se dan por vencidos.	_____
9) Mi hermano y yo nos queremos mucho.	_____
10) Tú y tu hermano os cuidaréis el uno al otro.	_____

Construya oraciones en las que entren las siguientes formas pronominales, empleadas con el carácter que se indica en cada caso.

1) (nos) a) como reflexivo. _____

           b) como recíproco. _____

2) (se) a) como reflexivo. _____

           b) como recíproco. _____

3) (se) a) como reflexivo. _____

           b) como recíproco. _____

IMPERSONALES

Son las oraciones carentes de sujeto agente, pues ni va expreso ni puede sobreentenderse por el contexto.

Son, por tanto, oraciones *unimembres* en cuanto a su estructura sintáctica, excepto las impersonales en voz pasiva cuando llevan expreso el sujeto paciente.

Construcción de las oraciones impersonales

Las oraciones impersonales pueden construirse:

A) *En VOZ ACTIVA.* Todas las impersonales en activa son de estructura *unimembre.*
  1) Con verbos *unipersonales*, que son los que tienen la particularidad de usarse sólo en una persona: la 3a. de singular. Son verbos que expresan fenómenos naturales como *amanecer, anochecer, llover, nevar, tronar*, etc. Estos verbos son siempre impersonales cuando se usan con su significado propio; pero, en sentido figurado pierden su carácter impersonal y consecuentemente pueden conjugarse en cualquier persona de singular o del plural y admiten sujeto expreso, con el que concuerdan. Nótese en los siguientes ejemplos cómo un mismo verbo puede construirse con carácter impersonal en unas oraciones y con sujeto expreso en otras.

  IMPERSONAL (con sentido propio)
  - En invierno *amanece* más tarde.
  - *Llovió* intensamente.

  NO IMPERSONAL (con sentido figurado)
  Todos *amanecieron* contentos.
  Le *llovieron* las ofertas.

  2) Con cualquier verbo, transitivo o intransitivo, usado impersonalmente. En tal caso, emplea únicamente la 3a. persona del plural.
  - *Hablan* mal de él.
  - *Llaman* a la puerta.
  - *Anuncian* rebajas.

  3) Con los verbos HABER, HACER, SER y ESTAR. Usados en tercera persona de singular, pueden formar construcciones impersonales iguales a las de los verbos unipersonales:
  - *Había poca comida.*
    O.D.
  - *Había* muchos pastel_ _.
    (no *habían* muchos pasteles)
  - *Hace calor.*
    O.D.
  - *Hace* varios meses.
    (no *hacen* varios meses)
  - *Era de noche.*
    Circ.
  - *Estaba oscuro.*
    predicativo

Nótese que las palabras que siguen a estas formas verbales son objeto directo, circunstancial o predicativo; pero nunca sujeto, que naturalmente no existe, pues la oración es impersonal. Por eso el verbo sigue en singular, no importa si los modificadores que lo siguen están en plural.
El verbo HABER en 3a. persona de singular del presente de indicativo ofrece la particularidad de tener dos formas:
  a) *ha*, que es impersonal sólo en frases como: *Ha* lugar; No *ha* lugar. . .
  b) *hay*, que es siempre y exclusivamente impersonal; *Hay* pan; *Hay* helados. . .

B) *En VOZ PASIVA.* Son unimembres si no llevan sujeto paciente. Son bimembres si llevan sujeto paciente.

  1) Con el verbo SER + participio. El verbo va en 3a. persona de singular o de plural.
  - Fue visto. Oración *unimembre*: no tiene sujeto paciente.
  - La puerta *ha sido forzada*. Oración bimembre: tiene sujeto paciente.

  2) Con pasiva cuasirrefleja: partícula SE + forma activa del verbo, que va siempre en 3a. persona de singular o de plural.
  - Aquí se vive bien. Oración unimembre: no tiene sujeto paciente.
  - Se arreglarán las cosas. Oración bimembre: tiene sujeto paciente.

Nótese que las impersonales en pasiva pueden ser unimembres o bimembres, es decir, pueden llevar sujeto paciente o carecer de él; pero siempre carecen de *agente*, que es lo que les da el carácter *impersonal.*

Oraciones impersonales con sujeto expreso

Hay quienes consideran impersonales oraciones que tienen como sujeto los indefinidos *Uno, Una* o sus respectivos plurales *unos, unas*.

- *Uno* nunca sabe.

Realmente, por su estructura, no son impersonales pues tienen sujeto expreso. Si aparecen con cierto carácter impersonal, ello se debe no a su construcción, sino a la significación del sujeto (*uno, una*), que, por ser indefinido, deja sin precisar la persona del sujeto. Con mayor propiedad podría decirse que es una oración transitiva con sujeto de significación indefinida.

Sujeto indeterminado y sujeto tácito

No debe confundirse el uno con el otro. El sujeto indeterminado es desconocido, no puede precisarse por el contexto. El sujeto tácito va callado, no expreso; pero se conoce por el contexto.
Compárense estos dos ejemplos:

a) *Hablan* bien de ti.

b) Tus amigos te recuerdan mucho. *Hablan* de ti constantemente.

La oración en a), dicha así, puede interpretarse como impersonal, pues no puede precisarse el sujeto, no sabemos "quiénes" hablan bien. Contrariamente, el sujeto del verbo *hablan*, tal como aparece la oración en b), está claro: *tus amigos*, el mismo de la oración anterior, que no se repite en la segunda oración por no ser necesario para el perfecto entendimiento de la oración.

Ejercicios

Tema

17-H | ORACIONES SIMPLES
—Impersonales

En la columna de la derecha, escriba la clasificación que le corresponde a cada oración: *pasiva, reflexiva, recíproca* o *impersonal*.

Clase de oración

1) El cuadro se restaurará por un profesional. _____

2) Aquí se trabaja duro. _____

3) En tal caso, no se habría roto la llave. _____

4) Se compran libros usados. _____

5) Estos señores ya no se saludan. _____

6) No se alejen demasiado de la costa. _____

7) Su solicitud fue rechazada. _____

8) Los dos socios no se entienden bien. _____

9) Se habla poco de ese asunto. _____

10) La construcción se terminará en enero. _____

11) Los dos extraños se miraron con atención. _____

12) Aquí no se respeta a la gente. _____

13) Respétense como hermanos. _____

14) Así ni se vive. _____

15) El perro y el gato se pelean constantemente. _____

16) Nadie se habría fijado en él. _____

17) La cita se había fijado con anticipación. _____

18) Dense la mano como buenos amigos. _____

19) No se necesitó tanta gente. _____

20) Aquí se haraganea demasiado. _____

Cada una de las oraciones siguientes es una oración impersonal construida en una de las tres formas posibles (pasiva, pasiva cuasirrefleja y activa). Escriba, en las líneas b) y c), la misma oración en las otras dos formas posibles, conservando su carácter impersonal.

1) a) No serán admitidas nuevas solicitudes.

   b) _____

   c) _____

2) a) Han encontrado restos de antiguas civilizaciones.

   b) _____

   c) _____

3) a) Mañana operarán a mi hermano.

   b) _____

   c) _____

4) a) Se auxiliará por todos los medios a las víctimas del terremoto.

   b) _____

   c) _____

5) a) No se ha fijado aún la fecha de apertura.

   b) _____

   c) _____

6) a) Anuncian grandes descuentos para mañana.

   b) _____

   c) _____

7) a) Esperan un aumento en los precios.

   b) _____

   c) _____

ORACIÓN

Es la unidad más pequeña del habla real con sentido completo en sí misma, con figura tonal propia y con autonomía sintáctica.

Autonomía sintáctica significa que la oración no tiene, ni al principio ni al final, nexo alguno que la relacione con otra unidad. Es, pues, en lo que a estructura se refiere, independiente, es decir, sintácticamente autónoma. El punto, es el elemento que separa las oraciones.

PROPOSICIÓN

Es una unidad que tiene sentido en sí misma; pero no tiene autonomía sintáctica. Es, pues, una estructura que depende de otra, no funciona independientemente, forma parte de otra unidad superior, que es la oración.

---

1) **PROPOSICIONES COORDINADAS**

Habló él <u>*y*</u> *todos callaron.*

Proposición	+	Proposición
Oración coordinativa		

Lo sabe, <u>*pero*</u> *se lo calla.*

Proposición	+	Proposición
Oración coordinativa		

Oración coordinativa es la unidad superior, que comprende a las proposiciones (dos o más) coordinadas.

2) **PROPOSICIONES SUBORDINADAS** (llamadas también *INCORPORADAS O INCLUIDAS*)

   a) con la proposición incorporada en el sujeto.

• *El hombre* <u>*que trabaja,*</u> *obtiene su recompensa.*

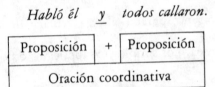

Proposición incorporada	
SUJETO	PREDICADO
ORACIÓN INCLUYENTE	

   b) con la proposición incorporada en el predicado.

   • *La ayuda llegó* <u>*cuando ya no se necesitaba.*</u>

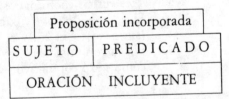

Proposición incorporada	
SUJETO	PREDICADO
ORACIÓN INCLUYENTE	

Oración incluyente es la unidad superior, que lleva incluida una o más proposiciones.
La coma y el punto y coma son los signos gráficos que se emplean (a veces, no siempre) para separar las proposiciones.

La división de todas las oraciones compuestas en COORDINADAS y SUBORDINADAS es, sin duda, convencional. En la práctica se dan no pocos casos en los que es muy difícil, si no imposible, determinar si existe coordinación o subordinación. Sin embargo, didácticamente resulta de gran utilidad esta división para comprender mejor las diversas estructuras sintácticas del lenguaje, al menos en la mayoría de los casos. El hecho de que algunas de ellas resulten de difícil o dudosa clasificación se debe precisamente a que la relación que los une oscila entre coordinación y subordinación, prueba de que estos dos tipos de relación son diferenciables y por lo mismo pueden tomarse como criterio para la clasificación sintáctica de las oraciones.

COORDINACIÓN

La coordinación se produce cuando se unen elementos de la misma función sintáctica u oraciones que están en el mismo plano sintáctico.

Por ejemplo, un sujeto con otro sujeto, un predicado con otro predicado, un complemento con otro complemento de la misma clase, etc., y una oración con otra oración que estén en el mismo plano sintáctico, es decir, sin que ninguna de ellas quede subordinada o dependiente de la otra. En esto precisamente radica la diferencia fundamental con la subordinación: dos o más oraciones coordinadas, que por el hecho de estar coordinadas ya se denominan proposiciones, quedan con sentido propio y adquieren autonomía sintáctica, es decir, se vuelven oraciones independientes si se prescinde del nexo.

No ocurre lo mismo con las proposiciones subordinadas, pues la proposición incorporada, al desvincularse de la subordinante, no tiene sentido en sí misma, carece de autonomía sintáctica.

La coordinación puede realizarse por medio de pausas, sin nexo alguno, o sea, por simple yuxtaposición, o por medio de *nexos coordinantes*.

Nexos coordinantes

Los característicos y usuales son las conjunciones Y—E—NI—QUE—O—U—PERO. . .

- *Luis, Pedro y Andrés* salieron de paseo.

  Tres sujetos coordinados:
  El 1o, y el 2o. por yuxtaposición (sin nexo) y el 2o. y 3o. con el nexo copulativo *y*.

- *Llegó, vio y salió* silencioso.

  Tres verbos coordinados:
  El 1o. y el 2o. por yuxtaposición (sin nexo); y el 2o. y el 3o. por la conjunción *y* como nexo copulativo.

- Yo *hablé, todos me escucharon, pero nadie me ayudó.*

  Tres proposiciones coordinadas: la 1a. y 2a. por yuxtaposición (sin nexo); la 2a. y 3a. por la conjunción *pero* como nexo adversativo.

SUBORDINACIÓN

La subordinación se produce cuando se unen elementos u oraciones de distinta categoría sintáctica de modo que uno de ellos queda subordinado o dependiente del otro.

Consecuentemente, una oración subordinada a otra no puede ser considerada separadamente porque carece de autonomía sintáctica, no tiene sentido en sí misma. Pierde su independencia porque pasa a ser un elemento sintáctico de otra oración, llamada *subordinante* o *principal,* con la cual queda formalmente incorporada. De ahí que las oraciones subordinadas se denominan, con toda propiedad, *proposiciones incorporadas* o *incluidas.*
Las proposiciones incorporadas pueden desempeñar en relación con la oración subordinante cualquiera de las funciones sintácticas: sujeto, objeto directo, circunstancial, etc. Se distinguen según la naturaleza y función de los nexos oracionales. Pueden construirse sin nexo alguno, por yuxtaposición, o por medio de algún nexo *subordinante.* Pueden ir delante o detrás de la oración subordinante o intercalada entre los elementos de la misma.

Nexos subordinantes

Los característicos y usuales son los siguientes:
Preposiciones: Cualquier preposición, pues ésa es su función, subordinar un elemento u oración a otra.
Conjunciones: *SI, QUE, PORQUE, PUES, AUNQUE,* etc.
Frases conjuntivas: *Siempre que, a fin de que, por más que,* etc.
Relativos: *que, quien, cual, cuyo, donde, cuando, como,* etc.

- *Terminado el trabajo,* regresaré a mi casa.

  | proposición incorporada |

  No hay nexo alguno entre la proposición incorporada y la oración subordinante.

- Ríe *por no llorar.*

  | proposición incorporada |

  La proposición incorporada va unida por un nexo (por) a la subordinante y detrás de ella.

- El libro *que compré ayer,* es interesante.

  | proposición incorporada |

  La proposición incorporada va unida por un nexo (*que*) a la subordinante e intercalada entre los elementos de ésta.

Ejercicios		
Tema **18 y 18-A**	**ORACIONES COMPUESTAS**	—ORACIÓN-PROPOSICIÓN —COORDINACIÓN-SUBORDINACIÓN

Conteste las siguientes preguntas.

1) ¿Cuál es la diferencia esencial entre oración y proposición?

_____

2) ¿Cuál es el signo gráfico que separa las oraciones?

_____

3) ¿Cuál es el signo gráfico que, a veces, separa las proposiciones?

_____

4) ¿Qué es una oración coordinativa?

_____

5) ¿Qué es una oración incluyente?

_____

6) ¿Cuál es la diferencia esencial entre coordinación y subordinación?

_____

7) ¿Cómo puede construirse la coordinación?

_____

8) ¿Cómo puede construirse la subordinación?

_____

9) ¿Por qué la proposición subordinada se llama también incorporada o incluida?

_____

10) ¿Tiene autonomía sintáctica la oración?   SÍ ☐   NO ☐

11) ¿Tiene autonomía sintáctica la proposición?   SÍ ☐   NO ☐

ORACIÓN COMPUESTA

Es la oración que lleva incluidas una o más proposiciones. Las proposiciones pueden ir coordinadas entre sí o subordinadas. En la práctica se reconoce porque lleva dos o más verbos.

Los medios para expresar la unidad de la oración y las relaciones entre sus elementos componentes son: la entonación y las palabras de enlace (preposiciones, conjunciones, pronombres relativos y adverbios). Éstos son los nexos de la oración, que sirven para relacionar oraciones y proposiciones. Los nexos por sí mismos son como índices que indican el tipo de relación que establecen. Un mismo nexo puede tener significado diferente, según el contexto. En la mayoría de los casos, en la oración compuesta concurren los dos factores: La entonación y los nexos. Sin embargo, también puede construirse sin nexo. En tal caso, las relaciones oracionales se logran por simple yuxtaposición.

O R A C I Ó N   C O M P U E S T A

A) PROPOSICIONES COORDINADAS

Nexos más comunes

1) Sin nexo: yuxtapuestas ———————————————— Carecen de nexo

2) Con nexo:
- Copulativas ———————————————— y-e-ni-que
- Disyuntivas ———————————————— o-u-ya
- Adversativas a) Restrictivas ———————————— mas-pero
-           b) Exclusivas ———————————— sino

B) PROPOSICIONES SUBORDINADAS (llamadas también INCORPORADAS o INCLUIDAS)

SUSTANTIVAS
- de Sujeto ————————————————— sin nexo
- Complementarias directas (de O.D)
  - a) Enunciativas 1) de estilo directo ————————— sin nexo
  -             2) de estilo indirecto ———————— que
  - b) Interrogativas indirectas ———————————— si-como
  - Complementarias a) de sustantivo ————————— de + que
  -               b) de adjetivo ————————— de, con, por, a, para + que

ADJETIVAS
- a) Explicativas ———————————————— los relativos
- b) Especificativas ——————————————— que, cual, quien, cuyo

ADVERBIALES
- de lugar
- temporales
- Modales
- Comparativas a) de modo
-               b) de cantidad
- Causales
- Finales
- Consecutivas
- Condicionales
- Concesivas

donde
cuando
como
como. . .así
tanto. . .cuanto
porque-que
para-a-por
Luego-así pues
si
aunque

ORACIONES
COMPUESTAS

—Clasificación general
—Cuadro sinóptico

Conteste las siguientes preguntas.

1) ¿Cuáles son los dos grandes grupos en que se divide la oración compuesta?

_____

2) ¿Un nexo tiene siempre el mismo significado en todos los casos?
SÍ ☐   NO ☐

3) ¿Cómo se distingue en la práctica del análisis gramatical la oración compuesta?

_____

4) ¿Cuáles son los nexos característicos de las proposiciones adjetivas?

_____

5) ¿Cómo se llaman las proposiciones que carecen de nexo entre ellas?

_____

6) ¿Pueden construirse sin nexo las proposiciones coordinadas? SI ☐   NO ☐
7) ¿Pueden construirse sin nexo las proposiciones subordinadas? SÍ ☐   NO ☐
8) Las proposiciones adjetivas son:
¿coordinadas?   ☐   ¿subordinadas?   ☐
9) Las proposiciones sustantivas son:
¿coordinadas?   ☐   ¿subordinadas?   ☐
10) Las proposiciones adverbiales son:
¿coordinadas?   ☐   ¿subordinadas?   ☐
11) ¿La oración compuesta puede llevar incluida más de una proposición subordinada?
SI ☐   NO ☐

COORDINADAS YUXTAPUESTAS

Son las proposiciones que se construyen sin nexo gramatical entre sí.

Nexos: no tienen.

Las proposiciones yuxtapuestas se caracterizan únicamente por carecer de nexo, pues su significado puede ser equivalente al de otra proposición, coordinada o subordinada, construida con nexo.

Coordinada	a) con nexo——	Lo busqué, *pero* no lo hallé.
	b) sin nexo——	Lo busqué, no lo hallé.
Subordinada sustantiva de O.D.	a) con nexo——	Le ruego *que* me disculpe.
	b) sin nexo——	Le ruego me disculpe.
Subordinada adverbial temporal	a) con nexo——	*Cuando* salí a la calle, llovía.
	b) sin nexo——	Salí a la calle, llovía.
Subordinada adverbial causal	a) con nexo——	Respétalo, *pues* es tu maestro.
	b) sin nexo——	Respétalo, es tu maestro.
Subordinada adverbial consecutiva	a) con nexo——	El respira, *luego* está vivo.
	b) sin nexo——	El respira, está vivo.
Subordinada adverbial condicional	a) con nexo——	*Si* estudias, te daré un regalo.
	b) sin nexo——	Estudia, te daré un regalo.

PROPOSICIONES DISTRIBUTIVAS

Adquieren este carácter las proposiciones cuando nos referimos alternativamente a ellas o a alguno de los elementos constituyentes. Se construyen sin conjunciones, por lo que formalmente son *yuxtapuestas*. Sin embargo, pueden considerarse una variante diferenciada de las yuxtapuestas por usar, a modo de nexos, ciertas palabras correlativas como: ora. . . ora; ya. . . ya; bien. . . bien; sea. . . sea; uno. . . otro; este. . . aquel; quien. . . quien; tal. . . tal, etc.

- *Ora* ayuda a los pobres *ora* atiende a los enfermos.
- *Unos* lo prueban, *otros* lo desaprueban.
- *Éste* quiere una cosa; *aquél*, otra.

Ejercicios

Tema
19

PROPOSICIONES
COORDINADAS

—Yuxtapuestas
—Distributivas

Escriba la clasificación que corresponda (adversativa, sustantiva de O.D., adverbial causal, adverbial consecutiva) a cada una de las siguientes proposiciones yuxtapuestas y escriba, debajo, la misma proposición, pero con el nexo que pida el sentido.

1) Cierra la ventana, hace frío.

_____

2) Yo llamé, nadie me contestó.

_____

3) Espero me comprendan.

_____

4) Está demasiado caliente, te vas a quemar.

_____

Construya proposiciones distributivas con las siguientes palabras correlativas.

1) *éste. . . aquél*   a) _____

                b) _____

2) *quien. . . quien* a) _____

                b) _____

3) *bien. . . bien*   a) _____

                b) _____

4) *ora. . . ora*   a) _____

                b) _____

5) *ya. . . ya*   a) _____

                b) _____

COORDINADAS COPULATIVAS

Son proposiciones que se expresan dentro de la oración como simples sumandos, sin connotaciones especiales.

Nexos copulativos: *Y* (o la variante *E* delante de *i*, *hi*)-NI-QUE

Para unir proposiciones afirmativas se emplea *Y*. Cuando son más de dos, generalmente sólo se emplea entre la penúltima y la última.

• El papá trabaja, la mamá cuida la casa *y* los niños van a la escuela.

Para unir proposiciones negativas se emplea NI. Cuando son más de dos, generalmente sólo se emplea entre la penúltima y la última.

• Nunca piensa, dice, *ni* hace nada que ofenda a los demás.

Pero frecuentemente, por razones de expresividad, se repite delante de cada miembro de la serie.

• *Ni* trabaja, *ni* estudia, *ni* tiene interés por nada.

La conjunción QUE se usa a veces con valor copulativo.

• Se pasó toda la tarde llueve *que* llueve (= . . . llueve *y* llueve)
• Justicia quiero, *que* no favores (= Justicia quiero *y* no. . .)

Polisíndeton y asíndeton

Por razones de expresividad, a veces, se emplean, tanto para unir oraciones como elementos de la oración, más conjunciones de las que generalmente se usan en el habla habitual (polisíndeton). Contrariamente y por las mismas razones de expresividad, pueden suprimirse conjunciones generalmente empleadas en el habla usual (asíndeton).

Estudia Física, Química, Medicina *y* Literatura. (habla habitual)
Estudia Física *y* Química *y* Medicina *y* Literatura. (polisíndeton)

Entró al carro, encendió el motor *y* se alejó veloz. (habla habitual)
Entró al carro, encendió el motor, se alejó veloz. (Asíndeton)

La conjunción Y como nexo extraoracional

La conjunción *Y* puede ir encabezando una oración. En tal caso, es un nexo extraoracional que hace referencia a lo dicho anteriormente o que se deduce por el contexto. Este uso de la conjunción es frecuente sobre todo en las oraciones interrogativas y exclamativas.

¿*Y* eres tú quien me lo pides?   ¡*Y* dicen que no es bueno!

Ejercicios

Tema

19-A

PROPOSICIONES COORDINADAS

—Copulativas

Subraye todos los nexos copulativos, tanto si relacionan proposiciones copulativas como si unen elementos en una oración simple.

1) La comida, el vestido y la vivienda son necesidades básicas.

2) Ni lo sé ni me importa.

3) Este año no han sembrado ni piensan sembrar.

4) El niño toda la noche llora que llora.

5) Tira la piedra y esconde la mano.

6) Como el perro del hortelano, ni come ni deja comer.

7) Allí mismo acamparon e hicieron fuego.

8) Obras son amores que no buenas razones.

9) La ruta es larga e interesante.

10) La culpa es suya que no mía.

Construya proposiciones coordinadas unidas mediante los siguientes nexos copulativos.

1) (y)   a) _____

              b) _____

2) (e)   a) _____

              b) _____

3) (ni)   a) _____

              b) _____

4) (que)   a) _____

              b) _____

5) (sin nexo)   a) _____

              b) _____

COORDINADAS DISYUNTIVAS

Son las proposiciones que expresan juicios contradictorios entre sí, de modo que no pueden realizarse simultáneamente.

Nexos disyuntivos: La conjunción *O* (o la variante *U* delante de *O*, —*HO*)

- ¿Vienes *o* te quedas?
- Tendrás que decidirte por una *u* otra cosa.
- La fecha señalada era ayer *u* hoy.
- Falta saber si lo quieres brillante *u* opaco.

Cuando son dos las proposiciones coordinadas disyuntivas, la conjunción generalmente va únicamente entre ambas; pero con frecuencia también se repite delante de la primera para dar mayor énfasis a la disyunción.

- *O* cumples con tus compromisos *o* te verás en dificultades.

Cuando son más de dos las proposiciones o elementos coordinados en forma disyuntiva, basta con que la conjunción preceda al último, aunque también puede encabezar a todos.

- Alguien deberá ser el responsable: tu primo, tu hermano *o* tú mismo.
- Alguien deberá ser el responsable: *o* tu primo *o* tu hermano *o* tú mismo.

Concordancia del verbo en la disyuntiva

Cuando el verbo se refiere a dos o más sujetos en singular, puede expresarse en singular concertando con uno de los sujetos o puede construirse en plural, en cuyo caso concierta con todos ellos.

- Nadie, pariente, amigo o conocido lo *defiende*.
- Ni tu dinero, influencia o poder te *salvarán*.

La conjunción O como declarativa

La conjunción *O* no siempre tiene valor disyuntivo. A veces se usa como declarativa para explicar o aclarar el significado de algo previamente dicho. Éste es el valor que tiene cuando se emplea entre sinónimos.

- El español es una lengua romance *o* románica.

Ejercicios

Tema	PROPOSICIONES	
19-B	**COORDINADAS**	—Disyuntivas

Subraye todos los nexos disyuntivos en las siguientes oraciones y proposiciones.

1) Es cuestión de vida o muerte.

2) O usted mejora su rendimiento o buscamos otro colaborador.

3) El doctor Mendez o el doctor Escobar les atenderán.

4) Había unas quince o veinte mil personas.

5) Me hospedaré en una pensión u hotel cualquiera.

6) Usted o yo sobramos en esta oficina.

7) Exactamente así se hará, salvo error u omisión.

8) O yo estoy muy equivocado o este señor es un farsante.

9) Pronto me decidiré por una u otra alternativa.

10) O usted cumple su compromiso o yo lo enjuiciaré.

Construya oraciones y proposiciones empleando la conjunción O con el carácter que en cada caso se indica.

A) La conjunción O como nexo disyuntivo.

1)_____

2)_____

3)_____

4)_____

5)_____

B) La conjunción O como declarativa.

1)_____

2)_____

3)_____

4)_____

5)_____

COORDINADAS ADVERSATIVAS

Son proposiciones que expresan juicios que son incompatibles o al menos contrarios en cierto sentido.

Nexos adversativos: Conjunciones: PERO, EMPERO, MAS, SINO.
Frases conjuntivas: sin embargo, no obstante, etc.

La contrariedad entre los conceptos expresados por las proposiciones adversativas puede ser total o parcial. Por ello, pueden distinguirse dos tipos de proposiciones adversativas.

a) *Adversativa exclusiva.* Si hay incompatibilidad entre dos juicios.
'No es mi interés, *sino* el de mi patria.

b) *Adversativa restrictiva.* Si la idea que expresa una proposición corrige o restringe, pero no excluye lo expresado por la otra proposición.
''Es alegre, *pero* responsable.

Existe una gran gama de matices cuando se contraponen dos juicios, desde la incompatibilidad hasta la restricción en mayor o menor grado. Estos matices son los que expresan las distintas conjunciones.

PERO Es la adversativa de uso más común, tanto en el habla coloquial como en el lenguaje literario. Su significación es restrictiva, no exclusiva: Estoy feliz, *pero* cansado.
En comienzo de cláusula es un nexo entre oraciones que denota restricción con lo dicho anteriormente. También sirve para manifestar sorpresa, extrañeza, etc.

- *Pero* veamos ahora cómo está la situación.
- *Pero* ¿cómo te atreves?
- *Pero* ¡qué maravilla!

EMPERO Tiene el mismo valor restrictivo que *pero*. Hoy no se usa en el habla coloquial. Es de uso exclusivamente literario. En su construcción ofrece una particularidad: puede ir encabezando su oración o ir intercalada entre sus elementos.

- Es muy bueno, sus modales, *empero* son toscos.

MAS Es la adversativa más atenuada. Actualmente su uso es casi exclusivamente literario. Muy rara en el habla coloquial:
- Sabía que era malo, mas no tanto.
En comienzo de cláusula funciona como nexo entre oraciones que remite a lo expresado anteriormente para indicar transición:
- *Mas* ¿cómo pretendes que ahora te ayude?

SINO Tiene valor excluyente. Expresa la incompatibilidad entre los dos conceptos que relaciona. Su uso exige que la primera proposición sea negativa.
- No busco agradar a unos pocos, *sino* ayudar a todos.
Frecuentemente se refuerza su valor excluyente agregando *que*
- No solo nos robaron, *sino que* también nos golpearon.

Muchas frases conjuntivas como *no obstante, sin embargo, con todo*, etc., pueden también ir en comienzo de cláusula como nexo entre oraciones para referirse a algo previamente expresado.
- Así ocurrió todo, sin embargo nunca perdió el ánimo.

PROPOSICIONES COORDINADAS

—Adversativas

Subraye todas las palabras empleadas como nexos adversativos.

1) Ofrece mucho, pero da poco.

2) Hicieron todo lo posible, no obstante no lograron su propósito.

3) Es famoso por su dinero, mas no por su buena educación.

4) No lo dicen sólo sus enemigos, sino también sus amigos.

5) Nadie sino usted puede llevar adelante este proyecto.

6) El testigo dijo la verdad, mas no toda la verdad.

7) No trabaja mucho, pero es muy simpático.

8) Mucho se ha adelantado, no obstante aún falta mucho más.

9) Quisiera salir esta tarde, pero no puedo.

10) No es mal asunto, sin embargo a mí no me interesa.

Construya proposiciones con los nexos que se indican.

1) Con el nexo *PERO*.　　a) _____

　　b) _____

2) Con el nexo *MAS*.　　a) _____

　　b) _____

3) Con el nexo *SINO*.　　a) _____

　　b) _____

4) Con el nexo *SIN EMBARGO*.　　a) _____

　　b) _____

5) Sin nexo (yuxtapuestas).　　a) _____

　　b) _____

Todas las proposiciones subordinadas se dividen en tres grupos:

SUSTANTIVAS

Esta denominación atiende a la función sintáctica que la proposición desempeña dentro de la oración y a la estructura gramatical que de la misma se deriva (criterio sintáctico).

Son sustantivas las proposiciones incorporadas que desempeñan las funciones que en su lugar podría desempeñar un sustantivo: *sujeto, objeto directo* del verbo, *complemento de otro sustantivo* o *adjetivo*.

Pueden construirse con nexo o sin nexo.

• No es conveniente *comer demasiado*.	Sustantiva de *sujeto* (sin nexo)
• Ordenó *que le trajeran la comida*.	Sustantiva *de O.D.* (con nexo *que*)
• Ordenó *revisar todas las cuentas*.	Sustantiva *de O.D.* (sin nexo)
• Tiene la costumbre *de hablar muy alto*.	Sustantivo *complemento de sustantivo* (nexo *de*)
• Está deseoso *de ayudar a los demás*.	Sustantivo *complemento de adjetivo* (nexo *de*)

ADJETIVAS

Esta denominación atiende a la función sintáctica que la proposición desempeña dentro de la oración y a la estructura gramatical que de la misma se deriva (criterio sintáctico).

Son adjetivas las proposiciones incorporadas que modifican a un sustantivo de la oración principal (llamado antecedente) del mismo modo que un adjetivo modifica, como atributo a un sustantivo en la oración simple. Son, pues, estas proposiciones sintácticamente equivalentes a un adjetivo, es decir, su función es adjetiva, por lo que se denominan proposiciones adjetivas.

Van siempre encabezadas por un relativo (por eso, a veces, se las denomina también ''de relativo'') y se distinguen dos clases: explicativas y especificativas.

• Aquel día, *que era lunes*, resultó trágico.	Adjetiva *explicativa*
• Las pruebas *que aportó*, no son suficientes.	Adjetiva *especificativa*

ADVERBIALES

Esta denominación atiende principalmente a la significación que la proposición tiene respecto a la oración principal (criterio semántico).

Son adverbiales las proposiciones incorporadas que funcionan como los adverbios, pues, igual que éstos en la oración simple, las proposiciones adverbiales expresan respecto a la oración principal circunstancias diversas: tiempo, lugar, modo, causa, etc.

Los distintos grupos en que se dividen las adverbiales no deben tomarse con la rigidez de una clasificación lógica cuyos miembros se excluyen entre sí, pues en la práctica se presentan numerosos casos de proposiciones adverbiales que pueden clasificarse indistintamente en uno u otro grupo, bien porque su significación puede interpretarse en un sentido o en otro, bien porque participa de ambos.

• Te lo daré *cuando regreses*.	(adverbial temporal)
• La sorpresa salta *donde menos lo esperas*.	(adverbial de lugar)
• Haz las cosas *como Dios manda*.	(adverbial modal)

PROPOSICIONES SUBORDINADAS

Conteste las siguientes preguntas.

1) ¿Qué criterio se aplica para clasificar como SUSTANTIVAS a un grupo de proposiciones subordinadas?

_____

2) ¿Qué criterio se aplica para clasificar como ADJETIVAS a un grupo de las proposiciones subordinadas?

_____

3) ¿Qué criterio se aplica para clasificar como ADVERBIALES a un grupo de las proposiciones subordinadas?

_____

4) ¿Qué funciones sintácticas puede desempeñar la proposición sustantiva?

_____

5) ¿Qué función sintáctica desempeña la proposición adjetiva?

_____

6) ¿Por qué las proposiciones adjetivas se llaman también de relativo?

_____

Construya proposiciones subordinadas según las indicaciones de cada caso.

A) SUSTANTIVAS

   1) de sujeto. _____
   _____

   2) de O.D. _____
   _____

B) ADJETIVAS

   1) con el relativo *que*. _____
   _____

   2) con el relativo *cuales*. _____
   _____

C) ADVERBIALES

   1) con el adverbio *como*. _____
   _____

   2) con el adverbio *cuando*. _____
   _____

SUSTANTIVAS DE SUJETO

Son las proposiciones incorporadas que ejercen, con respecto a la oración subordinante, la función de sujeto, del mismo modo que un sustantivo o elemento sustantivado ejerce tal función en la oración simple.

Nexos subordinantes

La partícula *que* sola o bien precedida del artículo *el*, lo cual no es indispensable, pero sí frecuente. El artículo se convierte en atributo de toda la proposición. También puede construirse, como todas las subordinadas, sin nexo alguno.

Modificadores

Por su condición de sustantiva, estas proposiciones admiten como modificadores el artículo *EL* y también los pronombres neutros *LO*, ESTO, ESO, AQUELLO, que se convierten en atributos de toda la proposición.

- *El que tengas poder y riqueza* no te da derecho a todo.

- *Eso de que yo soy el culpable* es un invento suyo.

Construcción

Si la proposición de sujeto es interrogativa, no se emplea la conjunción *que*, pues los pronombres o adverbios son los que asumen tal función.

- Me preocupa *quiénes* pueden salir perjudicados.

- Ya se aclarará *cuántos* estaban implicados.

Cuando hay dos o más proposiciones de sujeto coordinadas entre sí, el verbo de la oración principal o subordinante no cambia al plural.
Se expresa siempre en singular.

- No <u>es</u> razonable   *que le pidas ayuda*   y   *que le insultes al mismo tiempo.*

| Verbo principal en singular | proposición subordinante sustantiva de sujeto | + | proposición subordinante sustantiva de sujeto |

Las proposiciones sustantivas de sujeto (lo mismo que un sustantivo-sujeto) nunca pueden ir precedidas de la preposición DE (sobre el particular véase el tema 21-A y 21-B)

Las proposiciones sustantivas de sujeto no son frecuentes en español. Su uso está limitado, no exclusivamente, pero sí con preferencia, a ser sujeto de ciertos verbos como *convenir*, o lucuciones como *ser necesario, ser conveniente, estar bien, estar mal.*

- *Conviene* que prestes mayor atención.

- *Será necesario* que aumenten las cuotas.

- *Es conveniente* que nadie se mueva de aquí.

- *Está bien* que ayudes a tus amigos.

- *Estuvo mal* que echaras la culpa a él sin motivo.

PROPOSICIONES SUBORDINADAS

—De sujeto

Subraye con una raya (————) todas las palabras que pertenezcan a la proposición subordinada sustantiva de sujeto y con doble raya (══════) el nexo subordinante, cuando exista.

1) Era evidente que no habría más oportunidades.

2) El que seas fuerte y poderoso no te da derecho a todo.

3) Me duele que le hayan tratado tan mal.

4) Fue un verdadero acierto comprar en esa oportunidad.

5) No importa que los otros se opongan.

6) Es extraño que no haya llamado por teléfono aún.

7) Conviene que estés preparado unas horas antes.

8) No está bien que gocen de tales privilegios.

9) Basta que uno se lo diga.

10) Es imposible separar estos elementos por medios manuales.

Construya proposiciones sustantivas de sujeto según las indicaciones.

1) Proposición sustantiva interrogativa indirecta encabezada por:

   a) el relativo *quien*. _____

   b) el adverbio *donde*. _____

2) Proposición sustantiva de sujeto encabezado por:

   a) el nexo *que* sin artículo._____

   b) el nexo *que* con artículo. _____

3) Proposición sustantiva de sujeto sin nexo:

   a) predicada del artículo *el*. _____

   b) sin artículos. _____

SUSTANTIVAS COMPLEMENTARIAS DIRECTAS

Son las proposiciones subordinadas que ejercen la función de objeto directo del verbo principal (el de la oración subordinante o principal).

Nexos subordinantes: QUE, SI, COMO o ninguno.

Construcción: Su construcción varía, según sean:

1) **Enunciativas**

a) *de estilo directo:* cuando el que habla o escribe reproduce textualmente las palabras dichas por otros.
- Ordenó firmemente: *nadie se mueva.*

b) *de estilo indirecto:* cuando el narrador expresa por sí mismo lo dicho por otra persona.
- Ruego *me ayuden en esta obra.* (sin nexo)

- Ordenó *que nadie se moviera.* (con nexo)

- Ordenó *desalojar la sala* (con infinitivo)

Nótese que en el estilo directo la subordinante y la subordinada van yuxtapuestas (sin nexo), mientras que en el estilo indirecto se unen mediante la conjunción *que*, si bien ésta también puede suprimirse.

2) **Interrogativas indirectas.** Son las que formulan una pregunta mediante una proposición subordinada al verbo de la principal. En la construcción *que*. La usual es *SI*, que en este caso funciona como interrogativa o dubitativa, no como condicional.

- ¿Vino alguien?   Interrogativa directa (oración simple)

- Preguntó *si había venido alguien*   Interrogativa indirecta (proposición incorporada)

La interrogativa indirecta admite a veces la conjunción *que* delante del pronombre o adverbio interrogativo.
- Dice *que qué desea.*   • Todos preguntan *que cuándo viene.*

El uso de *que* en estos casos es pleonástico. Es frecuente en el habla popular, pero raro en el lenguaje literario.

NORMATIVA: EL USO ABUSIVO "DE QUE" en las proposiciones sustantivas de O.D.

Las proposiciones sustantivas de Objeto Directo nunca van precedidas de la preposición DE (el objeto directo en la oración simple nunca va precedido de esta preposición). Así, serán incorrectas proposiciones como éstas;

INCORRECTO
- Dice *de que se siente mal.*

- Espero *de que me comprendan.*

- No me hagas *de reír.*

LO CORRECTO ES:
Dice *que se siente mal.*

Espero *que me comprendan.*

No me hagas *reír.*

En casos como éstos, puede fácilmente comprobarse la impropiedad del giro, sustituyendo toda la proposición por un demostrativo:
- Dice *que se siente mal.* = Dice *esto.*

La preposición DE solo puede preceder a proposiciones sustantivas complementarias de sustantivo o de adjetivo (véase el tema 21-B).

PROPOSICIONES SUBORDINADAS SUSTANTIVAS

—COMPLEMENTARIAS DIRECTAS
(de O.D.)

Subraye con una raya (———) todas las palabras que pertenezcan a la proposición subordinada sustantiva de objeto directo y con doble raya (=====) el nexo subordinante, cuando exista.

1) El médico ordenó al enfermo guardar cama.

2) Preguntó si todo estaba bien.

3) Nosotros no sabemos a qué ha venido.

4) El capitán dispuso que todos abandonaran la nave.

5) Te suplico no me molestes más.

6) Demostró que sus ideas no eran utópicas.

7) Reconozco que la culpa fue mía.

8) Ahora sabrán quién soy yo.

9) No sé si ya ha terminado.

10) No concibo cómo es tan ingrato.

Las siguientes proposiciones están intencionalmente construidas con una incorrección. Escriba debajo la correspondiente proposición correcta.

1) Incorrecto: Me dijo de que no podrá venir mañana.

Lo correcto es: _____

2) Incorrecto: Anunciaron de que van a subir los precios.

Lo correcto es: _____

3) Incorrecto: No me hagas de reír.

Lo correcto es: _____

4) Incorrecto: Todos, pues, deseamos de que sean muy felices.

Lo correcto es: _____

5) Incorrecto: Así que espero de que todo saldrá bien.

Lo correcto es: _____

SUSTANTIVAS COMPLEMENTARIAS DE SUSTANTIVO

Son las proposiciones que se subordinan directamente a un sustantivo de la oración principal, sin importar la función que éste tenga en la oración principal.

Nexos subordinantes

Obligatoriamente es la preposición *DE* segunda de la conjunción *QUE*.

- Tengo el *presentimiento de que todo saldrá bien.*
     O.D.   (complemento de sustantivo)

- Sigo *con la idea de que es factible aún.*
     Circ.   (complemento de sustantivo)

Quizás debido a este tipo de construcción, se han obligado varias expresiones incorrectas de uso muy generalizado y común, que emplean indebidamente la preposición DE. Esta preposición se emplea únicamente cuando la proposición es complementaria de un sustantivo o de un adjetivo; pero si la proposición es complementaria directa del verbo principal (objeto directo) debe usarse sólo la conjunción *que.*

Incorrecto	**Correcto**
• Me informaron *de que* llega hoy.	Me informaron *que* llega hoy.
• Me temo *de que* va a llover.	Me temo *que* va a llover.
• Dice *de que* no se siente bien.	Dice *que* no se siente bien.

SUSTANTIVAS COMPLEMENTARIAS DE ADJETIVO

Son las proposiciones que se subordinan directamente a un adjetivo de la oración principal, sin importar la función que éste tenga en su oración.

Nexos subordinantes

Una preposición (DE, CON, POR, A, PARA) seguida de la conjunción QUE.

- Estoy *contento de que todo haya salido bien*
        adj.

- Vivo *esperanzado con que la verdad prevalecerá.*
        adj.

- Estaba *deseoso por que empezara la función.*
        adj.

- Me sentía *dispuesto a que (o para que) me enviaran delante.*
           adj.

Nótese cómo la proposición formada con *por que* adquiere significado causal y la formada con *a que* o *para que,* significación final. Efectivamente, con este tipo de construcciones pueden confundirse con las proposiciones *causales* y *finales,* entre las cuales no existe diferencia en la práctica o resulta muy difícil de delimitar.

PROPOSICIONES SUBORDINADAS SUSTANTIVAS

—COMPLEMENTARIAS DE:
—Sustantivo
—Adjetivo

Subraye con una raya (———) todas las palabras que pertenezcan a la proposición subordinada sustantiva y con dos rayas (═══) el antecedente, sustantivo o adjetivo, al que se subordina la proposición sustantiva.

1) Vive esperanzado con poder regresar algún día a su ciudad natal.

2) Temeroso de que lo descubrieran, huyó a otra ciudad.

3) El hecho de estar allí era otra prueba de su inocencia.

4) Nunca admite la posibilidad de estar equivocado.

5) Todavía tengo grandes esperanzas de encontrarlo.

6) La idea de que no servía para aquel trabajo le perjudicó mucho.

7) Están firmemente decididos a no permitir de nuevo tales abusos.

8) El deseo de progresar en la vida le dio fuerzas para seguir.

9) Pronto tendrá la oportunidad de demostrar sus habilidades.

10) Tengo la impresión de que algo raro ha ocurrido.

Complete las siguientes oraciones con proposiciones sustantivas complementarias del sustantivo o adjetivo que aparece en dicha oración.

1) Se mostró dispuesto _____

2) Cansado _____ renunció.

3) Tengo el presentimiento_____

4) La imposibilidad _____ me atormenta.

5) Es la última oportunidad _____

6) Cada día se muestra más dispuesto _____

7) Tiene ganas _____

8) Se siente muy apenado _____

9) Me preocupa su inclinación _____

10) El fuego ya está listo _____

SUBORDINADAS ADJETIVAS

Son las proposiciones que modifican a un sustantivo o elemento sustantivado de la oración subordinante, del mismo modo que lo puede modificar un adjetivo. De ahí su nombre de adjetivas.

NATURALEZA DE LAS PROPOSICIONES ADJETIVAS

La proposición adjetiva, por su misma definición, equivale sintácticamente a un adjetivo y por lo tanto puede ser sustituida por él.

- Recoge las   *frutas*   *que han madurado.*
  antecedente   *proposición adjetiva*

- Recoge las frutas *maduras.*
  adjetivo

Esto no quiere decir que en la práctica sea indiferente usar una proposición adjetiva o un adjetivo. Muchas veces ello no es posible porque queremos atribuir a un sustantivo cualidades de tal grado de complejidad que no existe adjetivo capaz de expresarlas. Ésa es la razón de la existencia de las proposiciones adjetivas y del servicio que prestan al lenguaje, ampliando el campo expresivo del adjetivo. Por ejemplo:

- El pájaro *que a diario aparecía en el jardín* de pronto desapareció.

ELEMENTOS DE LAS PROPOSICIONES ADJETIVAS

Dos son los característicos: el *nexo* y el *antecedente*.

A) **Nexo.** Son los pronombres relativos *que, quien, cual y cuyo.*

- —El relativo va siempre encabezando la proposición adjetiva
- —El relativo tiene la doble función de referirse a su antecedente y la de servir de nexo conjuntivo entre el antecedente y la proposición adjetiva.
- —El relativo pertenece a la proposición adjetiva y dentro de ella desempeñará la función que le corresponda (sujeto, objeto directo, circunstancia, etc.), sin importar qué función desempeñe su antecedente dentro de la oración principal.
- —El relativo concuerda con su antecedente en género y número, excepto *cuyo*, que concuerda con el sustantivo que le sigue.

B) **Antecedente** . Es el sustantivo o elemento sustantivado al que se refiere la proposición adjetiva.

- —El antecedente pertenece a la oración principal. Desempeñará la función (sujeto, objeto directo, etc.) que dentro de ella le corresponda.
- —El antecedente puede ir callado. Los relativos *quien* y *que* se usan con frecuencia sin antecedente expreso, bien por ser éste desconocido o indeterminado, bien por sobreentenderse fácilmente o porque el hablante prefiere no expresarlo.

- Daré esto *a quien* llegue primero = Daré esto a (*aquel*) que. . .
- Tendrás *de qué* preocuparse = Tendrán (*algo*) de qué. . .

CLASIFICACIÓN DE LAS PROPOSICIONES ADJETIVAS

Igual que los adjetivos, las proposiciones adjetivas pueden ser:

a) *Explicativas* Las que expresan simplemente una cualidad o circunstancia del antecedente, pero sin limitar su significación.

- Su hijo, *que es muy inteligente,* regresará mañana.

b) *Especificativas* Las que expresan una cualidad o circunstancia de tal modo que limitan la significación del antecedente.

- Todos los muebles *que tengo,* son de madera.

Como puede verse en estos ejemplos, la diferencia esencial entre ambas consiste en que las explicativas pueden suprimirse sin que cambie en nada el significado de la oración principal. Así, la oración:
su hijo regresará mañana es igualmente cierta si se expresa sola o acompañada de la proposición adjetiva.
Las especificativas, por el contrario, no pueden suprimirse. Están tan íntimamente ligadas a la principal que al eliminarlas, el verbo de la oración principal ya no conviene a su sujeto. Así, el ejemplo anterior, suprimida la proposición especificativa, quedaría: *Todos los muebles son de madera,* cuyo significado es bien distinto al que tenía cuando estaba limitado o especificado por la proposición adjetiva.
Obsérvese cómo las explicativas van separadas en la escritura por dos comas (que en la entonación deberán marcarse con las respectivas pausas), mientras que las especificativas no llevan coma entre el relativo y su antecedente.

CONSTRUCCIÓN DE LAS PROPOSICIONES ADJETIVAS

Como la proposición adjetiva va siempre encabezada por un pronombre relativo (o un adverbio relativo en función de pronombre), veamos las particularidades que en su construcción ofrece cada uno de ellos.

QUE 1) Es invariable. Consecuentemente la misma forma puede referirse a un antecedente masculino o femenino, tanto en singular como en plural.

antecedente

- El *amigo que* te presenté...*amigo* — masculino singular
- La *casa que* compraste...   *casa* — femenino singular
- Los *hechos que* narraron...   *hechos* — masculino plural
- Las *horas que* faltan...   *horas* — femenino plural

2) *Que* puede sustituirse por *el cual, la cual, los cuales, las cuales,* según el género y el número del antecedente, en las explicativas; pero no, en las especificativas.

- Estos hombres, *que* (o *los cuales*) se sienten enfermos, recibirán ayuda. En cambio, no cabría tal sustitución en el siguiente contexto:

- Los hombres *que* se sientan enfermos, recibirán ayuda:

3) Cuando el relativo *que* sea circunstancial debe construirse con la preposición que corresponda.
   Incorrecto: Con la vara *que* midas, serás medido.
                       En el terreno *que* construyó la casa, había árboles.
   Correcto: Con la vara *con que* midas...
                     En el terreno *en que* construyó...

4) Frecuentemente el relativo *que* va precedido por el artículo (masculino, femenino o neutro). Son, pues, formas usuales: *el que, la que, lo que, los que, las que.*

- Aquí vive *el que* estudia Medicina.
- Yo sé *lo que* me conviene, etc.

QUIEN Su plural es QUIENES y equivale a *el que, la que, los que, las que* respectivamente. Dentro de la proposición puede ejercer cualquier función (sujeto, objeto directo, etc.) con preposición o sin ella, excepto la función de sujeto en la preposición especificativa. Así, no puede decirse: el joven, *quien* viene... el médico *quien* operó...sino: el joven *que* viene... el médico *que* operó...

CUAL En su origen es un adjetivo correlativo de *tal* (*cual* el padre *tal* el hijo). Empleado como pronombre, equivale a *que* y precedido de artículo, forma los grupos *el cual, la cual, los cuales, las cuales*, que son las formas recomendables para construir las proposiciones adjetivas especificativas.

CUYO Para femenino CUYA; para el plural CUYOS, CUYAS. Es el único que no concuerda con el antecedente, sino con el sustantivo que lo sigue: Ésta es la *casa cuyo* dueño está de viaje.
Cuyo expresa siempre la persona o cosa poseída propia del antecedente. Es siempre posesivo. No puede usarse con otro carácter. Así, son incorrectas frases como: Interrogaron a un testigo, *cuyo* testigo declaró. Lo correcto es: Interrogaron a un testigo, *el cual* declaró.

PROPOSICIONES ADJETIVAS CON ADVERBIOS RELATIVOS

La proposición adjetiva también puede estar encabezada por los adverbios relativos *donde, cuando, como* y *cuanto* si éstos van referidos a un sustantivo de la oración principal. Tales nexos tienen entonces la doble función de pronombres relativos y adverbios, por lo que las proposiciones que inician oscilan entre adjetivas y adverbiales. Prueba de ello es que el adverbio puede ser sustituido por un pronombre relativo.

- Te espero en el *lugar donde (en que)* nos conocimos.

- Recordamos los *años cuando (en los que)* todo era felicidad.

- Se ufana de la *manera como (en que)* se hace escuchar.

- Daba crédito a *todo cuanto (lo que)* oía.

CONCORDANCIA EN LA PROPOSICIÓN ADJETIVA

1) El relativo concuerda con su antecedente en *género* y *número*. Única excepción es *cuyo*, que concierta con el sustantivo que lo sigue.

- Éste es mi *puesto, el cual* nunca abandonaré.

- Ésta es mi *casa, la cual* compré hace tiempo.

- Éstos son *los hechos, los cuales* no podrás negar.

- Murieron mis *ilusiones, las cuales* nunca volverán.

- Éste es el edificio, *cuyas bases* son más sólidas.

2) Según la ley general de concordancia del verbo, el verbo de la proposición adjetiva concuerda, en número y persona, con su sujeto. Hay, sin embargo, una excepción: cuando la oración principal está formada con el verbo *ser*, el verbo de la proposición adjetiva puede concordar con su sujeto (las formas *el que, las que, quien, quienes*) o bien con el sujeto de la oración principal. Así, puede decirse:

a) Tú eres *la que* más *gritó*. Es la concordancia usual en el estilo lógico-discursivo.

b) *Tú* eres la que más *gritaste*. Esta concordancia da al estilo un carácter más afectivo.

Ambas formas se consideran gramaticalmente correctas por ser frecuentes tanto en textos antiguos como modernos y en el habla coloquial lo mismo que en el lenguaje literario.

PROPOSICIONES
SUBORDINADAS ADJETIVAS

—Explicativas
—Especificativas

Subraye con una raya (———) todas las palabras que pertenezcan a la proposición adjetiva y con dos rayas (═══) el antecedente, cuando esté expreso. En la columna de la derecha, escriba la clase de proposición adjetiva: *explicativa* o *especificativa*.

clase de proposición

1) Los médicos que atienden el caso, no están de acuerdo. _____

2) Aquel señor que vimos ayer, es un músico famoso. _____

3) Entregue esto a quien más lo necesite. _____

4) El panorama que se divisa desde allá, es fantástico. _____

5) De todos los cuadros, éste es el que más me gusta. _____

6) Para mí, que no sabía nada, fue una gran sorpresa. _____

7) Consumieron todos los alimentos que quedaban. _____

8) El monte Everest, que es el más alto, está en Asia. _____

9) Ahora ya tienen de qué preocuparse. _____

10) Las flores con que hicieron la corona, eran blancas. _____

11) Hasta los ancianos, los cuales estaban cansados, colaboraron. _____

12) Este río, que es muy caudaloso, no tiene mucho pescado. _____

13) Ésta es la cosa cuyo dueño no aparece. _____

14) El lobo, que es muy astuto, se fue por otro camino. _____

15) De estos panes, toma los que quieras. _____

16) No siempre logramos lo que pretendemos. _____

17) Pase esta información a quien corresponda. _____

18) Los objetos que se quemaron, eran de gran valor. _____

19) Quien mucho abarca poco aprieta. _____

20) Ya camina, lo que no es poco. _____

En cada una de las siguientes oraciones, sustituya el adjetivo que va entre comillas por una proposición adjetiva. Dentro de la oración compuesta resultante subraye todos los elementos que pertenezcan a la proposición adjetiva.

1) Este trabajo, primorosamente "labrado", tiene gran valor.

_____

2) Los artículos demasiado "caros" no se venden fácilmente.

_____

3) Un gesto "amistoso" puede evitar malos entendidos.

_____

4) El calor, "bueno" para algunas plantas, perjudica a otras.

_____

5) El agua "carente" de ciertos minerales no es buena para la salud.

_____

6) La persona "consciente" de su deber no necesita vigilancia.

_____

7) Las sillas "plegables" resultan muy prácticas en el campo.

_____

8) El hombre "mentiroso" es despreciado por todos.

_____

9) Don Carlos, siempre tan "atento", me hizo este favor.

_____

10) El hombre "generoso" se gana el aprecio de los demás.

_____

ADVERBIALES DE LUGAR

Son las proposiciones subordinadas que expresan respecto a la oración principal o subordinante una circunstancia de lugar.

Funcionan, pues, como un adverbio de lugar

Nexos subordinantes

El adverbio correlativo *DONDE*, así como *A DONDE* (puede usarse indistintamente *a donde*), *de donde*, *en donde*, *por donde*, que son las formas resultantes de anteponer el adverbio. La preposición correspondiente para expresar las distintas modalidades del lugar, como procedencia, destino, etc. También se usa *donde quiera* o *dondequiera*.

El adverbio *DO* ya no se emplea en el habla usual moderna, aunque todavía persiste como palabra literaria, especialmente en la expresión *por doquier* y *por doquiera*.

CONSTRUCCIÓN DE LAS ADVERBIALES DE LUGAR

Se unen a la oración principal por medio del nexo y se refieren a un antecedente, que no siempre va expreso. El antecedente puede ser: sustantivo, adverbio de lugar, pronombre neutro o una oración.

- Desapareció la *casa donde* nací. Antecedente expreso: sustantivo *casa*

- *Aquí* es *donde* quiero vivir. Antecedente expreso: adverbio *aquí*

- *Esto* es por *donde* debe empezar. Antecedente expreso: pronombre *esto*

- *Lo encontré muy preocupado*, de **donde** deduzco que tiene problemas. El antecedente del adverbio *donde* es toda la oración que lo precede

- No encontraron *donde* acampar (antecedente callado)

El antecedente se calla con frecuencia: unas veces, por innecesario (voy **donde** quiero); otras veces se calla intencionalmente para dar al adverbio un carácter de generalización (*donde* las dan, las toman).

La proposición adverbial de lugar normalmente va detrás de la oración principal o intercalada entre sus elementos, aunque también puede ir delante por razones de expresividad, especialmente cuando el antecedente va callado: *Donde* fueres, haz lo que vieres. . .

Recordemos que las adverbiales de lugar, cuando tienen de antecedente un sustantivo, vienen siendo como un caso particular de las adjetivas. El adverbio de lugar puede sustituirse por el pronombre relativo (precedido de la correspondiente preposición que exprese la circunstancia de lugar). La proposición se convierte en adjetiva.

- Desapareció la *casa donde* nací.   (proposición adverbial)

- Desapareció la *casa en que* nací.   (proposición adjetiva)

El adverbio *donde*, seguido de nombre de persona o lugar, indica la ubicación de la persona o lugar en cuestión: Voy a *donde* mis tíos. Vivo *donde* el parque.
Es construcción frecuente en la lengua hablada.

PROPOSICIONES SUBORDINADAS ADVERBIALES

—De lugar

Subraye todas las palabras que pertenezcan a la proposición subordinada adverbial de lugar.

1) No sabe a dónde va.

2) Los terrenos en donde constuyen las viviendas son muy planos.

3) Aquí es donde se almacena el material.

4) Puedes empezar por donde quieras.

5) Allí es donde terminará su misión.

6) Donde las dan, las toman.

7) No encontramos el camino por donde pasamos ayer.

8) De aquí es donde partirá la línea de autobuses.

9) Donde no hay amor, no hay verdadera alegría.

10) No sé realmente por dónde anda.

Transforme cada una de las siguientes proposiciones adverbiales en proposiciones adjetivas, sustituyendo el adverbio *donde* por el relativo que requiera el sentido.

1) Visitaremos la ciudad donde nací.   (proposición adverbial)

_____   (proposición adjetiva)

2) Éstas son las montañas donde crece el ciprés.   (proposición adverbial)

_____   (proposición adjetiva)

3) Éste es el lugar donde toda ilusión termina.   (proposición adverbial)

_____   (proposición adjetiva)

4) Destruyeron los puentes por donde pasaron.   (proposición adverbial)

_____   (proposición adjetiva)

5) Éstas son las aguas por donde navegó Colón.   (proposición adverbial)

_____   (proposición adjetiva)

ADVERBIALES TEMPORALES

Son las proposiciones subordinadas que denotan, respecto a la oración principal, una circunstancia de tiempo. Funcionan, pues como un adverbio de tiempo.

Nexos subordinantes

Los relativos *cuando, cuanto, como, que.*

También frases conjuntivas como: *mientras que, mientras tanto, en tanto que, antes que, después que, luego que, en cuanto, tan pronto como,* etc., y cualquier locución que denote tiempo en cualquiera de sus matices de simultaneidad, anterioridad, posterioridad, sucesión inmediata, etc.

CONSTRUCCIÓN DE LAS TEMPORALES

Las proposiciones adverbiales temporales pueden construirse con nexo y sin nexo. En cualquier caso pueden ir delante o detrás de la oración subordinante.

1) **Con nexo**

Se unen a la oración principal por medio de un nexo y se refieren a su antecedente, en la oración principal, que generalmente va callado. El antecedente, cuando va expreso, puede ser un adverbio, un nombre o locución que indique tiempo.

- Te avisaré *cuando* llegue.   Antecedente callado

- En la *noche* es *cuando* hace frío.   Antecedente expreso: *noche*

- *Al amanecer* era *cuando* salían todos.   Antecedente expreso: *al amanecer*

- Descansé *tanto cuando* necesitaba.   Antecedente expreso: *tanto*

Igual que las proposiciones adverbiales de lugar, las temporales a veces equivalen a proposiciones adjetivas cuando el adverbio de tiempo puede sustituirse por un pronombre relativo.

- Ésta es la hora *cuando* todo queda en paz.   (proposición adverbial)

- Ésta es la hora *en que* todo queda en paz.   (proposición adjetiva)

2) **Sin nexo**
   a) con gerundio   . . .*y cerrando la puerta*, se fue.
   b) con participio absoluto   *Terminado el trabajo*, se fueron.
   c) con el verbo hacer (como unipersonal)   Murió *hace dos días*.

PROPOSICIONES SUBORDINADAS ADVERBIALES

—Temporales

Subraye todas las palabras que pertenezcan a la proposición subordinada adverbial temporal.

1) Aún no habían llegado todos cuando se abrió el debate.

2) Falleció antes de que llegase el médico.

3) Tan pronto como se entere, avíseme.

4) Mientras trabajaban los unos, descansaban los otros.

5) No bien había amanecido cuando fueron atacados por el enemigo.

6) Infórmeme, en cuanto tenga los datos precisos, sobre los daños en la planta.

7) Se marcharon hace varios días.

8) Cumplida la misión, regresaron a sus bases.

9) No regresaré a casa hasta que termine este trabajo.

10) Cerrando los ojos, se durmió.

Construya proposiciones temporales como se indica en cada caso.

1) Con adverbio como nexo. _____

2) Con frase conjuntiva como nexo. _____

3) Sin nexo (con gerundio). _____

4) Sin nexo (con participio). _____

Transforme las siguientes proposiciones adverbiales en proposiciones adjetivas, sustituyendo el adverbio *cuando* por el relativo que corresponda.

1) Éstos son los momentos cuando entra el sueño.   (proposición adverbial)

_____   (proposición adjetiva)

2) Ha llegado la hora cuando todo se decidirá.   (proposición adverbial)

_____   (proposición adjetiva)

ADVERBIALES MODALES

Son las proposiciones subordinadas que denotan, con respecto a la oración principal, una circunstancia de modo. Funcionan, pues, como un adverbio de modo.

Nexos subordinantes

El adverbio de modo *COMO*. También cualquier frase conjuntiva que exprese modo: *de modo que, de manera que, de forma que*, etc.

CONSTRUCCIÓN DE LAS MODALES

Pueden construirse con nexo y sin nexo. En cualquier caso, pueden ir delante o detrás de la oración subordinante.

1) **Con nexo** (el nexo encabeza la proposición modal)

   Se unen a la oración principal por medio de un nexo y se refieren a un antecedente (en la principal), que generalmente va callado. El antecedente, cuando va expreso, comúnmente es otro adverbio de modo, aunque también puede ser un sustantivo o un adjetivo.

• Lo hice *como usted ordenó*.	Antecedente callado
• Lo hice *así como usted ordenó*.	Antecedente expreso: *así*
• Buscan la *manera como entenderse*.	Antecedente expreso: *manera*
• Es *bueno como lo fue su padre*.	Antecedente expreso: *bueno*

2) **Sin nexo**

a) con gerundio	Se pasa el día *leyendo novelas*.
b) con participio absoluto	Se mantuvo a flote, *extendidos los brazos*.

La proposición *según* se usa a veces como adverbio de modo

   • Lo haremos *según nos convenga*.

   • *Según veremos luego*, este aspecto es importante.

También se usan las locuciones *según y como, según y conforme* tanto encabezando una proposición modal, como solas, es decir, sin el verbo. En este caso la proposición modal queda elíptica.

   • Me comportaré *según y como* me traten.

   • Te lo devuelvo *según y conforme* me lo entregaste.

   • Todo será *según y conforme*.

En el último caso, se calla el verbo para dar a la locución un carácter más acusado de eventualidad o contingencia. Fácilmente podría entenderse un verbo: Todo será según y como (corresponda).

PROPOSICIONES SUBORDINADAS ADVERBIALES

—Modales

Subraye todas las palabras que pertenezcan a la proposición subordinada adverbial modal.

1) Lo encontré todo como yo esperaba.

2) Acomódelo de modo que entre por la puerta.

3) No todas las cosas salen como uno quiere.

4) Estudian la manera como solucionar el problema.

5) Cada quien se las arreglará como pueda.

6) Se pasa la vida lamentándose.

7) Cuiden la maquinaria según se les ha instruido.

8) Habla de forma que nadie le entiende.

9) Se pintaron los muebles así como usted los desea.

10) Aguantó el dolor, apretados los puños con fuerza.

Construya proposiciones modales del tipo que se indica.

1) Con el adverbio COMO.

   a) con antecedente _____

   b) sin antecedente _____

2) Con las siguientes frases conjuntivas: _____

   a) *de modo que* _____

   b) *de manera que* _____

   c) *de forma que* _____

3) Sin nexo (con gerundio). _____

   Sin nexo (con participio). _____

Tema
23-C | PROPOSICIONES SUBORDINADAS
ADVERBIALES

—Comparativas
a) de modo
b) de cantidad

ADVERBIALES COMPARATIVAS

Son las proposiciones subordinadas que establecen una comparación entre el concepto por ellas expresado y el de la oración principal.

Nexos subordinantes

El adverbio *COMO* y la conjunción *QUE* son los usuales.

También cualquier frase conjuntiva que denote comparación: *así como, tal como, tal cual*, etc.

El adjetivo *CUAL* también se usa con valor comparativo equivalente a COMO; pero en la actualidad su uso es muy raro y exclusivamente literario: trataba a todos *cual* si fueran sus enemigos.

CONSTRUCCIÓN DE LAS COMPARATIVAS

Las proposiciones adverbiales comparativas se unen a la oración principal mediante algún nexo comparativo, que lleva un antecedente, expreso unas veces; callado, otras.

El antecedente suele ser otro adverbio *COMO* suele llevar de antecedente *Así, bien así, tal; CUAL* suele llevar *tal, así.*

La proposición comparativa puede ir delante o detrás de la oración subordinante.

- *Como las plantas necesitan la luz,* así el hombre necesita la verdad.

- Lo pinté *tal como* me ordenaron.

- Regresaron *como* llegaron. (antecedente callado)

CLASIFICACIÓN DE LAS COMPARATIVAS

A) **Comparativas de modo**

Denotan igualdad o semejanza entre los dos conceptos de oración que se comparan. . . La proposición comparativa se une a la principal mediante el adverbio *como* (que suele llevar de antecedente *tal* o *así*) o *cual* (que suele llevar de antecedente *tal* o *así*). También se usan con valor comparativo otras locuciones: así como. . . así; como. . . así también; así como. . . así también.

- *Como* la luz ahuyenta las tinieblas, *así* la verdad rechaza la mentira.
- *Así como* trates a los demás, *así* ellos te tratarán a ti.

Las comparativas de modo son muy similares a las modales. La diferencia consiste en que en las modales, el adverbio de modo *como* se refiere únicamente al antecedente, expreso o callado, que es otro adverbio, un sustantivo o un adjetivo. En cambio, en las comparativas de modo, la comparación se establece entre dos conceptos ocasionales; el de la oración principal y el de la comparativa de modo.

- Lo hice *así como* a usted le gusta   (modal)
- *Así como* a usted le gusta el café, así me gusta a mí el té. (comparativo de modo)

B) **Comparativas de cantidad**

Expresan el resultado de la comparación entre las dos oraciones.

1) **Comparativas de igualdad**

Si la comparación de igualdad se refiere a la cualidad suele emplearse, como antecedente y nexo respectivamente, la fórmula *tal. . . cual.* Si la comparación se refiere a cantidad, se usa *tanto. . .cuanto.* El adverbio *como* puede sustituir a ambas fórmulas.

- La fiesta resultó *tal cual* a mí me gusta.

- La fiesta resultó *tal como* a mí me gusta.
- La fiesta resultó *como* a mí me gusta (antecedente callado)
- Hice *tanto cuanto* pude.
- Hice *tanto como* pude.

2) **Comparativas de superioridad**

Se construyen con las locuciones $\begin{cases} \text{más. . . que} \\ \text{adjetivo comparativo. . . que} \end{cases}$

El adverbio *más* siempre precede a la conjunción *que*.
- Tiene *más* compromisos *que* los que puede cumplir.
- Su ambición es *mayor que* (es) su prudencia.

Con frecuencia, el verbo de la proposición comparativa va callado.

3) **Comparativas de inferioridad**

Se construyen con las locuciones $\begin{cases} \text{menos. . .que} \\ \text{adjetivo comparativo. . .que} \end{cases}$

El adverbio menos precede siempre a la conjunción *que*
- Posee *menos* juicio *que* (posee) un pájaro.
- La falta de agua es *peor que* quedarse sin comida.

Con frecuencia el verbo de la proposición comparativa va callado.

tanto más. . . cuanto que o *cuanto más* son locuciones de uso frecuente en el lenguaje literario

- Era de esperar, *tanto más cuanto que* ya había indicios de ello.
- *Tanto más* lo apreciaremos, *cuanto más* nos haya costado.

Ejercicios

| Tema **23-C** | **PROPOSICIONES SUBORDINADAS ADVERBIALES** | —Comparativas
a) de modo
b) de cantidad |

Subraye con una raya (_____) todas las palabras que pertenezcan a la proposición subordinada adverbial comparativa y escriba, en la columna de la derecha, la clase de comparativa: *de modo* o *de cantidad*. Subraye, con doble raya (═══) el antecedente cuando vaya expreso.

Clase de comparativa

1) La feria resultó tal cual yo esperaba. _____

2) Lo encontré tal como lo dejé. _____

3) Se portó tal como todos esperábamos. _____

4) Aquella región es tal cual yo la imaginaba. _____

5) Este hombre actúa como a mí me gusta. _____

6) Repare tanto cuanto pude. _____

7) Podé los árboles tal como me indicaron. _____

8) No vendí tanto como yo esperaba. _____

9) Como el pájaro, su nido, así el hombre busca su hogar. _____

10) Tiene mas vicios que ganas de trabajar. _____

11) Como llegaron, se fueron. _____

12) Todo esto tiene menos sentido que regalar el producto. _____

13) Tal como lo vi, te lo cuento. _____

14) No es de extrañar, tanto más cuanto que ya lo sabían. _____

15) Su osadía es mayor que su inteligencia. _____

16) Tal como se ve en la foto, así es de bella. _____

17) Ayudaré tanto cuanto pueda. _____

18) Así como ocurre contigo, así ocurre con los demás. _____

19) Cuanto más te cueste, tanto más lo apreciarás. _____

20) Cada quien se las arregle como pueda. _____

Construya proposiciones adverbiales comparativas según las instrucciones que en cada caso se indican.

I) Comparativas de MODO

   1) con el adverbio *como* sin antecedente.

      a) _____

      b) _____

   2) con el adverbio *como* con antecedente.

      a) _____

      b) _____

II) Comparativas de CANTIDAD

   1) con la fórmula *tal. . .cual* (antecedente y nexo respectivamente).

      a) _____

      b) _____

2) con la fórmula *tal. . .como* (antecedente y nexo respectivamente).

a) _____

b) _____

3) con la fórmula *tanto. . .como* (antecedente y nexo respectivamente)

a) _____

b) _____

4) con la fórmula *más. . .que* (antecedente y nexo respectivamente)

a) _____

b) _____

5) con la fórmula *menos. . .que* (antecedente y nexo respectivamente)

a) _____

b) _____

ADVERBIALES CAUSALES (*)

Son las proposiciones subordinadas que expresan la causa, motivo o razón del concepto de la oración principal o subordinante.

Nexos subordinantes

Conjunciones: PORQUE (la más común y característica), QUE, PUES. También la preposición POR delante de infinitivo.

Frases conjuntivas: ya que, puesto que, como, como que, de que. . .

También se emplean con valor causal otros muchos giros como: *por razón de que, en vista de que, como quiera que, a causa de que, por cuanto*, etc.

CONSTRUCCIÓN DE LAS CAUSALES

Pueden construirse con nexo y sin nexo. En cualquier caso, pueden ir delante o detrás de la oración subordinante.

1) **Con nexo**

Se unen a la oración principal mediante cualquier nexo que denote causa. Comúnmente se constituye detrás de la subordinante, excepto con *como* y *como quiera que*, que suele ir delante.

- No te preocupes, *que todo saldrá bien.*

- No asistí a la reunión *porque no pude llegar a tiempo.*

- Debes prepararte, *ya que te espera una larga tarea.*

- El hombre sabio no es soberbio, *pues conoce sus limitaciones.*

- *Como no me avisaron*, yo nada sabía.

- *Como quiera que tiene gran poder*, muchos lo adulan.

2) **Sin nexo**

a) con gerundio: — *Habiendo llegado tarde*, no lo admitieron
   (Por haber llegado tarde, no lo admitieron)

b) por yuxtaposición: Quiero agua, *tengo sed.*

         (Quiero agua, *porque tengo sed*).

La construcción con gerundio es poco usual.

FUNCIÓN DE LAS CAUSALES

La proposición causal puede modificar directamente como circunstancia de causa tanto al **verbo como a un adjetivo** de la oración principal.

a) Modifica al verbo   No *vine porque no pude.*

b) Modifica al adjetivo   La madre, *contenta porque todos llegaron*, reía.

(*) La gramática moderna no hace distinción entre coordinadas causales y subordinadas causales. Todas las causales se consideran subordinadas.

PROPOSICIONES SUBORDINADAS ADVERBIALES

—Causales

Subraye todas las palabras que pertenezcan a la proposición subordinada adverbial causal.

1) En vista de que no han llegado, comamos nosotros solos.

2) Vísteme despacio, que tengo prisa.

3) No te avisé porque no conocía tu dirección.

4) Por no hacerme caso, tuvo muchos problemas.

5) No podré viajar, pues no me han concedido el permiso.

6) Puesto que está autorizado, ya puede empezar.

7) Procuraré ayudarlo, ya que tú me lo pides.

8) Hoy necesitarás paraguas, pues probablemente lloverá.

9) Habiendo hecho todo lo posible, bien te mereces un premio.

10) Descansaré un rato, estoy muy cansado.

Construya proposiciones causales, según las instrucciones que en cada caso se indican.

1) Con el nexo *porque*. _____

2) Con el nexo *que*. _____

3) Con el nexo *pues*. _____

4) Con el nexo *como*. _____

5) Con el nexo *ya que*. _____

6) Con el nexo *puesto que*. _____

7) Con el nexo *por cuanto*. _____

8) Con el nexo *a causa de*. _____

9) Con el nexo *por causa de*. _____

10) Sin nexo. _____

PROPOSICIONES SUBORDINADAS ADVERBIALES

—Finales

ADVERBIALES FINALES

Son las proposiciones subordinadas que expresan el fin o intención con que se realiza la acción del verbo principal.

Nexos subordinantes

Los usuales y característicos son: Las preposiciones PARA, A y POR. También se emplean otras muchas frases prepositivas y conjuntivas que denotan finalidad, tales como: *para que, a que, por que, a fin de que, a fin de, con el fin de que, con objeto de*, etc.

CONSTRUCCIÓN DE LAS FINALES

La proposición final se une a la oración principal mediante algún nexo que denote finalidad. Puede construirse delante o detrás de su oración principal o subordinante.

- Lo hace únicamente *para impresionar*.

- Vengo *a que me aclaren este asunto*.

- **Para** *que no haya dudas*, les diré todo lo ocurrido.

La preposición POR (sola) y POR QUE (seguida de la conjunción subordinante *que*) ofrecen una particularidad notable. Las proposiciones *que* que encabezan adquieren una significación que oscila entre lo final y lo causal. Tal vez lo apropiado sería decir que dichas proposiciones participan de ambos matices. Nótese cómo en los ejemplos siguientes puede sustituirse la preposición POR y POR QUE por frases conjuntivas, que unas veces tienen significación claramente final y otras veces, causal. Ello demuestra que la frase original participa de ambos matices.

- No lo hizo *por* obtener ventajas.
- No lo hizo *a fin de* obtener ventajas. (proposición *final*)
- No lo hizo *a causa de* obtener ventajas. (proposición *causal*)
- Te advierto ahora *por que* no reclames luego.
- Te advierto ahora *para que* no reclames luego. (proposición *final*)
- Te advierto ahora *por causa de que* no reclames luego. (proposición *causal*) (o *porque*)

Nótese que *porque* se escribe junto cuando expresa *causa*.
Esta conjunción se originó precisamente por la fusión de la preposición *por* + la conjunción *que*.

Ejercicios

Tema

23-E

PROPOSICIONES SUBORDINADAS ADVERBIALES

—Finales

Subraye todas las palabras que pertenezcan a la proposición subordinada adverbial final.

1) Para que ningún animal se escape, cierra la puerta.

2) Necesitaremos el esfuerzo de todos para alcanzar la meta propuesta.

3) Con objeto de ganar tiempo, suprimiremos parte del programa.

4) Se fue a Europa a ampliar sus estudios.

5) Para aumentar la producción, necesitamos más operarios.

6) A fin de que todos puedan expresar sus ideas, sean breves.

7) Viene a que le revisen el motor de su carro.

8) Se fue al campo unos días para descansar de sus cotidianas labores.

9) Para terminar de una vez con este asunto, hablemos claro.

10) Para que no haya dudas, aquí le presento nuevas pruebas.

Las proposiciones construidas con POR y POR QUE pueden tener una significación que oscila entre final y causal. En los siguientes ejemplos, cambie dichos nexos por otros de tal naturaleza que la proposición adquiera claramente una u otra significación.

1) Trabaja por no aburrirse.

a) _____ (proposición *final*)

b) _____ (proposición *causal*)

2) Gritaba por que no lo tomaran por cobarde.

a) _____ (proposición *final*)

b) _____ (proposición *causal*)

ADVERBIALES CONSECUTIVAS

Son las proposiciones subordinadas que expresan la consecuencia de lo dicho en la oración principal o subordinante.

Nexos subordinantes

Las conjunciones y frases conjuntivas usuales: *pues* (que también puede ser *causal*), *así pues, luego, conque, por consiguiente, por tanto, por lo tanto, por esto, así que.*

CONSTRUCCIÓN DE LAS CONSECUTIVAS

En cuanto a su construcción, se distinguen tres grupos de consecutivas.

1) Las que se construyen *con nexo* y *sin antecedente.*

- Están ya preparados, *pues* manos a la obra, amigos.
- Pienso, *luego* existo.
- Trabajó muy duro, *así pues* bien se merece el premio.
- Cumplí con mi deber, *por consiguiente* nadie puede censurarme.

2) Las que se construyen *con nexo* (que encabeza la proposición consecutiva y con un *antecedente* (que pertenece a la oración principal). El nexo es *que* y los antecedentes (que a veces van callados) son: *tanto, tan, tal* y sus respectivos femeninos y plurales, *así, de modo, de manera* y otras locuciones parecidas. Nótese cómo se forma la correlación entre nexo y antecedente en los ejemplos siguientes.

- *Tantos* compromisos adquirió, *que* no pudo cumplir con todos.
- Se veía *tan* enfermo, *que* causaba preocupación a todos.
- Los desaciertos eran *tales, que* nadie podía justificarlos.
- Aquí tienen lo convenido *de modo que* nada pueden reclamarme.

3) Las que se construyen *sin nexo*, es decir por yuxtaposición. Frecuentemente las consecutivas se construyen sin nexo.

- Tienes talento y dedicación, tarde o temprano triunfarás.
- Hicieron cuanto pudieron, pueden sentirse orgullosos.

Conjunciones continuativas o ilativas

Las conjunciones *pues, por tanto, por consiguiente* además de servir como nexos para encabezar, las consecutivas, se emplean frecuentemente como nexos extraoracionales para indicar que existe cierta relación de continuidad entre el periodo que encabezan y las ideas previamente expuestas o sobreentendidas por el contexto. Usadas como *continuativas*, estas conjunciones van encabezando el periodo o bien intercaladas dentro de él, generalmente después de la primera palabra.

- ¡*Pues*, no faltaba más!
- Nadie, *pues*, se llame a engaño.
- Debemos, *por tanto*, prepararnos adecuadamente.

Ejercicios

Tema
23-F

PROPOSICIONES
SUBORDINADAS
ADVERBIALES

—Consecutivas

Subraye con una raya (——) todas las palabras que pertenezcan a la proposición subordinada adverbial consecutiva y con dos rayas (═══) el antecedente, cuando esté expreso.

1) Tan preocupado estaba, que no lograba dormirse.

2) Han venido tantos, que no hay sitio para todos.

3) El frío es tan intenso, que los ríos permanecen helados largo tiempo.

4) Están de acuerdo, pues no lo piensen más.

5) Tenemos tanta demanda, que aumentaremos la producción.

6) Todavía respira, luego está vivo.

7) Dispuso las cosas de tal manera, que todos quedaron satisfechos.

8) Tienes muchos amigos, no debes preocuparte.

9) Tiene tantos problemas, que se siente abrumado.

10) Falta mucho tiempo, no hay apuro.

Construya proporciones consecutivas con los siguientes nexos.

1) (*luego*) _____

2) (*por tanto*) _____

3) (*conque*) _____

4) (*así que*) _____

5) (*así pues*) _____

Con la conjunción *pues* construya las clases de proposiciones que se indican.

1) *pues* como *causal*. _____

2) *pues* como *consecutiva*. _____

3) *pues* como *nexo extraoracional*. _____

251

ADVERBIALES CONDICIONALES

Son las proposiciones subordinadas que expresan la condición o requisito que debe cumplirse para que pueda realizarse la idea expuesta en la oración principal o subordinante.

Nexos subordinantes
La conjunción *SI* es la usual y característica. También se emplean con valor condicional los adverbios *COMO* y *CUANDO* y otras frases conjuntivas: *a condición de que, con tal que, siempre que*, etc.

CONSTRUCCIÓN DE LAS CONDICIONALES
Pueden construirse con nexo y sin nexo. En cualquier caso, pueden ir delante o detrás de la oración principal, si bien con más frecuencia van delante.

1) **CON NEXO**
   - *Si él llega hoy*, podremos salir mañana (la condicional *delante*).
   - No podré saberlo *si tu no me lo dices* (la condicional *detrás*).
   - *Como no te des prisa*, llegarás tarde.
   - *Cuando él lo dice*, será verdad.
   - Te lo diré *a condición de que no se lo digas a nadie*.
   - Serás recompensado *siempre que te portes bien*.

   Naturalmente los adverbios y frases conjuntivas encabezarán proposiciones condicionales cuando estén empleados con carácter condicional, en cuyo caso pueden sustituirse por la conjunción condicional *SI*; pero no, cuando expresen modo, tiempo y otra circunstancia.
   - Lo hice como me ordenaron (*como* encabeza una proposición *modal*).
   - Te llamaré cuando regrese (*cuando* encabeza una proposición *temporal*).
   - Siempre que viene nos visita (*siempre* es un adverbio de *tiempo*).

2) **SIN NEXO**
   a) con gerundio: Te lo devolveré *suponiendo que lo encuentre*.
   b) por yuxtaposición: *Pórtate bien*, te ayudaré (= *Si* te portas bien . . .).

La proposición condicional puede funcionar como término de una construcción comparativa.
   - Me recibió *como si fuera un extraño*.
   - Estaba más contento *que si le hubiera tocado la lotería*.

| Ejercicios | | |
| Tema
23-G | **PROPOSICIONES
SUBORDINADAS
ADVERBIALES** | —Condicionales |

Subraye todas las palabras que pertenezcan a la proposición subordinada adverbial condicional.

1) Si tú quisieras, podríamos hacer juntos muchas cosas.

2) Te ayudaré, suponiendo que tú aceptes la ayuda.

3) Como no protestes, no te harán caso.

4) Cumple tus obligaciones, tu familia te lo agradecerá.

5) Este terreno, si no fuera por el ruido, tendría gran valor.

6) Cuando el río suena, agua lleva.

7) Siempre que ellos no se opongan, aceptaré el cargo.

8) La máquina funciona bien, con tal que la manejen adecuadamente.

9) Tus habilidades, si no las cultivas, de poco te servirán.

10) Si quieres tener buena salud, no abuses de la comida.

Construya proposiciones del tipo que, en cada caso, se indica con los adverbios siguientes.

1) (*como*)   a) encabezando una proposición *modal*.
_____

b) encabezando una proposición *condicional*.
_____

2) (*cuando*)   a) encabezando una proposición *temporal*.
_____

b) encabezando una proposición *condicional*.
_____

3) (*siempre*)   a) encabezando una proposición *temporal*.
_____

b) encabezando una proposición *condicional*.
_____

ADVERBIALES CONCESIVAS

Son las proposiciones subordinadas que expresan una objeción o dificultad para el cumplimiento de lo dicho en la oración principal, pero que no impide que ésta se cumpla.

Nexos subordinantes

La conjunción adversativa AUNQUE es la usual y característica. También se usa con carácter concesivo: *así, si bien, por más que, aun cuando, siquiera, a pesar de que, ya que, bien que, mal que.*
Consíguese también la significación concesiva repitiendo el verbo con un relativo interpuesto: *diga* lo que *diga, sea* cual *sea*, etc.

CONSTRUCCIÓN DE LAS CONCESIVAS

Pueden construirse con nexo y sin nexo. En cualquier caso, pueden ir delante o detrás de la oración principal.

1) **CON NEXO**
   - Tengo que decírselo, *aunque no le guste*. (la concesiva *detrás*)
   - *Así lo maten*, no retrocederá. (la concesiva *delante*)
   - Es bueno, *si bien resulta algo caro*.
   - *Por más que lo intentó*, no logró abrirse paso.
   - No se lo creo, *aun cuando me lo jure*.

2) **SIN NEXO**
   Pueden construirse sin nexo en gerundio, si bien admiten un nexo, que es como comúnmente se construyen.
   - *Estando necesitado*, no buscaba ayuda. (construcción poco usual)
   - *Aun estando necesitado*, no buscaba ayuda. (construcción usual)

Subordinadas CONCESIVAS y Coordinadas ADVERSATIVAS

Existe un parentesco entre estos dos tipos de proposiciones.
Varias conjunciones (*aunque, aún*) y frases conjuntivas se usan en ambos tipos de proposiciones indistintamente.

aunque
- adversativa — Es muy bueno, *aunque* resulta caro.
- concesiva — Lo haré, *aunque* todos se opongan.

Subraye todas las palabras que pertenezcan a la proposición subordinada adverbial concesiva.

1) Aun estando enfermo, siempre llegaba a su trabajo.

2) Deme una oportunidad, si quiera sea por una sola vez.

3) Por más que se esforzaba, no lograba entender el problema.

4) Aunque fuese mi hermano, mi decisión no cambiaría.

5) Siguió en su puesto, a pesar de que sentía grandes dolores.

6) Aunque vivo muy cerca del mar, pocas veces voy a la playa.

7) No se rompe, así lo golpeen con martillo.

8) Aunque no te guste, debes tomar esta medicina.

9) Así me ofrezcan el doble de sueldo, no cambiaré de trabajo.

10) Aun cuando todos lo aseguren, yo no puedo creerlo.

Construya proposiciones del tipo que se indica en cada caso con los siguientes adverbios.

1) (*así*)   a)   formando una proposición *modal*.

              b)   encabezando una proposición *concesiva*.

2) (*aun*)   a)   como adverbio de *tiempo*.

              b)   encabezando una proposición *concesiva*.